U0850569

中华人民共和国法律释义丛书
全国人民代表大会常务委员会法制工作委员会 编

中华人民共和国
行政许可法释义

主 编：张春生（全国人大法律委员会委员）
李 飞（全国人大常委会法制工作委员会副主任）
副主编：李 援（全国人大常委会法制工作委员会行政法室主任）
许安标（全国人大常委会法制工作委员会行政法室处长）
撰稿人（按姓氏笔画排序）：
许安标 刘松山 陈希文
武 增 童卫东

法律出版社

图书在版编目(CIP)数据

中华人民共和国行政许可法释义 / 全国人大法工委等编. -- 北京 : 法律出版社, 2003.11(2018.11 重印)
(中华人民共和国法律释义丛书)
ISBN 978-7-5036-4577-8

Ⅰ. ①中… Ⅱ. ①全… Ⅲ. ①行政许可法-法律解释-中国 Ⅳ. ①D922.115

中国版本图书馆 CIP 数据核字(2003)第 096831 号

中华人民共和国行政许可法释义
ZHONGHUA RENMIN GONGHEGUO XINGZHENG XUKEFA SHIYI

全国人大法工委等 编

责任编辑 麦 锐
装帧设计 李 瞻

编辑统筹 法规出版分社
出版 法律出版社
总发行 中国法律图书有限公司
经销 新华书店
印刷 北京玺诚印务有限公司
责任印制 吕亚莉

开本 850 毫米×1168 毫米 1/32
印张 12.25
字数 290 千
版本 2003 年 11 月第 1 版
印次 2018 年 11 月第 6 次印刷

法律出版社/北京市丰台区莲花池西里 7 号(100073)
网址/www.lawpress.com.cn
投稿邮箱/info@lawpress.com.cn
举报维权邮箱/jbwq@lawpress.com.cn
销售热线/010-83938336
咨询电话/010-63939796

中国法律图书有限公司/北京市丰台区莲花池西里 7 号(100073)
全国各地中法图分、子公司销售电话:
统一销售客服/400-660-6393
第一法律书店/010-83938334/8335 西安分公司/029-85330678 重庆分公司/023-67453036
上海分公司/021-62071639/1636 深圳分公司/0755-83072995

书号: ISBN 978-7-5036-4577-8 **定价:** 58.00 元
(如有缺页或倒装,中国法律图书有限公司负责退换)

总　　序

人类文明的历史上，还没有哪一个时代像中国的改革开放40年一样，在历史长河中掀起如此巨大的浪花——它不仅深刻改变了一个国家的面貌与精神气质、使数亿人摆脱贫困，还极大地改变了世界格局。

1978，在那一年的年底，中共中央一次全体会议——十一届三中全会扭转了中国的前进方向，开辟了一个时代。回首过去，我们发现，一些观念从那时开始在中国出现，一些声音从那时开始逐渐响起，一些人物开始登上历史舞台。从这一年开始，随着“加强社会主义民主，健全社会主义法制”历史性任务的提出，“法制”两个字进入了人们的视野；政法机关开始恢复重建；法律院系开始蓬勃发展。一部部法律从庙堂走进了人们的生活，一次次裁决推动着国家前进的脚步。从“有法可依、有法必依、执法必严、违法必究”到“科学立法、严格执法、公正司法、全民守法”；从“法制”到“法治”；从法治观念的形成到“依法治国，建设社会主义法治国家”写进宪法，再到“法治国家、法治政府、法治社会一体建设”，人们对法治的认识步步深入，中国的改革不断向前推进，结出丰硕的果实。在中国共产党的带领下，这个励精图治的古老国度，再一次创造了改革的奇迹。

40年发生了无数故事,40年产生了许多事物。为了纪念这难忘的40年,本社组织编辑出版了一批“纪念改革开放40周年”主题图书。这些图书,将40年来颁布的重要法律及其释义甄选汇集,将法学领域有代表性的学术论文萃取精编,把有关政法机关的重建、法律院系的重生与发展进行展现,将一批被时代改变命运的人物再次唤起。我们希望从法律与法律人的视角,重新审视过去的40年,认真体会这不平凡的40年。

如江河东下,逝者如斯。岁月总会过去,人事总有代谢,但一个不平凡的时代留下的深刻痕迹,永远不会磨灭。“不忘初心,牢记使命”,习近平总书记在党的十九大报告中向全党发出的号召,使我们有理由期待,下一个40年,中国将更加惊艳!

法律出版社编辑委员会

2018年10月

出 版 前 言

《中华人民共和国法律释义丛书》是由全国人大常委会法制工作委员会主持组织编辑的一套系列丛书。

该套丛书由一系列法律释义组成。邀请有关专家、学者和部分参与立法的同志编著。该丛书坚持以准确地反映立法宗旨和法律条款内容为最基本要求,在每部法律释义中努力做到观点的权威性和内容解释的准确性。

我们相信,该套丛书的陆续出版,将会给广大读者进一步学好法律提供有益的帮助。

重 印 说 明

本次重印,是为改革开放40周年制作的特别纪念版,为了保持内容原貌,未对正文和附录作实质修改。个别法条内容有修订或修正的,以脚注形式作了标注。特此说明。

2018年10月

前　言

《中华人民共和国行政许可法》已于2003年8月27日由第十届全国人大常委会第四次会议审议通过，将于2004年7月1日起施行。它是继行政诉讼法、国家赔偿法、行政复议法和行政处罚法之后的又一部重要的行政程序方面的法律，是我国社会主义民主和法制建设的一件大事。该法对行政许可的设定范围、设定权限、实施机关和实施程序等作了比较系统的规定，对现行的行政许可制度作了许多重要的改革和完善。它的颁布和实施，对于保护公民、法人或者其他组织的合法权益，进一步推进行政管理体制改革，从源头上预防和治理腐败，保障和监督行政机关有效实施行政管理，都有重要意义。

为了宣传、贯彻和实施行政许可法，直接参加行政许可法起草、审议修改工作的同志撰写了这本行政许可法释义。全书由张春生、李飞同志任主编，具体分工如下：第一章、第二章的第十一条至第十三条和第五章由许安标同志撰写；第二章、第三章由童卫东同志撰写；第四章由武增同志撰写；第六章和第七章由刘松山同志撰写；第八章由陈希文同志撰写。完稿后由许安标同志统稿，最后由张春生、李飞和李援同志审阅定稿。

在写作过程中，我们力求根据立法原意、立法背景和行政许可的理论与实践，对条文所包含的理论、含义进行阐述和解释。由于行政许可现象非常复杂，有关行政许可的理论还在发展之中，加之水平有限，书中难免会有不妥之处，欢迎读者批评指正！

作　者

2003年9月27日

目　录

第一部分　释　义

第二部分　附　录

第一部分 释 义

第一章 总 则

总则一般对立法目的、依据、调整范围、基本原则以及其他一些重要问题作出规定,对全法起统领和指导作用,总则中的有关原则和制度,在其后的法律条文中一般都有具体体现和明确规定。本法总则的内容主要包括三个方面:一是立法目的和依据;二是适用范围;三是行政许可的基本原则。其中第一条是关于立法目的和依据的规定,第二条至第三条是关于适用范围的规定,第四条至第八条是关于行政许可基本原则的规定,第九条和第十条是有关行政许可的转让、建立、健全监督制度的规定。这些内容的确定与规范,为以后各章节具体条文的设计确定了指导原则和理论基础。对总则的学习和理解,要注意两个方面的问题:一方面要和以后各章节的具体内容结合起来进行学习研究,不能孤立地学习研究总则,否则会感到空洞、空泛;另一方面也不能认为总则抽象,不确定当事人的权利义务,而忽视对总则内容的学习研究。总则之后各章具体内容的理解和把握,要结合总则所确定的精神和指导原则来掌握,特别是在遇有不同理解时,要结合总则所确定的原则来进行判断。

第一条 为了规范行政许可的设定和实施,保护公民、法人和其他组织的合法权益,维护公共利益和社会秩序,保障和监督行政

机关有效实施行政管理，根据宪法，制定本法。

【释义】 本条是关于立法指导思想、立法宗旨和立法依据的规定。

一、行政许可法的制定过程

行政许可法是继行政诉讼法、国家赔偿法、行政处罚法、行政复议法之后的又一部对行政机关的工作产生重要影响的法律。行政许可法的制定，大致可以分为三个阶段：第一阶段，基础研究与试拟征求意见稿，由全国人大常委会法工委承担。全国人大常委会法工委从1996年着手行政许可法的调研、起草工作，形成了《行政许可法（征求意见稿）》。第二阶段，国务院起草阶段。九届全国人大常委会将行政许可法列入立法规划，确定由国务院提出法律草案，起草工作交由国务院法制办公室负责。此后，国务院法制办以征求意见稿为基础，结合清理国务院部门行政审批事项，从2000年初开始行政许可法的起草、调研、论证，就起草这部法律涉及的主要问题，征求了地方人民政府、国务院各部门、专家学者的意见。在此基础上，起草了《行政许可法（初稿）》，于2001年7月印发国务院各部门、省级人民政府及较大的市人民政府的法制工作机构和全国人大常委会法工委等单位以及专家学者征求意见；并多次召开行政许可法的论证会、研讨会，广泛听取意见。在总结实践经验，特别是在行政审批制度改革的经验的基础上，参考国外的做法，经反复研究、修改，形成了《中华人民共和国行政许可法（草案）》，于2002年7月5日由国务院提请全国人大常委会审议。第三阶段，审议通过阶段。2003年8月，九届全国人大常委会第二十九次会议对草案进行了初步审议。会后，法制工作委员会将草案印发中央各部门、地方人大常委会、有关研究机构和法学专家征求意见。法律委员会和法制工作委员会还联合召开座谈会，邀请中央有关部门、企业事业单位和法学专家座谈征求意见。

九届全国人大常委会第三十一次会议对草案进行了二次审议。草案二次审议稿在行政许可的含义和范围、行政许可的设定权和设定程序、行政许可实施程序以及行政许可的听证程序等问题上作了修改。十届全国人大常委会第三次会议对行政许可法草案进行了三审。会后,根据常委会组成人员的审议意见,法律委员会、法制工作委员会就草案三次审议稿的主要问题,同国务院法制办进行了多次研究,并召开国务院有关部门、部分地方人大常委会和部分法律专家座谈会,进一步听取意见。2003 年 8 月,十届全国人大常委会第四次会议进行了四审。四次审议稿对本法争论最大的问题,即对行政许可的分类问题提出了解决方案,不对行政许可加以分类,用统一的行政许可概念来规范行政许可行为。四次审议稿受到常委会组成人员的高度评价,经进一步审议修改后,交付表决。到会常委会组成人员 152 人,赞成票 151 票,弃权票 1 票,行政许可法以高票通过。至此,历经 7 年的起草、审议,行政许可法正式出台。

二、行政许可法的立法宗旨

立法宗旨是一部法律的灵魂,为立法活动指明方向和提供理论依据,对于确定法律的原则、设计法律条文、处理解决不同意见等具有重要的指导意义。本法的立法宗旨是通过规范行政许可的设定和实施,在维护公民、法人或者其他组织的合法权益与保障行政机关依法行使职权两方面寻找最佳结合点。立法宗旨与立法的指导思想密切联系,可以说是一个事物的两个方面。从立法宗旨可以推导出立法的指导思想,从立法指导思想也可以看出立法宗旨,但深入研究,两者又有一定的区别,如针对性、侧重点等方面有所不同。本条重点阐明的是立法宗旨。本法的立法宗旨是两个方面:

(一)规范行政许可的设定和实施

这可以概括为最直接的立法目的,也反映了行政许可立法的必要性。所谓行政许可设定权,就是规定公民、法人或者其他组织从事某些特定的活动,需要事先经行政机关批准的权力。过去,行政许可的设定权不够明确,设定主体比较混乱,致使行政许可事项不断增加,加大了经济发展成本,甚至阻碍了经济和社会的发展,妨碍了公民、法人或者其他组织的创造性和积极性。为了从源头上解决行政审批过多过滥的问题,本法在立法宗旨上,开宗明义,要规范行政许可的设定。本法在规范行政许可的设定上,主要从两个方面入手:一是规范行政许可的设定范围,明确了可以设定行政许可的主要事项;二是规范设定行政许可的主体,严格限制和减少设定主体。根据本法的规定,享有行政许可设定权的,只有法律、行政法规(包括国务院的决定)、地方性法规以及省级人民政府规章。过去曾大量设定行政许可的部门规章,被取消了设定权;对省级人民政府设定行政许可,也作了严格的限制。除了法律、行政法规(包括国务院的决定)、地方性法规和省级人民政府规章外,其他规范性文件,一律不得设定行政许可。凡是设定了行政许可的,一律无效,并予以撤销。这对从源头上治理行政审批过多过滥的现象具有重要意义。行政许可的实施,就是指行政机关按照法定的程序,批准或者不批准公民、法人或者其他组织的行政许可申请的活动以及对被许可人的监督和管理等。过去由于行政许可的实施程序没有统一立法,行政许可的办理,在不同地区、不同部门,有很大的差异。有些审批程序不公开、不公平,成为腐败的温床;有些审批程序非常繁琐,不利于老百姓办事。行政许可立法,一方面要减少行政审批,另一方面要简化行政审批程序。实施行政许可,要做到公正、公开,公布许可条件,禁止暗箱操作;一个行政机关实施行政许可涉及机关内部几道环节的,应当"一个窗口"对外;依法需要几个部门许可的,要集中统一办理,尽量减少多头审批;决定行政许可,行政机关应当听取当事人的意见,不予许可的要说明理由等。

（二）实现保护公民利益和维护公共利益的统一

这可以理解为行政许可立法的间接目的，即在规范行政许可的设定和实施的过程中，所要达到的目的。它体现了行政许可法的价值取向。主要包括以下几点：

1. 保护公民、法人和其他组织的合法权益。国家行政机关在负责组织、领导和管理国家行政事务，行使国家行政管理职权的过程中，根据宪法、法律、行政法规、地方性法规以及行政规章的规定，可以采取行政措施，依职权作出各种具体行政行为。虽然行政机关的行政行为必须依据法律或者在法律规定的范围内作出，但国家行政机关在国家机构中是机关最大、工作人员最多、管理的范围和涉及的领域最广、同公民关系最为密切的机关，在行使职权时也最容易与相对人发生纠纷。就行政许可的实施而言，行政机关可以批准或者不批准行政许可申请人的申请，可以撤销、吊销、注销已经颁发的行政许可，可以对被许可人进行种种监管等。这些权力运用不当，都有可能侵犯被许可人的合法权益。本法对行政许可设定和实施的规范，在设计有关制度和程序的时候，一个重要的指导思想就是要保护公民、法人或者其他组织的合法权益。如行政许可的设定和实施，应当依照法定权限、范围、条件和程序；应当遵循公开、公正、公平的原则；应当遵循便民的原则。公民、法人或者其他组织对行政机关实施行政许可，享有陈述权、申辩权；有权申请行政复议或者提起行政诉讼；其合法权益因行政机关违法实施行政许可受到损害的，有权依法要求赔偿。特别是本法还规定了信赖保护原则，公民、法人或者其他组织依法取得的行政许可，受法律保护，行政机关不得擅自撤销。这些都是保护公民、法人或者其他组织合法权益的直接体现。

2. 维护公共利益和社会秩序。不同公民的权利和自由的有机组合、和谐相处的状态构成了社会发展和稳定所必需的秩序。维护这种秩序，成为社会成员的一种共同利益和要求。当某一个个体的权利和自由超越一定的界线,不断膨胀和扩大时,就会影响或损害他人的权利和自由,进而损害公共利益和社会秩序。因此对权利和自由的行使要有一定的限制和监督,这就是行政管理的任务之一。公共利益和社会秩序并不脱离公民的权利和自由单独存在,而是通过具体的权利和自由体现出来。对公共利益和社会秩序的维护,也是从根本上维护大多数人的利益。行政许可立法致力于在保护公民权利与维护护公共利益和社会秩序方面,寻找最佳结合点。如行政机关实施行政许可,一方面要坚持公开、公平和公正的原则,接受公民、法人或者其他组织的监督;另一方面,行政机关要对被许可人从事许可活动实施有效监督,对违法从事许可活动的个人和组织,依法给予处理。需要指出的是,公共利益在本质上是非人格化的利益,是不特定多数人的利益。它与部门利益、单位利益和小集体的利益是有本质区别的。实践中,有的假借公共利益之名,行谋取部门利益、小集体利益之实,这是应当予以警惕和注意的。

3. 保障和监督行政机关有效实施行政管理。保障公民的权利和自由,维护公共利益和社会秩序,都需要行政机关积极开展工作来实现。但在对行政机关权限的赋予上,要两者兼顾。行政机关的权限过小、手段过少,会影响上述目的的实现;但权限过大,缺乏监督,就有可能导致权力滥用,同样会影响上述双重目的的实现。正是基于以上要求,本法对行政机关的规定,包括两个方面,一是保障行政机关依法行使职权,二是监督行政机关依法履行职责。在行政法的发展历史上,先后有两种理论观点,一种强调管理,即行政法就是管理法,侧重于保障行政机关行使职权,赋予其充分的法律手段;另一种强调控制和抑制行政权,以保护公民的权利。现在,我国的行政法理论已基本形成了一种共识,即对行政机关,既要保障其依法行使职权,又要加强对其行使权力活动的监督。我国的行政诉讼法、行政复议法、行政处罚法等都体现了这一思想。行政许可法也不例外，也体现了保障与监督并举的宗旨。一方面，赋予国务院和省级人民政府一定的行政许可设定权，方便他们及时运用行政许可手段进行管理；规定行政许可的实施机关和实施程序，保障行政机关依法实施行政许可；赋予行政机关监督检查权，保障了行政机关对行政许可的监管；规定违反行政许可管理的法律责任，保障了行政机关的处罚手段等。另一方面，监督行政机关实施行政管理，如在行政许可的实施过程中，规定了行政机关的具体责任；公民可以提请行政复议和行政诉讼；上级行政机关、监察机关等可以监督行政机关实施行政许可的行为；行政机关及其工作人员违法实施行政许可应当承担相应的法律责任等。

三、行政许可法的立法依据

本法立法的依据和其他法律一样，是宪法。宪法是国家的根本法，是我国法律体系的基石。宪法具有最高的法律效力，一切法律、行政法规都不得同宪法相抵触。宪法是民主制度的法律化，规定国家政治生活和社会生活中的最重要的问题。我国现行宪法制定颁布于 1982 年 12 月，是新中国成立以来最好的一部宪法。宪法关于公民基本权利和义务、国家权力机关和行政机关职权以及行政机关组织工作原则的规定，都是制定本法的重要依据。

四、制定颁布行政许可法的重要意义

行政许可是行政机关依法对社会、经济事务实行事前监督管理的一种有效手段，多年来在行政管理工作中发挥了重要作用。但是，行政许可是一把“双刃剑”，运用不当，也会产生消极的作用。目前，我国行政许可手段运用中的主要问题是行政审批过多、过滥，产生这种情况的主要原因：一是行政许可设定权不明确，有些乡政府、县政府在设，有些行政机关内设机关也在设。二是设定行政许可的事项不规范，一讲行政管理，就要审批。三是实施行政许可环节过多、手续繁琐、时限过长、"暗箱操作",老百姓办事很难。四是重许可、轻监管或者只许可、不监管的现象比较普遍,市场进入很难,而一旦进入却又缺乏监管。五是有些行政机关把行政许可作为权力"寻租"的一个手段。不少企业、个人为了取得行政许可,还要给好处、托关系,助长了腐败现象的蔓延。在一定意义上说,行政许可已经成为一个腐败源。六是行政机关实施行政许可,往往只有权力、没有责任,缺乏公开、有效的监督制约机制。现行行政许可制度在一定程度上已经成为转变政府职能的一个障碍。按照党中央、国务院的部署,各地方先后开展了行政审批制度改革,取消了一批行政审批项目,规范了行政审批程序,取得了初步的成效,积累了一定的经验;国务院部门行政审批制度改革正在抓紧进行。按照世贸组织协定和我国对外承诺,行政许可应当以透明和规范的方式实施,行政许可条件和程序对贸易的限制不能超过必要的限度,中国工作组报告书并对服务贸易的行政许可程序提出了9条明确要求。因此,制定行政许可法,对于巩固行政审批制度改革成果,履行我国对外承诺,进一步推进行政管理体制改革,从源头上预防和治理腐败,都有重要意义。

第二条　本法所称行政许可,是指行政机关根据公民、法人或者其他组织的申请,经依法审查,准予其从事特定活动的行为。

【释义】　本条是关于行政许可定义的规定。

一、关于行政许可的几种理论观点

行政许可的基本性质是对特定活动进行事前控制的一种管理手段。对行政许可现象进行解释和说明的理论很多,并且随着国家对经济和社会生活干预程度的变化,还在不断创新发展,目前有关行政许可的理论观点,大致有三种:

第一种观点认为,行政许可是普遍禁止的解禁,普遍禁止的例外。该观点认为，应当许可的事项，在没有此种限制以前是任何人都可以作为的行为，因为法律规定的结果，其自由受到限制，所以许可是对自由的恢复，即不作为义务的解除，并非权利的设定。在早期自由资本主义时期，需经政府许可的事项很少，只有一些很特别的事项需经政府批准，如卖酒、销售枪支等。这些事项对全社会来说，都是禁止的，只有经政府许可的，才获得了例外。因此这时的法学理论通常把行政许可视为普遍禁止的解禁。

第二种观点认为，行政许可是一种权利的赋予，是一种授益性行政行为。即认为行政许可是赋权行为，相对人本没有此项权利，只是因为行政机关的允诺和赋予，才使其获得了一般人不能享有的特权。因为到了现代，国家大量干预经济生活和社会生活，需经政府许可的事项大量增加，这时已难以用解禁说来解释如此广泛的行政许可现象，这就产生了赋权说。

第三种观点吸收了上述两种观点，认为行政许可是解禁与赋权的统一。认为行政许可在性质上具有“赋权”与“限权”双重性质，这种双重性是一个问题的两个方面。对于从许可中受益的相对人来讲，行政许可是一种赋权行为，但对于未经许可或不予许可的相对人来讲则是一种限制和排斥权利的行为。如准予驾驶机动车，准予开办会计师事务所，因而是授益性行政行为。但是对更多未被赋予权利者来说，则是一种禁止，是对行使某种权利的限制，所有未取得驾驶执照的人都不得开汽车；未被批准开办会计师事务所者，一律不得开办。在法治国家里，公民可以从事一切活动，除非法律有禁止。许可正是权利与禁止这两者的结合点。例如，为了维护社会秩序和公共利益，对机动车驾驶必须实行许可制度。开车是一件具有危险性的事情，因此一般人不得开车；但开车对个人又会产生利益，如求职就业等，因而又应该允许开车。为了利用其有利方面，防止损害他人和公共利益的事情发生，国家就需要实行驾驶机动车的许可制度，一般人都禁止开车，但会驾驶汽车、懂得驾驶规则者可以被许可。

二、国外有关行政许可的概念

在美国,行政许可主要有四种:一是允许(Permit),即对具备了某种客观技能和水平的人从事某种活动的一种许可,如汽车驾照;二是资格证明(Certification),即对具有相应教育经历或者专业资格的人从事特定职业的一种能力证明;三是特许(Franchise),是对有限资源进行配置的一种方式,如出租车的经营许可;四是执照(License),是对经营关系公众健康、社会福利事业的一种许可,如餐馆经营执照。

在英国,行政许可渊源于英王的特权,后来随着英王行政权力的逐步缩小,特许权不断减少,但政府在行政管理中却广泛地借鉴了这种管理方式。由此,行政许可被当作是对被限制、禁止或者非法的事情的一种允许。

在日本,行政许可是指行政机关对法律规定的一般禁止的行为在特定的场合、对特定的人解除其禁止的一种行政行为,如药店、当铺的营业许可。与此相联系的还有特许和认可,特许是对国民设定其原本不拥有的权利或者权利能力的行政行为,如电气、铁路等企业的经营许可;认可是指行政机关补充第三者的合同行为、共同行为等法律行为,使其具有法律上的效力的行政行为,如农地权利转移许可。

三、关于行政许可的类别

根据不同的标准,可以对行政许可作不同的分类。学理上对行政许可的分类主要有:(1)行为许可与资格许可。行为许可是直接允许申请人从事某种活动,资格许可是赋予申请人某种资格。其实,取得某种资格的目的也是为了从事某种活动,只是许可的直接程度不同。(2)依据审批程序的宽严或者特定对象,可以分为普通许可和特别许可。(3)排他性许可和非排他性许可。按照许可之后,是否还批准其他人的许可申请,可分为排他性许可和非排他性许可。(4)根据许可证的证明程度,可以分为独立许可和附文件的许可。(5)根据许可是否附有相应的义务,可分为权利性许可和附义务许可。在现行法律、法规和实际做法中存在审批、审核、批准、认可、同意、核准、登记、备案等名目繁多、称谓各异的许可形式。实际中出现多种形式的许可,一方面是由于行政管理对象的多样性,产生行政管理方式的多样性;另一方面是由于对行政许可的设定和实施不规范。

行政许可法草案曾将行政许可分为普通许可、特许、认可、核准和登记五大类。其中普通许可适用于准予符合法定条件的自然人、法人或者其他组织从事特定活动的事项;特许适用于赋予自然人、法人或者其他组织的特定权利并且具有数量限制的事项;认可适用于赋予自然人、法人或者其他组织特定资格、资质的事项;核准适用于对特定物的检验、检测和检疫等;登记适于确定企业或者其他组织的主体资格。由于这种分类,存在很多不同意见,并且确定科学分类的主观条件和客观条件不成熟。因此,在立法决策上,最后取消了分类,用统一的行政许可概念来表达所有的行政许可现象。

在行政许可分类中,有一种分类是比较普遍的,即普通许可和特许。这种分类对认识和理解行政许可的性质是很有益的。对什么是特许,有两种观点:一种观点认为是指对有害于社会或者社会不期待的事项,法律一般予以禁止,在特殊情况下,解除禁止。如排放污染物、制造和持有管制刀具、从事博彩业等。另一种观点认为特许是指国家赋予私人公营事业经营权的行为。如对私人经营电、煤气、自来水等公共服务业的许可。其前提是法律禁止这些领域私人经营,国家有独占的经营权。后来其范围又扩大到国家所有的自然资源的开发利用和公共资源的配置等。这种特许的观点，实质是特许的适用范围不同，但它们也有共同点，即特许在程序上比较严格。普通许可相对于特许，也就是除去特许之外的所有许可，这是一种通常的理解。另外还有一种观点认为，普通许可是众多许可种类中的一种，行政许可法原草案就是这样规定的。对行政许可不同类别的了解，有助于认识行政许可。

无论是将行政许可分为普通许可和特许，还是划分为其他种类，从认识论上来说，是为了认识行政许可，把握其不同侧面；从立法上来说，对行政许可进行分类，就是为了分类规范和分类指导，规定出不同的程序。由于行政许可现象的多样性和复杂性，各类所适用的特别程序具有不确定性，因此立法上分类意义不大，并且分类容易引起某一类别是否属于行政许可的争议，最终行政许可法没有采取分类的办法。

四、本法规定的行政许可的特征

按照本法对行政许可的界定，行政许可有以下三个特征：

第一，行政许可是依申请的行政行为。行政机关针对行政相对人的申请，依法采取相应的行政行为。行政机关不因行政相对人准备从事某项活动而主动颁发许可证或者执照。行政相对人提出申请，是颁发行政许可的前提条件。但这并不是说申请使行政许可具有双方行为的性质，行政许可是行政机关基于行政权而为的单方行为，申请并不意味着必定得到行政机关的认可。行政相对人提出申请，是其从事某种法律行为之前必须履行的法定义务。

第二，行政许可是一种经依法审查的行为。行政许可并不是一经申请即可取得，而要经过行政机关的依法审查。这种审查的结果，可能是给予或者不给予行政许可。行政机关接到行政许可申请之后，首先审查决定是否受理。属于本机关职责范围，材料齐全，符合法定形式的，予以受理。受理之后，根据法定条件和标准，按照法定程序，进行审查，决定是否准予当事人的申请。审查应当公开、公平和公正，依照法定的权限、条件和程序，以保证行政许可决定的准确性。

第三，行政许可是一种授益性行政行为。行政行为按对相对人权益的影响为标准，可分为授益性行政行为和非利益性行政行为。授予行政相对人权利或使相对人取得利益的行政行为是授益性行政行为。剥夺与限制行政相对人权益或要求行政相对人履行义务的行为是非利益行政行为。行政许可与行政处罚和行政征收等行政行为不同，后者是基于法律对行政相对人权益的一种剥夺和限制，而前者是赋予行政相对人某种权利和资格，是一种准予当事人从事某种活动的行为，因此是授益性行政行为。

此外，行政许可还具有区别于其他行政行为的一些特点：第一，它是一种外部行政行为。行政许可法律关系的主体是对外行使行政管理职权的行政机关和受行政机关管理权限约束的相对人，即公民、法人或者其他组织。这一点决定它区别于行政机关内部的审批行为和行政机关之间以及上下级行政机关的审批行为。这也就是说，行政许可是一种外部行政行为，而不是一种内部行政行为。所谓内部行政行为，是指作用于行政机关内部、行政机关之间或与其有隶属关系的行政工作人员的行政行为。而外部行政行为直接作用于行政机关之外的公民、法人或者组织。第二，行政许可是一种要式行政行为。行政行为以是否具有法定形式要求为标准，可以分为要式行政行为和非要式行政行为。行政许可除了要遵循一定的法定程序，还应以正规的文书、格式、日期、印章等形式予以批准。行政机关作出准予行政许可的决定，需要颁发行政许可证件的，应当向申请人颁发加盖印章的许可证、执照或者其他许可证书，资格证、资质证或者其他合格证书，批准文件或者证明文件等。因此，行政许可是一种要式行政行为。第三，行政许可的功能在于抑制公益上的危险或影响社会秩序的因素，是一种事前控制手段，因而它不同于行政处罚、行政强制等事后或事中所采取的手段。

第三条　行政许可的设定和实施，适用本法。

有关行政机关对其他机关或者对其直接管理的事业单位的人事、财务、外事等事项的审批，不适用本法。

【释义】　本条是关于本法调整范围的规定。

一、法律调整范围的含义

法律的调整范围是指法律调整和规范的社会关系。从大的法律门类来说，各个门类的法律都是调整特定的社会关系。我国的法律体系通常认为包括七个法律门类，即宪法及宪法相关法、民法商法、行政法、经济法、社会法、刑法、诉讼与非诉讼程序法。其中，宪法调整的是公民权利和国家权力之间的关系；民法调整的是平等主体之间的财产关系和人身非财产关系；刑法调整的是犯罪与刑罚之间的关系。从具体的单行法律来说，每部法律都有其特定的调整对象和所要解决的问题。如行政处罚法规定，行政处罚的设定和实施，适用本法；行政复议法规定，公民、法人或者其他组织认为具体行政行为侵犯其合法权益，向行政机关提出行政复议申请，行政机关受理行政复议申请、作出行政复议决定，适用本法；教育法规定，在中华人民共和国境内的各级各类教育，适用本法。这些都是对特定法律调整对象和范围的规定。立法首先规定调整对象和范围的意义在于使该法所要解决的问题和所要规范的社会关系成为明确的、有限的目标，防止范围无限扩大或不确定而无法解决问题；确立解决问题和建立制度的理论基础和前提条件，防止不同理论在法律条文中的冲撞。

二、行政许可法的适用范围

本条第一款从正面规定了适用本法的两个方面，行政许可的设定和实施，适用本法。设定行政许可是指法定的国家机关按照法定的程序，独立作出哪些行为需要经过批准才可以进行，应当按照什么样的程序和条件来进行批准或者不批准的规定。设定行政许可,是一种立法行为,严格来讲,并不是一种行政许可行为。我国行政许可的设定,最基本的和最主要的形式还是法律,在地方主要是地方性法规。既然设定行政许可并不是一般意义上的行政许可行为,为什么还要纳入到本法的调整范围呢?这主要有两方面的考虑:一方面,本法的立法指导思想之一就是清理过去,规范未来。过去,我国实行计划经济,国家包揽整个经济和社会事务,行政审批无所不在。现在,我国实行社会主义市场经济,由市场来配置资源。该由市场决定的事情,应当由市场主体来决定;该由社会自己解决的事情,应当交社会自己去办理。行政管理要退出一些经济和社会领域。这就需要对哪些事项可以设定行政许可,哪些事项不能设定行政许可,作出一个原则界定。同时,过去由于对行政许可缺少统一认识,行政许可的设定主体比较混乱。许可收费,收费养人,养人收费,导致行政许可过多过滥,致使某些行政机关偏离其服务宗旨。为了从源头上治理行政许可过多过滥的问题,减少行政审批,因此必须对行政许可的设定权进行规范,减少行政许可的设定主体。另一方面,按照法治的要求,凡是对公民设定义务,或者对公民某种权利作出限制以致剥夺,均需由立法机关制定法律,或者由立法机关作出授权,再由行政机关加以规定。也就是要求行政机关的行为应当有法律依据,做到依法行政。行政许可涉及公民的权利义务,原则上应由法律作出规定。由于我国地域辽阔,经济发展平衡,并且法律体系尚在完善过程中,不可能将行政许可的所有事项都交由最高国家权力机关规范,需要赋予行政机关和地方权力机关一定的设定权。这就需要对各个立法主体的设定权限作出规定。

本法第二条规定,行政许可是指行政机关根据公民、法人或者其他组织的申请,经依法审查,准予其从事特定活动的行为。这里对行政许可的界定,实际是从行政许可的实施角度来表述的。实施行政许可,也就是法定的行政机关,按照法定条件、标准和程序,决定是否给予申请人许可以及由此产生的对被许可人的监督管理行为等。实施行政许可是一种具体行政行为,具体内容包括实施主体的确定、申请与受理、审查与决定、对被许可人实施许可行为的监督等。行政许可的实施是将法律规定的权利义务转化为现实的社会关系,转化为特定当事人的权利义务,具体体现行政程序的各项原则和要求,是行政许可法所调整和规范的重要内容。

三、不适用本法的有关审批事项

本法界定了什么是行政许可,并且规定行政许可的设定和实施适用本法。应当说这样规定,已经比较清楚地划定了行政许可法的调整范围。但是,由于行政许可现象非常复杂,对什么是行政许可,看法不一。比如,结婚登记是否属于一种行政许可行为?就有不同的看法。有的认为,结婚登记符合本法规定的行政许可定义,首先是当事人的申请,只有当事人的申请才能启动结婚登记;其次是经依法审查,婚姻登记机关要审查当事人是否符合结婚的条件,如是否达到法定婚龄,是否属于近亲属,是否患有医学上不宜结婚的疾病等;第三,符合法定条件的,准予结婚,结成夫妻关系;第四,未经登记而同居的,属于违法行为,不受法律保护。因此是一种行政许可。反对者认为,尽管结婚登记符合上述定义,但也不是一种许可行为。行政机关的登记仅是一种确认、证明双方的夫妻关系,决定结婚是男女双方当事人的自主权,行政机关不能决定并且也不能干涉这种行为。如果我们把结婚登记都当成行政许可,容易助长行政权对公民权利的干涉。对这个问题的争论,反映了本法的定义并没有完全解决本法的调整范围问题。特别是本法草案说明中的解释,行政许可就是通常所说的"行政审批",而行政审批通常被理解为行政机关所作的审批,这种审批在行政机关的工作中是非常普遍的。严格来讲，行政审批只是依审批主体所作的界定，它和行政机关依相对人的申请而进行的审批，是有交叉重叠的。这就需要进一步从反面来界定本法的调整范围，将不适用本法的事项排除在外。本法对不适用本法调整范围事项的规定，排除的是哪些同本法规定的行政许可事项有密切联系，在工作中难以严格区分，执行中又难以按本法规定办理的事项。

本条第二款明确规定不适用本法的事项有两类：一是有关行政机关对其他机关人事、财务、外事等事项的审批。每一个行政机关通常都承担特定的社会管理职能，属于管理者；但同时它们也是被管理者，国家对行政机关的人、财、物等实行集中统一管理，由指定的行政机关负责审批、划拨和监督等项工作，以保障国家财政资金运转的效率，人事任用的公平，促进行政机关的协调运转。例如，每个行政部门都有自己的预算，这些预算是本级预算的组成部分，这些预算只有经财政部门批复之后，才可以执行。又如行政部门开展外事交流活动，以本部门名义谈判和签署属于本部门职权范围内事项的协定，需要会商外交部。财政、外事部门对这些事项的审批，虽然符合行政许可的一些特点，但它行使的不是一种社会管理职能，其对象是特定的行政机关，而不是非特定的公民、法人或者组织。因此，这种审批不属于行政许可，不适用本法。需要说明的是，这里的“其他机关”不仅包括了行政机关，还包括了国家权力机关、司法机关以及政党、团体等组织。二是行政机关对直属事业单位有关事项的审批。我国的法人组织中有企业、事业单位和国家机关。其中事业单位不同于企业法人，是为发展特定的事业而设立的法人组织，通常不以营利为目的，致力于发展社会公益事业。如学校、医院、科研单位和文艺团体等。由于历史的原因，我国社会公共事业和福利事业的兴办，很多都是由国家出资来兴办的，因此，我国的行政部门直接管理着一大批这样的事业单位。行政机关对这些单位进行管理，少不了要对事业单位的各种事项进行审批。由于这种审批是基于行政机关对这些单位的直接隶属关系,也就是说这些单位是国家出资兴办的,国家授权特定的行政部门来进行管理。这种审批权来源于国家出资,来源于资金划拨,不同于行政机关对一般性社会事务的管理,因此不属于行政许可,不适用本法。

四、其他不具有行政许可性质,不适用本法的有关事项

除了本条明确规定不适用本法的行为外,在实践中还有一些容易同行政许可、行政审批相混淆,但不具有行政许可特征的行政行为。这些行政行为也不适用本法,主要有:

一是内部审批行政行为,亦即上级行政机关基于行政隶属关系对下级行政机关有关请示报告事项的审批。在行政管理中,下级行政机关经常就工作中的一些重要计划、规划、决策以及贯彻执行法律、法规和国家方针政策中的问题请示上级国家机关,由上级国家机关予以审查批准。这种审查批准,是一种内部行政法律关系,是行政机关内部上下级领导关系的一种体现,不同于作为外部行政法律关系的行政许可,因此这种审批不适用本法。当然,在上级对下级报批事项的审批中,有一些是下级行政机关受理的公民、法人或者其他组织的申请,按照管理权限,经本级行政机关审查提出意见后,报上级审批。这种审批属于行政许可决定程序中的一个环节,应当适用本法。

二是处置财产权利的审批,如行政机关以出资人的身份对国有企业资产处置等事项的审批。这种审批是因为资产所有权而产生的,行使的是所谓“老板权”。国家将国有资产处置的审批,由于交由行政机关去审批,发生了主体的竞合。这时的行政机关具有双重身份,既是行政管理机关,又是国有资产所有者的代表。它在对国有资产处置进行审批时,是作为所有者的代表在履行职责,因此不属于行政许可。这里如果不分清其中的法律关系,就容易

混淆两种审批的性质。随着国有资产管理体制的深化,这种审批区别于行政许可的特点将越来越明显。就全国而言,国务院设立国有资产管理委员会,作为其特设机构,负责国有资产的管理。国有资产管理委员会不属于行政机关,对国有企业有关事项的审批,当然不属于行政许可。

三是行政机关确认财产权利及其他民事关系的登记。我国的登记种类很多,概括起来是两类:一类是确认登记,主要包括产权登记、抵押登记、结婚登记、收养登记、个人身份登记、特定事实登记等,不属于行政许可。这类登记属于事后程序,是保护和确认登记人的权利,而不是重新赋予其权利。在这类登记中,行政机关行使的不是行政管理权,而是以第三人的身份出现,起证实和确认作用。另一类是设立、开业登记。设立法人登记的实质是取得民事权利能力,取得行为能力。因此设立、开业登记都是行政许可。

第四条 设定和实施行政许可,应当依照法定的权限、范围、条件和程序。

【释义】 本条是关于应当依法设定和实施行政许可的规定。

依法办事是法治的一项基本原则,它体现在行政管理领域,就是要依法行政。依法行政,简单地说,就是法定的行政机关,在法定的权限范围内,按照法定程序履行行政管理职责,并接受监督。行政机关的设立及其职权的赋予,应当由法律规定。行政机关要按照法律规定的权限和程序行使职权,并接受司法机关和有关机关的监督。本条的规定,就是依法办事原则、依法行政原则在设定和实施行政许可上的具体体现。

一、按照法定的权限、范围、条件和程序设定行政许可

1. 按照法定的权限设定行政许可。包括三层含义:一是设定权由法律赋予。本法为了减少行政许可,从源头上治理行政许可

过多过滥的问题,减少了行政许可的设定主体。特别是取消了设定过大量行政许可的部委规章的行政许可设定权;对地方政府规章的行政许可设定权,也作了严格限制。行政许可的设定只能由全国人大,国务院,有权制定地方性法规的省、市人大及其常委会,有权制定地方政府规章的省级人民政府行使。二是有权设定行政许可的机关,应当按照立法法规定的权限和本法的规定设定行政许可。我国立法法规定了全国人大及其常委会的专属立法权,规定了行政法规和地方性法规以及规章的权限范围,行政法规、地方性法规和规章在设定行政许可时,应当遵守上述权限范围的规定,不得越权设定行政许可。同时还应当遵守本法的有关规定,对于本法规定可以设定行政许可的事项,应当是在上位法没有设定行政许可的情况下,下位法才可以设定行政许可;上位法已经设定了行政许可的,下位法只能对实施该行政许可作具体规定。就地方性法规和省级人民政府规章而言,不得设定应当由国家统一确定的公民、法人或者其他组织的资格、资质的行政许可;不得设定企业或者其他组织的设立登记及其前置性行政许可。其设定的行政许可,不得限制其他地区的个人或者企业到本地区从事生产经营和提供服务,不得限制其他地区的商品进入本地区市场。三是没有行政许可设定权的机关和组织,一律不得设定行政许可。

2. 按照法定的范围设定行政许可。也就是所设定的行政许可,要符合本法规定可以设定行政许可的事项范围。本法对可以设定行政许可的事项,规定了五个大的方面,主要是国家安全、公共安全、人身健康、生命财产安全;自然资源的开发利用和公共资源的配置及特定行业的市场准入;公民、法人或者其他组织的资格资质;确定企业或者其他组织的主体资格等方面的事项。并且即使在本法规定的可以设定行政许可的事项范围内,如果能够通过市场竞争机制调节、行业组织和中介机构自律性管理或者采用事后监督方式,能够予以规范和约束的,可以不设定行政许可。按照法定的范围实施行政许可，就是实施行政许可要严格依据法律、法规的规定，实施机关不得擅自扩大行政许可的项目、种类。

3. 按照法定的程序设定行政许可。设定行政许可是一种立法行为。设定行政许可按照法定程序，就是要遵守有关的立法程序。法律由全国人大或者其常委会制定。全国人大常委会审议制定法律，一般实行三审制，也就是只有经过三次常委会会议审议后才能交付表决。行政法规由国务院常务会议或者全体会议讨论决定，以国务院令的形式发布。地方性法规由省级人大或者其常委会制定或者批准。地方政府规章要由省、市政府常务会议或者全体会议讨论决定，以政府令的形式发布。在立法过程中，要广泛征求和听取意见。听取意见的方式可采取座谈会、论证会和听证会等形式。对设定行政许可，本法还专门规定，应当明确规定行政许可的实施机关、条件、程序、期限。起草法律草案、法规草案和省级政府规章草案，拟设定行政许可的，起草单位应当采取听证会、论证会等形式广泛听取意见，并向制定机关说明设定该行政许可的必要性、对经济和社会可能产生的影响以及听取和采纳意见的情况。这些都是设定行政许可时应当遵守的程序。

二、按照法定的权限、条件和程序实施行政许可

1. 按照法定的权限实施行政许可。这里包括三层要求：一是由行使行政权的机关实施。我国的国家机构包括国家权力机关、行政机关、司法机关和军事机关。其中，行政机关负责组织和实施国家的行政管理工作，执行国家权力机关制定通过的法律、决议和决定，行使行政权，因此，行政许可原则上由行政机关负责实施。法律、法规授权的具有管理公共事务职能的组织，在法定授权范围内，可以以自己的名义实施行政许可。立法机关、司法机关以及社会团体和组织无权实施行政许可。二是由具有行政许可权的行政机关实施。行政机关负责实施行政许可，但并不意味着所有的行

政机关都可以实施行政许可,它必须是对社会事务实施管理、承担行政管理职能、具有行政许可权的行政机关。行政机关的内设机构、议事协调机构、办事机构等无权实施行政许可。三是特定的行政机关实施特定的行政许可。也就是要在本机关的权限范围内,不得越权实施行政许可。法律、法规赋予了什么样的行政许可权,就实施什么样的行政许可。不得超越本部门的职权范围,实施其他行政机关的行政许可权;下级行政机关不得越级实施上级行政机关实施的行政许可;上级行政机关也不应实施由下级行政机关实施的行政许可。

2. 按照法定的条件实施行政许可。即行政机关对行政管理相对人提出的许可申请,决定是否准予许可,应当按照法律、法规规定的条件。对符合条件的应依法准予许可;对不符合条件的,应当决定不予许可。有数量限制的行政许可,两个或者两个以上申请人的申请均符合法定条件和标准的,行政机关应当根据受理行政许可申请的先后顺序作出准予行政许可的决定。行政机关在掌握条件时,既不能故意提高标准,也不能放宽标准,应当严格依照法定条件。我国的单行法律、法规对行政许可颁发的条件,通常都有具体规定。如教育法第二十六条规定,设立学校及其他教育机构,必须具备下列基本条件:(1)有组织机构和章程;(2)有合格的教师;(3)有符合规定标准的教学场所及设施、设备等;(4)有必备的办学资金和稳定的经费来源。教育行政主管机关在审查颁发办学许可证时,要严格按上述条件执行。

3. 按照法定的程序实施行政许可。法定的程序既包括本法规定的一般程序,也包括有关单行法律法规规定的特别程序。本法规定的一般程序包括:申请与受理,如行政机关受理行政许可申请,应当出具受理凭证;审查与决定,如行政许可申请涉及第三人利益的,应当告知第三人,申请人和利益关系人有权进行陈述和申辩;行政机关应当遵守法定期限,在法定期限内作出是否准予行政许可的决定等。有关单行法律法规就特定的行政许可事项规定了特别程序，如执业医师法规定，国家实行医师执业注册制度。取得医师资格的，可以向所在地县级以上人民政府卫生行政部门申请注册。对符合条件的，受理申请的卫生行政部门应当自收到申请之日起 30 日内准予注册，并发给由国务院卫生行政部门统一印制的医师执业证书。对不符合条件的，应当自收到申请之日起 30 日内通知申请人，并说明理由。行政机关和被授权的组织在实施行政许可时，既要遵守行政许可法的一般性规定，也要遵守单行法律、法规的特别规定。

第五条　设定和实施行政许可，应当遵循公开、公平、公正的原则。

有关行政许可的规定应当公布；未经公布的，不得作为实施行政许可的依据。行政许可的实施和结果，除涉及国家秘密、商业秘密或者个人隐私的外，应当公开。

符合法定条件、标准的，申请人有依法取得行政许可的平等权利，行政机关不得歧视。

【释义】　本条是关于公开、公平和公正原则的规定。

公开、公平和公正是现代行政程序中的三项重要原则，行政许可作为行政行为中的一种，其设定和实施，也要遵循这三项原则。公开、公平和公正是相互联系的。公开是一种手段，公平、公正是目的，公开促进公平、公正的实现；公平、公正必然要求行政行为公开，“暗箱操作”是没有公平、公正可言的。公开、公平和公正都要通过程序来保障和实现，没有法定的程序，这些原则既无法实现，也没有判断标准。

一、公开原则

1. 公开的含义。公开的本意是不加隐蔽。行政程序中的公开,其基本含义是政府行为除依法应当保密的以外,应一律公开进行;行政法规、规章、行政政策以及行政机关作出影响行政相对人权利、义务的行为的标准、条件、程序应当依法公布,允许相对人依法查阅、复制;有关行政会议、会议决议、决定以及行政机关及其工作人员的活动情况应允许新闻媒介依法采访、报道和评论。公开的主要要求包括两点:一是法规、政策公开。第一,制定行政法规、规章、政策的活动应当公开。法规、规章、政策制定之前应广泛征求和充分听取相对人的意见。第二,行政法规、规章应一律在政府公报或其他公开刊物上公布。第三,允许新闻媒介对有关政策法规予以公开发布。二是行政行为公开,包括:第一,行政行为的标准、条件要公开,在办公地点张贴或以其他形式公开,让公众知晓。第二,行政行为的程序、手续要公开。行政机关实施行政行为,其程序、手续,如申请、审批、鉴定、提交材料的目录和样式等均应通过公开文件发布或在办公场所张贴等,使相对人了解。第三,某些涉及相对人重大权益的行政行为,应当采取公开形式进行,允许公众旁听,甚至允许新闻记者采访、报道。

2. 设定和实施行政许可公开的要求。包括三方面的要求:一是设定过程要公开,也就是在设定过程中,对设定的必要性、可行性,设定行政许可的成本等,要广泛征求意见,采取多种形式,让公众参与行政许可的设定。二是实施行政许可的法定依据要公开,行政许可的实施机关、条件、程序、期限等的规定应当公布;未经公布的,不得作为实施行政许可的依据。三是行政许可的实施过程和结果应当公开。法律、法规、规章规定实施行政许可应当听证的事项或者行政机关认为需要听证的其他涉及公共利益的重大行政许可事项,应当向社会公告,并举行听证。行政许可事项涉及第三人的,应当告知第三人。行政机关作出的准予行政许可决定,应当予以公开,公众有权查阅。

3. 不予公开的例外情形。当行政许可涉及国家秘密、商业秘密和个人隐私时,不适用公开原则。根据保守国家秘密法的规定,国家秘密是关系国家的安全和利益,依照法定程序确定,在一定时间内只限一定范围的人员知悉的事项。根据反不正当竞争法的规定,商业秘密是指不为公众所知悉,能为权利人带来经济利益,具有实用性并经权利人采取保密措施的技术信息和经营信息。个人隐私是指公民个人生活中不愿为他人公开或知悉的秘密。这里有两个问题需要说明:一是作为行政许可的依据,即法律、法规文件,没有例外,应当一律公开;二是公开的例外不等于不公开。公开有主动公开、依申请公开;有对公众公开、对特定的相对人公开。行政许可如果涉及国家秘密、商业秘密和个人隐私,不对公众公开,但对当事人还是要公开的。

在行政许可的设定和实施过程中贯彻公开原则,对于保护行政许可申请人的合法权益,克服行政机关的官僚主义,促进廉政建设,提高行政效率,具有重要的意义。行政许可的设定和实施机关应当按照法律要求,认真落实和执行这一原则。

二、公平、公正原则

1. 公平和公正原则的一般要求。公平和公正是历史悠久的法律原则,法律所追求的价值目标。公平和公正在内涵和外延上,尽管并不完全相同,但其共同点要远远多于不同点。因此,通常把它作为一个原则来研究。在行政程序中,公平、公正的基本精神是要求行政机关及其工作人员办事公道,不徇私情,合理考虑相关因素;要求行政机关及其工作人员平等对待相对人,即同样情况,同样对待;不同情况,不同对待;不因相对人的不同身份、民族、种族、性别或者不同宗教信仰而予以歧视。无论是公正,还是公平,都包括实体和程序两个方面的要求。实体要求是:第一,不偏私,即要求行政机关及其工作人员严格依法办事。法律不是确定某一个人的特殊利益,也不是针对某一个人或某几个人的,而是根据社会的整体利益所作的规定。公平、公正应当以依法办事为标准;离开依法办事,公平、公正就难以判断。第二,平等对待当事人。这是公民在法律面前一律平等的宪法原则在行政法领域的具体体现。行政机关实施行政行为,都必须平等对待任何相对人,不能因相对人的身份、民族、性别、宗教信仰等的不同而给予不平等的待遇。平等对待并不排除对弱势群体的照顾,对少数民族、女性或社会上处于弱势地位的群体(残疾人)不仅不应歧视,还应根据实际与可能,适当地对他们予以优待和照顾。第三,合理考虑相关因素,不专断。所谓"相关因素",包括法律、法规规定的条件、政策的要求、社会公正的准则、相对人的个人情况、行为可能产生的正面或负面效果,等等。所谓"专断",就是不考虑应考虑的相关因素,凭自己的主观认识、推理、判断,任意地、武断地作出决定和实施行政行为。公平、公正的程序要求是:第一,自己不做自己的法官。行政机关工作人员在处理涉及与自己利害关系的事务时,应当主动回避或应当事人的申请回避。第二,不单方接触。行政机关的行政行为同时涉及两个或者两个以上相对人的利益时,不能在一方当事人不在场的情况下,单独与另一方当事人接触和听取其陈述,接受其证据。第三,对相对人做出不利的行政决定时应事先通知相对人,并听取相对人的陈述和申辩意见。

2. 设定行政许可做到公平、公正的要求。设定行政许可,应当遵循公平、公正的原则,实质是立法上要体现公正、公平的原则,因为设定行政许可本身是一种立法行为。其具体要求主要是:第一,设定许可的条件和标准要公平合理。设定行政许可体现公平、公正的要求,就是要合理规定颁发许可的条件和标准,这种条件和标准应是客观的,是从事许可行为所应当具备的。与从事许可行为不相关的条件和标准,就不应当规定。第二,标准和条件要统一,不得因为当事人所在的地区、行业、所有制不同,就规定不同的条件和标准。第三,要规定和设计公平、公正的程序。这种程序既要保护申请人的合法权益,也要维护第三人的合法权益,同时还要便于行政机关工作,提高办事效率。

3. 实施行政许可做到公平和公正的要求。第一,符合法定条件和标准的,申请人有依法获得行政许可的平等权利,行政机关不得实行歧视性待遇。不得因个人身份、外表、行政机关的好恶而给予不同的待遇。符合条件和标准的要准予许可,不符合条件的不能颁发许可。有数量限制的行政许可,两个或者两个以上申请人的申请均符合法定条件和标准的,除法律、行政法规对优先顺序另有规定的外,行政机关应当根据受理行政许可申请的先后顺序作出准予行政许可的决定。第二,行政机关工作人员办理行政许可,不得与申请人进行私下接触,不得接受申请人的宴请、财物或者获取其他利益。有些行政机关及其工作人员把行政许可当成权力"寻租"的手段,不少企业、个人为了取得行政许可,要给好处、托关系。这些都是严重违反公平、公正原则的。第三,行政机关在审查行政许可申请的过程中,发现行政许可涉及第三人利益的,应当告知第三人。当事人要求听证的,应当举行听证,听取申请人、利害关系人的陈述和申辩。第四,行政机关作出不予许可的决定,应当说明理由、依据,并告知申请人有依法申请行政复议或者提起行政诉讼的权利。

如何判断是否做到了公平、公正,也就是公平、公正的标准问题,有三种不同观点:第一种观点认为公平、公正是主观的,主要看实施行政许可的人员的态度,只要实施行政许可没有背离行政许可本身的目的和原则,就是公平和公正的。第二种观点认为,公平、公正的标准应当是客观的,是一般人都能发现和判断的。第三种观点认为公平、公正的标准应当包括主观和客观两方面,两者要兼备。不管按哪一种观点去理解,都要同法律规定的程序和要求结合起来,脱离法律的规定,讨论公平、公正是困难的。

第六条　实施行政许可,应当遵循便民的原则,提高办事效率,提供优质服务。

【释义】　本条是关于便民和效率原则的规定。

一、便民原则

便民,简单地说,就是方便人民群众。国家机关要为人民群众提供快捷、方便的服务。行政许可实施中的便民就是要方便公民、法人或者其他组织申请和获得行政许可,降低行政许可的成本。便民原则是我国法制的一项重要原则,在诉讼、复议、仲裁等制度中,都体现了便民原则。行政机关的权力来源于人民,其工作是为人民服务,为人民谋福利。因此,行政机关在执行职务过程中,要密切同人民群众的联系,方便人民群众办事。但是,过去在行政审批过程中,也出现了实施行政许可的环节过多、手续繁琐、时限过长、"暗箱操作"、人民群众办事难的情况。这就需要从法律上、制度上解决问题。为了防止上述情况的出现,本法把方便人民群众办事作为一项原则规定下来。具体要求有:一是方便公民、法人或者其他组织申请。除依法应当由申请人到行政机关办公场所提出行政许可申请的外,申请人可以委托代理人提出行政许可申请。行政许可申请可以通过信函、电报、电传、传真、电子数据交换和电子邮件等方式提出。对行政许可申请还应当尽量做到当场受理、当场决定。申请人提交的申请材料存在可以当场更正错误的,行政机关应当允许申请人当场更正,不得以此为由拒绝受理行政许可申请。二是公开办事程序和制度。行政机关应当将法律、法规、规章规定的有关行政许可的事项、依据、条件、数量、程序、期限以及需要提交的全部材料的目录和申请书示范文本等在办公场所公示。三是推行集中受理和统一受理。行政许可需要行政机关内设的多个机构办理的,应当确定一个机构统一受理行政许可申请,统一送达行政许可决定。实行"一个窗口"对外,防止多头受理、多头对外。依法应当由地方人民政府两个以上部门分别实施的行政许可,本级人民政府可以确定由一个部门受理行政许可申请并转告有关部门分别提出意见后统一办理,或者组织有关部门联合办理、集中办理。其目的是尽量减少"多头审批"。四是相对集中行政许可权。省级人民政府经国务院批准,可以将几个行政机关行使的行政许可权相对集中,由一个行政机关行使有关行政机关的行政许可权。这些都是方便人民群众申请行政许可的重要措施。

二、效率原则

效率与公正一样,是行政机关工作的重要价值取向。没有公正,效率没有意义,而没有效率,公正就无法得到保障。效率原则的基本含义是:行政机关在行使其职能时,要力争以尽可能短的时间,尽可能少的人员,尽可能低的经济耗费,办尽可能多的事,取得尽可能大的社会、经济效益。其要求是:一是严格程序,严守时效。行政机关要按照法定的程序和期限履行自己的职责,否则违法。二是机构设置要精干,职权分工要明确。机构臃肿,人浮于事,职权不清,必然导致办事相互推诿、相互扯皮、效率低下。三是注重行政行为的成本。行政机关实施行政行为,要考虑客观规律,事前作必要的可行性研究和一定的成本效益分析,以使相应的决策和行为具有最大可能的合理性,尽可能给国家、社会和行政相对人带来益处和尽可能避免或减少对国家、社会、行政相对人的损害。

行政机关实施行政许可,贯彻效率原则,提高办事效率,最重要的是要在法定的期限内尽快作出行政许可决定。本法对行政许可的期限,作了专节规定,主要内容有:第一,行政机关审查决定行政许可,能够当场决定的,尽量当场决定;不能当场决定的,也要以尽快的时间完成。第二,除当场决定的行政许可外,行政机关应当自受理行政许可申请之日起 20 日内作出是否准予行政许可的决定;20 日内不能作出的,可以延长 10 日。第三,采取集中办理、联合办理或者统一办理的，由于涉及多个部门和单位，办理时间可以相对放宽。办理的时间不超过45日；45日内不能办结的，可以延长15日。第四，行政机关作出准予行政许可决定后，应当自作出决定之日起10日内向申请人颁发、送达行政许可证件，或者加贴标签、加盖检验、检测、检疫印章。过去在行政审批的实践中，有的由于没有时限上的要求，有的行政机关对申请人递交的行政许可申请，采取拖延战术，久拖不决或者是根本没有回应。既影响当事人的权益，也影响经济社会的发展，助长官僚主义作风。本法对期限的规定，将大大提高行政机关实施行政许可的效率。行政机关在法定期限内不能办结的，要承担拖延的责任。对于某些行政许可，行政机关逾期不作答复的，就视为行政机关已经准予许可。

便民和效率是统一的，但在实践中，有的把便民和效率对立起来。认为方便相对人办事，就会影响行政机关的工作效率，因而在有关制度设计和工作程序的安排上，以方便行政机关的管理为中心，结果导致相对人办事不方便。其实，方便相对人办事，可以减少行政许可申请的盲目性，从而减轻行政机关的工作量；高效办理行政许可，又是便民的一个重要方面。因此，两者是统一的，应把两者结合起来，统一安排有关工作流程，相互促进和推动。行政机关实施行政许可，不仅要便民、高效，而且还应当提供优质服务。方便人民群众申请行政许可，高效审批行政许可，是行政机关提供优质服务的一个方面。优质服务既包括对便民和效率的要求，还包括了对行政机关工作人员工作作风和态度的要求，是一种更高层次的标准和要求。行政机关工作人员办理行政许可，代表的是行政机关的形象，应当态度和蔼、亲切，工作细致周到、严肃认真，提供人性化服务。实施机关在建立和完善各种规章制度时，都应当树立服务意识、以民为本，而不应当只考虑方便行政机关的工作。行政机关提供优质服务，要正确处理审批过程中的各个环节。对于法定的环节，一个也不能少，因为这是保证行政许可决定正确,维护当事人权益所必需的。对于法定之外的环节,也不要人为地增加。提供优质服务,行政机关及其工作人员都应当强化服务意识、公仆意识,真正实现行政机关为民服务的本质。

第七条　公民、法人或者其他组织对行政机关实施行政许可,享有陈述权、申辩权;有权依法申请行政复议或者提起行政诉讼;其合法权益因行政机关违法实施行政许可受到损害的,有权依法要求赔偿。

【释义】　本条是关于行政许可实施过程中相对人权利的规定。

在行政法律关系当中,作为相对人的公民、法人或者其他组织所面对的是组织严密和拥有广泛行政权的行政机关。为了保护相对人的合法权益,平衡行政机关和相对人的关系,以权利制约权力,增强行政机关的责任,防止专断等,法律赋予公民、法人或者其他组织特定的权利。这些权利概括起来,大体包括参与权、平等权、受益权、知情权、救济权和补偿、赔偿权。行政许可作为行政法律关系的一种,公民、法人或者其他组织亦享有这些权利。本法总则中有关公开、公平和公正等原则的规定,实际是对公民、法人或者其他组织参与权、平等权、知情权的确认。本条则从相对人的角度,规定他们所享有的权利。这些权利的规定,又是行政程序中正当程序的体现。所谓正当程序,即在作出影响相对人权益的行政行为时应事先通知相对人,向相对人说明行为的根据、理由,听取相对人的陈述、申辩,事后为相对人提供救济途径等。根据这一原则,公民在财产被征用、申请许可被拒绝或受到吊销证照、罚款等不利处分前,行政机关均应事前给予其通知,告知处分根据、理由,听取其申辩意见。否则,该行政行为将被司法机关审查确认无效。

行政机关在实施行政许可的过程中,对当事人产生两种行为:一是决定是否准予申请人的许可申请。二是在对被许可人从事许可活动的监督检查中,可以处以吊销、撤销、罚款等行政处罚。这些都涉及当事人或者第三人的切身利益,应当为当事人提供正当程序。本条对当事人权利的规定,正是正当程序原则的体现。

一、陈述权和申辩权

陈述权就是有权陈述自己的观点和主张。在行政许可的申请过程中,它是指申请人有权说明取得许可的理由、依据和事实;与申请的行政许可有利害关系的第三人有权说明不应当批准申请人的许可申请的理由、依据和事实。在对被许可人的处罚过程中,陈述权是指当事人对行政机关给予行政处罚所认定的事实及适用法律是否准确、适当,陈述自己对事实的认定以及主观的看法、意见,同时也可以提出自己的主张、要求。

申辩权是申述理由、加以辩解的权利。它在行政许可的申请过程中,是指当事人有权对行政机关及第三人提出的不利于申请人获得批准的理由、事实和问题等进行解释、说明、澄清和辩解。在对被许可人的处罚过程中,申辩权是指当事人对行政机关的指控、证据,提出不同的意见和质问,以正当手段驳斥行政机关的指控以及驳斥行政机关提出的不利证据的权利。

陈述权和申辩权是相对人的一项法定权利,行政机关应当予以保障和正确对待。在实践中,行政机关的一些工作人员自恃享有审批权和处罚权,公民、法人或者其他组织都要找自己办事,高人一等。在审批和处罚过程中,不能正确对待申请人或被处罚者的陈述权和申辩权。将当事人的陈述和申辩看做是“态度不好”“蛮横无理”“狡辩”等,因而不批准当事人的申请或者给予加重处罚。这种做法与依法行政的原则是背道而驰的。

根据本法的规定,当事人行使陈述权和申辩权的形式主要是两种:一是听证。在行政许可的申请过程中,根据启动听证的原因,听证可以分为两种:一种是行政机关主动听证。法律、法规、规章规定实施行政许可应当听证的事项，或者行政机关认为需要听证的其他涉及公共利益的重大行政许可事项，行政机关应当向社会公告，并举行听证。另一种是被动听证。行政许可直接涉及申请人与第三人之间重大利益关系的，行政机关在作出行政许可决定前，应当告知申请人、利害关系人有要求听证的权利；申请人、利害关系人在被告知听证权利之日起5日内提出听证申请的，行政机关应当在20日内组织听证。在对被许可人的处罚过程中，根据行政处罚法的规定，行政机关作出责令停产停业、吊销许可证或者执照、较大数额罚款等行政处罚决定前，应当告知当事人有要求听证的权利；当事人要求听证的，行政机关应当组织听证。听证给予相对人一个正式陈述意见、说明情况、当面质证的机会，对维护相对人的合法权益具有重要作用。

当事人行使陈述权和申辩权的另一种形式是直接向办理行政许可或者实施行政处罚的人员进行陈述、解释和辩驳，双方面对面地进行，不需要通过正式的形式。这种形式灵活、便捷，有利于当事人和行政执法人员及时进行沟通、交换意见，有利于行政执法人员作出正确的判断。对于当事人的陈述和申辩，行政执法人员应当认真听取，对其提出的事实、证据和理由要仔细研究。对正确的要予以考虑、采纳，对错误的要予以指出、驳回。

二、提起行政复议和行政诉讼的权利

法律上的救济一般是指公民、法人或者其他组织因国家机关的违法行为对其造成损害，要求纠正、改正违法行政行为并予以赔偿的法律制度。一般包括行政和司法两种形式。对违法行政行为的救济，主要是通过行政复议和行政诉讼进行。

1. 提起行政复议的权利。行政复议是指公民、法人或者其他组织认为具体行政行为侵犯其合法权益，向行政机关提出申请，要求行政机关重新考虑其决定的一种活动。行政复议制度在解决行政纠纷,保护当事人合法权益方面,具有独特的作用。这是因为行政机关是一个完整的整体,上级行政机关对下级行政机关负有指挥、监督的职责,它可以撤销、改变下级行政机关违法、不当的行政决定。行政复议制度为这种监督提供了一个管道。同时,行政纠纷涉及一定的专业技术知识,而行政机关具有这方面的专业知识和管理经验,有条件处理这种纠纷。当然,由于行政复议制度是行政机关的一种内部纠错机制,它有着一定的局限性和不足。因此,在行政复议之外,还有司法救济的手段。我国行政复议的范围包括行政机关作出的具体行政行为,其中与实施行政许可有关的是对暂扣或者吊销许可证、暂扣或者吊销执照不服的;对行政机关作出的有关许可证、执照、资质证、资格证等证书变更、中止、撤销的决定不服的;认为符合法定条件,申请行政机关颁发许可证、执照、资质证、资格证等证书,或者申请行政机关审批、登记有关事项,行政机关没有依法办理的,等等。当事人对县级以上地方各级人民政府工作部门的具体行政行为不服的,由申请人选择,可以向该部门的本级人民政府申请行政复议,也可以向上一级主管部门申请行政复议。对海关、金融、国税、外汇管理等实行垂直领导的行政机关和国家安全机关的具体行政行为不服的,向上一级主管部门申请行政复议。对地方各级人民政府的具体行政行为不服的,向上一级人民政府申请行政复议;对县级以上地方人民政府依法设立的派出机构的具体行政行为不服的,向设立派出机构的人民政府申请行政复议。复议机关对复议申请经依法审查,作出维持、被申请人履行职责、撤销具体行政行为或者责令重作等决定。

2. 提起行政诉讼的权利。行政诉讼是指公民、法人或者其他组织认为行政机关及其工作人员的具体行政行为,侵犯其合法权益,请求法院审查行政机关的具体行政行为是否合法,以维护自己的合法权益的一种诉讼行为。如果说行政复议是行政机关内部的一种监督制度,那么,行政诉讼则是对行政行为的一种外部监督制度。其特点是由独立于行政机关之外的司法机关来审查行政行为的合法与否,与行政复议有质的不同。人民法院受理对具体行政行为不服提起的诉讼,就实施行政许可而言,包括对吊销许可证和执照不服的;认为符合法定条件申请行政机关颁发许可证和执照,行政机关拒绝颁发或者不予答复的。人民法院对具体行政行为的审查,遵循合法性原则,即行政行为是否符合法定要求。人民法院经过审理,根据不同情况,分别作出维持、重新作出具体行政行为、被告履行职责和变更行政行为等判决。我国的行政诉讼法自1989年颁布以来,对保障公民、法人或者其他组织的合法权益,监督和维护行政机关依法行使职权,发挥了重大作用,产生了积极而深远的影响。我国经历了一个相当长的封建专制时期,封建传统的影响深远。长期以来,"官贵民轻"的封建传统观念相当严重,把"官府"告上法庭,让行政机关做被告是不可思议和想象的事。正是行政诉讼制度彻底改变了这一历史,现在行政诉讼已成为人民群众维护自己的合法权益的有力法律武器。特别是在行政诉讼中,司法机关要审查行政行为的合法性,行政机关对依法行政的现实性和必要性认识不断加深,从而全面推动了行政法制建设。

三、请求赔偿的权利

对违法行为的救济,除了要依法纠正或者撤销违法行为外,还包括对违法行为所造成的损害给予赔偿。我国宪法规定,由于国家机关和国家工作人员侵犯公民权利而受到损失的人,有依照法律规定取得赔偿的权利。我国1994年制定颁布了国家赔偿法,对行政赔偿和刑事赔偿作了规定。其中行政赔偿是指行政机关及其工作人员在执行职务的过程中,侵犯相对人人身权、财产权所承担的赔偿责任。赔偿责任的构成有三个要件:一是有违法行政行为的发生,二是有损害事实,三是违法行政行为和损害事实之间有因果关系。行政赔偿的方式包括金钱赔偿、恢复原状、返还原物、消除影响、恢复名誉、赔礼道歉等，其中以支付赔偿金为主要赔偿方式。如果说行政复议和行政诉讼制度旨在纠正行政机关的违法行为，那么行政赔偿就是要对违法行为给受害人造成的损失给予物质和其他形式的赔付。无疑，这对保障公民、法人或者其他组织的合法权益更进了一步。

行政许可是一种授益性行政行为，实施行政许可不当，极易给当事人造成损失。因此，本法第六十九条中规定，行政机关自己的违法行为导致行政许可被撤销，使被许可人的合法权益受到损害的，行政机关应当依法给予赔偿。法律责任一章中还专门规定，行政机关违法实施行政许可，给当事人的合法权益造成损害的，应当依照国家赔偿法的规定给予赔偿。

第八条　公民、法人或者其他组织依法取得的行政许可受法律保护，行政机关不得擅自改变已经生效的行政许可。

行政许可所依据的法律、法规、规章修改或者废止，或者准予行政许可所依据的客观情况发生重大变化的，为了公共利益的需要，行政机关可以依法变更或者撤回已经生效的行政许可。由此给公民、法人或者其他组织造成财产损失的，行政机关应当依法给予补偿。

【释义】　本条是关于信赖保护原则的规定。

一、信赖保护原则的含义

信赖保护原则起源于早期的“不准翻供”原则，“二战”以后在世界许多国家行政法治实践中得到广泛认可和运用，其中德国是推行这一原则的代表。信赖保护原则的基本含义是：行政决定一旦作出，就被推定为合法有效。法律要求相对人对此予以信任和依赖。相对人基于对行政决定的信任和依赖而产生的利益，也要受到保护。禁止行政机关以任何借口任意改变既有的行政决定甚至反复无常,即便是自我纠正错误,也要受到一定的限制。有错必纠是一项重要的法律原则,但在撤销行政行为这一点上,主要限于对相对人课以义务为内容的违法行政行为方面,在此领域,即使相对人已超过行政复议或者行政诉讼期限,行政机关仍可随时撤销这类违法行政行为;但在授益性行政行为方面,信赖保护取代法律优先原则而居于主导地位,对于违法的授益性行政行为,尤其在违法原因可归责于行政机关的情况下,应当首先着眼于保护受益相对人的权利或者利益,行政机关原则上不得擅自撤销。如确实基于明显重大公共利益的需要而收回该项权利或者利益,也必须给予受益相对人补偿,以免让相对人承担政府自身违法的责任。信赖保护的具体要求是:(1)行政行为具有确定力,行为一经作出,未有法定事由和经法定程序不得随意撤销、废止或改变;(2)对行政相对人的授益性行政行为作出后,事后即使发现违法或者对政府不利,只要行为不是因为相对人的过错所造成的,亦不得撤销、废止或改变;(3)行政行为作出后,如事后发现有较严重违法情形或可能给国家、社会公共利益造成重大损失的,必须撤销或改变此种行为时,行政机关对撤销或改变此种行为给无过错的相对人造成的损失应给予补偿。行政许可法体现了这一原则精神。公民、法人或者其他组织已取得的行政许可受法律保护,行政机关不得擅自改变已经生效的行政许可决定。

信赖保护原则的理论基础在于:第一,无论是民事行为,还是行政行为,都要以诚信为基础。诚实守信既是一项道德原则,也是一项法律原则。就行政行为来说,政府对自己作出的行为或承诺应守信用,不得随意变更,不得反复无常。第二,就行政行为的法律效力来说,行政行为具有确定力,行政决定一旦作出,就被推定为合法有效,不得随意变更。第三,行政法律关系要保持相对稳定,无论是对行政机关,还是对相对人,抑或是公共利益,都非常重要。行政相对人据此可以作出判断,作出自己的行为。如果行政法律关系变动频繁，就会使相对人不知所从，不利于社会的稳定。因此，行政机关不得擅自变更已经生效的行政许可。

二、撤回生效的行政许可的两种情形

行政机关不得擅自改变或者撤回生效的行政许可，并不等于一律不得改变或者撤回。在一定条件下，为了维护公共利益，行政机关可以依法撤回或者改变生效的行政许可，但需要有严格的限制和条件。行政许可法总结我国的行政管理实践，对改变或者撤回行政许可的条件作了明确规定。主要有两种情况：一是行政许可所依据的法律、法规、规章修改或者废止。也就是说原来的法律、法规、规章准予从事某种活动，后来通过修改，对这种行为加以禁止。另外还有一种情况，即对原来法律、法规、规章规定的颁发行政许可的条件进行了改变，提高了准入的门槛，或者对许可范围进行了调整。被许可人必须满足新的许可条件或者对其从事活动的范围作一定的限制，因而对已颁发的行政许可作出变更。二是颁发行政许可所依据的客观情况发生重大变化。2003 年春季，一些地方流行“非典型性肺炎”，医学研究初步证实，“非典”病毒与野生动物有关。为了控制“非典”的传染源，一些地方收回了颁发的野生动物经营许可证。因为“非典”期间的情况与颁发经营许可证时的情形相比，发生了重大变化。在合同法中有情势变更的理论，即指法律行为成立后，作为其成立基础及环境的客观情况因不可归责于当事人的事由发生了行为成立之时不能预见的重大实质性的变化，当事人据此可以解除或者变更合同而不需承担违约责任。行政机关因客观情况变化而撤回或者变更已经颁发的行政许可，与情势变更有相似之处。其不同之处在于，行政机关撤回或者变更许可，给当事人造成财产损失的，应当给予补偿。只有以上两种情况的出现，行政机关才可以撤回或者变更已经颁发的许可。除此之外，其他情况不得撤回或者变更，否则就是违法行为，要给予赔偿而不是补偿。

三、撤回或者变更已经颁发的行政许可，应当给予补偿

行政补偿不同于行政赔偿。行政赔偿是因为违法行政行为给公民、法人或者其他组织的合法权益造成损失所给予的赔偿。补偿即行政机关的合法行政行为给公民、法人或者其他组织的合法权益造成损失所给予的补偿。行政机关撤回或者变更行政许可，给予补偿的前提条件有两个：一是对公民、法人或者其他组织的财产造成了损失。这种损失是客观存在的、确定的，而不是想象的或者是或然的。这种损失只包括财产损失，不包括精神损失。二是财产损失与撤回或者变更行政许可有直接的、必然的联系，存在因果关系。关于补偿的原则，有合理补偿、适当补偿、充分补偿以及相应补偿等。我国外资企业法中规定，对外资企业实行征收时，给予相应的补偿。本法规定的是依法补偿，即依照有关单行法律法规的规定予以补偿。如矿产资源法规定，国务院和国务院有关主管部门批准开办的矿山企业矿区范围内已有的集体矿山企业，应当关闭或者到指定的其他地点开采，由矿山建设单位给予合理的补偿，并妥善安置群众生活；也可以按照该矿山企业的统筹安排，实行联合经营。

四、本法有关条文对信赖保护原则的延伸

本法第六十九条规定，有下列情形之一的，作出行政许可决定的机关或者其上级行政机关，根据利害关系人的请求或者依据职权，可以撤销行政许可：（一）行政机关工作人员滥用职权、玩忽职守作出准予行政许可决定的；（二）超越法定职权作出准予行政许可决定的；（三）违反法定程序作出准予行政许可决定的；（四）对不具备申请资格或者不符合法定条件的申请人准予行政许可的；（五）依法可以撤销行政许可的其他情形。这些违法行政行为，按

照违法无效的原则来说,应当一律予以撤销。但行政许可是一种授益性行政行为,不能简单套用这一原则,而要着眼于对相对人权利的保护,因此,只是规定可以撤销。是否撤销,行政机关要基于信赖保护予以处理。如果撤销行政许可可能对公共利益造成重大损害的,不予撤销。行政机关撤销行政许可,被许可人的合法权益受到损害的,行政机关应当依法给予赔偿。

行政许可行为缺乏稳定性和可预期性,是过去行政管理实践中突出的问题之一。在一些人看来,行政许可是可以随意行使不受约束的。郑重的承诺瞬间可以改变,严肃的法律可以化为笑谈,政府招商引资时随意承诺,过后即予改变。其结果不仅降低了政府的公信力,背离了政府管理目标,而且影响了政府的效率,损害了政府的形象和权威。它所带来的不仅是短期内的经济损失,而且是一种对政府的信任危机。行政许可法确立了信赖保护原则,行政机关不得随意撤销、改变已经生效的行政许可,这对于加强行政机关的诚信建设,具有重要意义。

第九条　依法取得的行政许可,除法律、法规规定依照法定条件和程序可以转让的外,不得转让。

【释义】　本条是关于行政许可是否可以转让的规定。

行政许可是否可以转让,是行政许可立法中一个备受关注的问题。现实中,一些人利用手中的权力,或者通过不正当关系,取得行政许可,然后转手倒卖,牟取暴利,在社会上造成极坏影响。针对这种情况,行政许可法对转让问题作了规定。既防止转让可能引发的社会问题,又适当允许通过转让配置许可资源。

一、行政许可原则上不得转让

行政许可是根据申请人的申请,按照法定的条件和标准颁发的。它与申请人特定的情况和条件是紧密联系的,对行政许可申请的审查实质就是行政机关判断申请人是否符合法定条件和标准的过程。因此,依法颁发的行政许可原则上不得转让。主要有以下几种情况:(1)通过考试赋予公民特定资格的行政许可,或者根据法定条件赋予法人和其他组织特定的资格、资质的行政许可,被许可人不得转让。正是被许可人符合法定条件,行政机关才颁发许可。如果被许可人转让这种许可,实质上是对整个资格资质制度的破坏,也侵犯了行政机关的管理权。(2)按照技术标准和技术规范进行检验、检测、检疫,行政机关根据检验、检测、检疫的结果作出的行政许可决定,不得转让。因为这种许可是针对特定的物品作出的决定,如果把这种许可转移到其他的物品上,就破坏了原来许可的基础。(3)公民和社会组织通过登记取得的特定主体资格,也不得转让。(4)被许可人按照法定条件申请取得的直接关系国家安全、公共安全、人身健康、生命财产安全的许可,不得转让。如公民向公安机关申请举行集会、游行、示威,如果获得批准,被许可人并不能将此项许可转让给他人,由他人实施集会、游行、示威。

在这类不能转让的许可中,对获得行政许可的主体要求是特定的,只有特定的主体才可以获得许可,因而不能转让。行政机关所颁发的许可与被许可人的条件和情况是紧密联系的,被许可人转让已获得的行政许可,将会造成经济、社会秩序混乱,损害国家利益、公共利益和公民、法人和其他组织的合法权益,因此不得转让。本法对此专门规定,出借、出租、倒卖行政许可证件的,行政机关应当依法给予行政处罚;构成犯罪的,依法追究刑事责任。

二、不得转让的例外情况

某些由申请人支付一定的价款,以公开、公平竞争方式取得的行政许可,可以转让。这主要有:(1)以出让方式取得的土地使用许可。城镇国有土地使用权出让和转让暂行条例规定,依照本条例的规定取得土地使用权的土地使用者,其使用权在使用年限内可以转让、出租、抵押或者用于其他经济活动。合法权益受国家法律保护。(2)矿产资源的采矿许可。矿产资源法规定,探矿权人有权在划定的勘查作业区内进行规定的勘查作业,有权优先取得勘查作业区内矿产资源的采矿权。探矿权人在完成规定的最低勘查投入后,经依法批准,可以将探矿权转让他人。已取得采矿权的矿山企业,因企业合并、分立,与他人合资、合作经营,或者因企业资产出售以及有其他变更企业资产产权的情形而需要变更采矿权主体的,经依法批准可以将采矿权转让给他人。(3)其他有偿取得的行政许可。如海域使用管理法规定,海域使用权可以依法转让,海域使用权转让的具体办法,由国务院规定,海域使用权可以依法继承。上述许可的一个共同特点是被许可人通过支付一定的价款有偿取得许可,允许这种许可依法转让,有利于优化自然资源和公共资源的配置。

行政许可是否可以转让是一个非常复杂的问题,立法中对此有不同的认识。对这一问题的争论,涉及什么是行政许可,什么是转让,转让的是什么内容等多方面的问题。有的同志认为土地使用权、采矿权的转让,转让的不是行政许可,而是用益物权,所以不能称为转让;有的同志则认为,被许可人转让土地使用权、采矿权的,受让人同时也获得了开发利用土地的许可或开采矿产资源的许可,因而是一种许可转让。这种情况应当说是民事法律关系和行政法律关系的竞合。从民事法律关系来看,国家是自然资源的所有者,作为特殊的民事主体,将使用权以特定的形式转让给公民、法人;从行政法律关系来看,国家掌握公权力,有权决定是否准许当事人开发利用自然资源。因此,在对自然资源开发利用中,两种法律关系发生竞合,因而从不同的角度进行观察研究,会有不同的结论。无论我们从哪一方面来分析,这是一种客观现象,立法应当正确规范,以促进资源的合理配置。

第十条　县级以上人民政府应当建立健全对行政机关实施行政许可的监督制度，加强对行政机关实施行政许可的监督检查。

行政机关应当对公民、法人或者其他组织从事行政许可事项的活动实施有效监督。

【释义】　本条是关于监督检查原则的规定。

现实生活中，行政机关重许可、轻监管或者只许可、不监管的现象比较普遍；行政机关实施行政许可，往往只有权力、没有责任，缺乏公开、有效的监督制约机制。为了解决这个问题，按照“谁许可、谁监督、谁负责”的精神，本条将加强监督检查作为一项原则规定了下来。根据本条的规定，行政许可实施中的监督检查制度，主要有两个方面：一是对行政机关自身实施行政许可活动的监督；二是对被许可人从事行政许可事项活动的监督，两者构成一个完整的监督体系。

一、对行政机关实施行政许可的监督

有权力就要受到监督制约，不受监督的权力就要走向腐败。对行政机关行使权力的监督，按照监督的来源划分，可以分为外部监督和内部监督。外部监督是行政机关之外的机构、组织或者个人对行政机关开展的监督，在我国主要有：(1)国家权力机关对行政机关的监督，如听取和审议行政机关的工作报告，审查和批准国民经济计划和财政预决算，质询和询问，撤职和罢免等。(2)司法机关对行政机关的监督，主要是通过受理公民、法人或者其他组织提出的行政诉讼，通过对行政机关行政行为的合法性的审查，监督行政机关依法行政。(3)社会对行政机关的监督，主要是新闻舆论的监督，政党、团体的监督以及公民个人提出批评意见和建议等进行的监督。内部监督是行政机关内部对行政机关及其工作人员的活动所进行的监督。在我国主要有：(1)监察机关的监督。我国专门设立监察机关，负责对国家行政机关、国家公务员和国家行政机关任命的其他人员违反行政纪律的行为实施监察,其目的是保证政令畅通,维护行政纪律,促进廉政建设,改善行政管理,提高行政效能。(2)审计监督。国务院和县级以上地方人民政府设立审计机关,分别负责对本级各部门和下级政府预算的执行情况和决算,预算外资金的管理和使用情况,以及其他依法应当接受审计的事项等进行审计监督。其目的是维护国家财政经济秩序,促进廉政建设,保障国民经济健康发展。(3)上级行政机关对下级行政机关的监督。这种监督是经常的、随时的,它是上级行政机关领导权的直接体现。由公民、法人或者其他组织提起的行政复议,是上级行政机关对下级行政机关进行监督的法定形式之一。内部监督和外部监督是相辅相成的,目的是一致的。外部监督帮助完善内部监督,促进内部监督;内部监督为外部监督提供条件。行政许可的实施,既涉及外部监督,又涉及内部监督。除了公民、法人或者其他组织提出行政诉讼和行政复议外,行政许可的实施机关,对已设定的行政许可的实施情况及存在的必要性适时进行评价,并将意见报告行政许可的设定机关,这就涉及国家权力机关的监督。对行政机关在实施行政许可过程中收费及所收费用使用情况的监督,涉及审计监督;对行政机关及其工作人员实施行政许可,是否遵守了行政纪律,涉及行政监察监督。

县级以上人民政府应当根据本法和其他有关法律,建立健全监督检查制度。这主要是:(1)设定和实施行政许可,应当公平、公正。设定行政许可的标准和条件,办理具体审批事项,不得因自然人、法人或其他组织所在行政区域、行业、所有制等不同而增设歧视性条件。(2)建立和健全各项公开制度。除法律、行政法规另有规定外,应当公布行政许可的内容、对象、条件、程序、时限以及审批结果。(3)完善各项保证公民、法人或者其他组织依法行使监督权的制度。相对人对行政机关的决定提出异议的,该行政审批机关必须作出书面说明,并告知相对人有申请行政复议和提起行政诉讼的权利；相对人对行政机关工作人员的违纪违法行为进行举报、投诉的，行政审批机关应当依法及时核实、处理，并将处理结果以适当方式及时回复举报人、投诉人。(4)上级行政机关要加强对下级行政机关的监督，及时纠正行政许可实施中的违法行为。对依法应当许可而不予许可，对不应当许可而给予许可的，不依法履行监督责任或者监督不力的，直接负责的主管人员和其他责任人员都要承担相应的法律责任。

二、对被许可人的监督

被许可人取得行政许可后，有的为了追求最大利益，有可能违法实施许可活动；有的不及时更新设备设施，以致不能继续满足行政许可的条件和标准；有的出借、出租、倒卖行政许可证件等，这些都需要加以取缔和纠正。本法对监督被许可人从事许可活动规定了一系列制度：一是行政机关应当通过核查反映被许可人从事行政许可事项活动情况的有关材料，履行监督检查责任。监督检查的情况要作详细记录，并接受公众的查阅。二是为了便于行政机关履行监督责任，赋予行政机关抽样检查、检测、检验和实地检查的权力。三是为了加强监督力度，行政机关应当采取措施，通过举报、投诉等渠道实施监督。行政机关对被许可活动的监督检查，不仅包括被许可人，而且包括其他的公民、法人或者其他组织。对被许可人来说，主要是监督其是否按照许可的条件和程序从事许可活动；对未被许可的其他人来说，主要是制止未经许可而从事属于许可事项的活动。公民、法人或者其他组织未经行政许可，擅自从事依法应当取得行政许可的活动的，行政机关应当依法采取措施予以制止，并依法给予行政处罚；构成犯罪的，依法追究刑事责任。

在对行政机关和被许可人的监督上，要两者同时并举，不可偏废。特别是不能只重视对被许可人的监督，而忽视对行政机关自身的监督。在过去的实践中，有的只重视对相对人的监督，认为相对人有天然的违法倾向,所以要加强监督。但在对相对人进行监管的同时,绝对不能放松对行政机关自身的监督。没有监督和制约,行政机关就会违法,这种违法同样会给法治造成巨大的破坏。从国家机关到公民个人,其违法所造成的影响是成倍放大的。如果说立法中的错误是一寸,那么导致执法中的错误将是一尺,因为执法人员有可能放大立法的错误,并且有立法作依据,其行为更会无所顾忌;如果执法错误是一寸的话,那么公民违法就会是一丈,因为当守法者看到执法者违法时,法制的威信和权威就会降低,守法者就会不再那么神圣地去看待法治,因而敢于去违法。所以,加强对执法者的监督,对维护法治是十分重要的。

第二章 行政许可的设定

本章的内容包括两个方面:一是行政许可的设定范围,即设定行政许可应当遵循的原则,哪些事项可以设定行政许可,哪些事项不能设定行政许可等,以解决设定的内容问题。二是行政许可的设定权限。我国是一个统一的多民族国家,在坚持中央集中统一领导的前提下,充分发挥地方的积极性和主动性,表现在立法体制上,实行一元的、多层次的立法体制。全国人大及其常委会行使国家的立法权,在此之外,国务院可以制定行政法规,省级人大及其常委会可以制定地方性法规,国务院部门和省级人民政府(包括较大的市)可以制定规章。在这个多层次的立法体制当中,需要明确各个立法主体在设定行政许可中的权限范围。本法根据立法法关于立法权限的划分,对各个立法主体的设定权限作了规定。取消了曾经设定过大量行政许可的部门规章和较大的市的政府规章的设定权,省级政府规章也只能设定临时性的行政许可,并且规定规章以下的其他规范性文件一律不得设定行政许可,大大减少了行政许可的设定主体。同时本章还对行政许可的设定程序作了必要的规定,拟设定行政许可的,起草单位应当采取听证会、论证会等形式听取意见,并向制定机关说明设定该行政许可的必要性、对经济和社会可能产生的影响以及听取和采纳意见的情况等,以确保行政许可设定的适当性和必要性。这些规定都是对行政许可制度的重大改革和完善,必将产生深远而重大的影响。

第十一条 设定行政许可,应当遵循经济和社会发展规律,有

利于发挥公民、法人或者其他组织的积极性、主动性，维护公共利益和社会秩序，促进经济、社会和生态环境协调发展。

【释义】 本条是关于行政许可设定原则的规定。

一、应当遵循经济和社会发展规律

行政许可的设定与经济和社会发展的程度直接相关。特定领域的行政许可权力始终离不开特定的经济发展水平与社会的发达程度。生产力决定生产关系，生产关系反作用于生产力；经济基础决定上层建筑，上层建筑反作用于经济基础。这是历史唯物主义对经济和社会发展规律的总结和探索。行政许可属于行政管理制度，属于上层建筑领域里的组成部分。对行政许可管理手段的运用，要符合经济社会发展规律。行政许可运用得当，可以调节经济和社会中的各种矛盾，促进经济和社会的发展；反之，行政许可运用不得当，滥设许可，使经济发展成本过高，就会阻碍经济和社会的发展。改革开放以来，经过十几年的发展，我国已经在很多必要的行政管理领域设置了行政许可制度，在维护经济和社会秩序，保障国家、社会和公民的权利和利益方面，起到了积极作用，但由于缺乏统一的法律规定，许可设置过多过滥，程序繁琐，很多方面已经走向反面，成为阻碍经济发展、损害公民权利的扰民制度，有些还成为腐败的温床，弊端日益显露。为了克服不当行政许可给经济发展带来的阻力，一些地方首先自发地开展了行政审批制度的改革，减少行政审批，规范审批程序，方便当事人办事。这一改革随后被中央肯定，进而在全国范围开展行政审批改革，并将改革成果法律化，这显示了我们对行政许可制度认识的深化。

二、应当有利于发挥公民、法人或者其他组织的积极性、主动性

无论是将行政许可理解为普遍禁止的解除，还是对公民权利

的赋予,抑或是解禁与赋权的统一,行政许可都涉及公民的权利和自由。因此,在设定行政许可时,要正确对待公民的权利和自由,要有利于发挥公民、法人或者其他组织的积极性、主动性。人是社会的细胞和要素。人类社会发展的历史一再表明,一个社会是否有活力,是否具有发展潜力,最关键的是要看这个社会中的人是否能保持活力,充分发挥其创造力。如果在一个社会里,个人的任何行动都需经许可后才能行动,这个社会肯定缺少发展的内在活力;相反,赋予个人权利和自由,就会最大限度地发挥个人的聪明才智,保证社会物质财富的增加,促进社会的进步与发展。一个发达的文明社会必然是其社会成员的聪明才智得到极大发挥的社会。行政许可具有双重性,合理设定,可以有效地配置社会资源,为个人施展才智创造良好的社会秩序。相反,设置过多过滥,或者不合理,必然抑制个人的创造性和积极性,影响其聪明才智的发挥。因此,设定行政许可,应当有利于发挥公民、法人或者其他组织的积极性和主动性。所设定的行政许可,应当是政府行政管理最必要的,应将其限定在限制和影响公民权利和自由最低限度方面,更不能造成事实上遏制甚至剥夺公民的权利和自由。近年来个别地方曾发生过公民申请结婚登记时,竟要检查申请人的处女膜,以确定其是否有婚前性行为,不让检查就不准登记。这是荒诞的,是对公民隐私权的粗暴侵犯。

三、维护公共利益和社会秩序

人对自由的向往和追求,必然导致其超越既有的约束和限制,而人是社会中的人,必须与他人共同生存生活。这就需要在保障个人自由的同时,维护公共利益和社会秩序。行政许可的设定,很多是出于维护公共利益和社会秩序的直接需要。对于直接关系国家安全、公共安全、人身健康和生命财产安全以及生态环境保护的事项,如爆炸危险物品的生产、储存、运输、销售以及使用,机动车的驾驶等，不仅是可以设定行政许可，而且是应当设定行政许可，不得存在管理上的漏洞，否则，后果是非常严重的。

四、促进经济、社会和生态环境协调发展

整个人类社会发展的历史就是一部人类不断改造自然、征服自然的历史。在人类的历史进程中，人类本身不仅单纯从大自然那里获取了维持生存与发展的物质资料，而且改造了自然。在人类与自然的关系问题上，人类社会经历了一条曲折的道路。随着人类改造自然的能力提高，对自然界的开发不断加大，从而导致自然生态不平衡问题，各种生态环境问题日益显现，如水源污染、矿产资源枯竭、野生动物灭绝等，人类的生存环境受到破坏。在此情况下，人类开始认识到人与自然的相互依赖性，强调对自然的保护，人与自然的和谐相处。为此，通过行政许可制度调整人与自然的关系，如设置采矿许可、狩猎许可、排污许可等，以促进对自然资源的合理利用与保护。因此，设定行政许可，要兼顾经济、社会和生态环境的协调发展。

第十二条　下列事项可以设定行政许可：

（一）直接涉及国家安全、公共安全、经济宏观调控、生态环境保护以及直接关系人身健康、生命财产安全等特定活动，需要按照法定条件予以批准的事项；

（二）有限自然资源开发利用、公共资源配置以及直接关系公共利益的特定行业的市场准入等，需要赋予特定权利的事项；

（三）提供公众服务并且直接关系公共利益的职业、行业，需要确定具备特殊信誉、特殊条件或者特殊技能等资格、资质的事项；

（四）直接关系公共安全、人身健康、生命财产安全的重要设备、设施、产品、物品，需要按照技术标准、技术规范，通过检验、检

测、检疫等方式进行审定的事项；

（五）企业或者其他组织的设立等，需要确定主体资格的事项；

（六）法律、行政法规规定可以设定行政许可的其他事项。

【释义】 本条是关于行政许可设定范围的规定。

一、行政许可设定范围的复杂性

行政许可的设定范围，即哪些事项可以设定行政许可，哪些事项不能设定行政许可，任由公民自主决定或者由市场调节。这是一个非常复杂的问题，也是一个世界性的难题。这个问题的实质是行政权力和公民权利之间的关系，意味着在多大程度上行政权力可以干预公民的私人权利。对这个问题的探索，实际是对政府管理规律的探索，社会发展规律的探索。从目前来看，无论是在理论上和还是在实践上都还没有很好地解决这个问题。世界各国解决此问题的基本方法是个案解决，一事一议，通过单行的法律、法规，按照法定的程序来决定。为什么大都采取这种办法呢？因为某一事项是否设定许可，具有不确定性。第一，行政许可的设定具有时间性。有些事项，在此时不需要许可，但随着社会的发展，其活动与公共利益的紧密性加强，因而需要设定许可。如在自由资本主义时期，需经许可的事项很少，而到了垄断资本主义时期，需经许可的事项大量增加。这其中有些事项在自由资本主义时期就存在。汽车在最初制造出来时，是没有许可证的；驾驶汽车也是不需要执照的。但后来汽车多了起来，汽车业与公共安全非常密切，因此才规定生产汽车、驾驶汽车需要事先获得许可。第二，行政许可的设定具有地域性。有些事项，在此一地域范围内需要许可，在彼一地域范围内不需要许可。比如现在许多城市对养狗实行许可证制度，养狗需要先到行政主管机关登记注册，交纳有关费用，然后才能养狗，否则即为违法。而在一些农村地区，养狗是很普通的事，根本不需要许可登记。第三，行政许可的设定与特定的社会背景有关。在有些社会背景下，人与自然的矛盾比较突出，为了保持可持续发展，就需要限制人类的活动，对人类的某些活动加以限制和约束，实行许可制度。而在有些地区和时代，人类与自然的矛盾不突出，人类的活动对自然没有构成威胁，因而不需要许可。如在一个水资源紧缺的社会，对水资源开采利用，通常采取许可制度管理；而在一个水资源丰富的社会里，对水资源的开采和利用就不需要许可。第四，行政许可的对象具有广泛性、复杂性和差异性，在进行抽象归纳时，面临的立法技术困难比较多，相反，个案解决则可以回避诸多困难和矛盾。

尽管规定行政许可的设定范围存在诸多困难，本法还是根据中国的国情，对行政许可的设定范围作了原则界定。为什么本法要对设定范围作出界定呢？第一，我国由计划经济转向市场经济，也就是由政府什么都管转到有选择性的管，这就需要回答该管什么，不该管什么的问题。对这个问题的回答实际是对社会主义市场经济规律的探索。资本主义社会的发展是从自由资本主义到垄断资本主义，从不干预到干预社会和经济生活，因而它可以根据发生的社会问题来逐个解决，这就形成他们在行政许可制度上的立法特点。第二，我国的立法主体比较多，在中央有全国人大及其常委会、国务院；在地方有 31 个省、自治区、直辖市，需要统一行政许可的立法标准和范围。第三，在现实生活中存在一种倾向，一讲行政管理，就要审批。于是什么事情都要设定行政许可，导致行政许可过多过滥。这就需要通过设定范围来减少行政许可，实现政府职能的转变。

二、行政许可设定范围的解决模式

国务院提请审议的行政许可法草案对设定范围的规定，采取的是“先总说、后分说、再排除”的模式。即先列举可以设定行政许可的事项范围，然后将行政许可分为普通许可、特许、认可、核准、登记五类，对适用各类行政许可的事项再作出列举，并相应地规定特许、认可、核准、登记四类行政许可的特别程序。最后对不得设定行政许可的事项作出列举。这一方案从形式逻辑上讲是比较理想的，但在实际设定条文中遇到诸多问题。在审议和征求意见过程中，对这一方案提出了不少修改建议，如只总说，不分说；或者只分说，不总说；或者只列举不得设定的范围等。二次审议稿曾采取只分说不总说的办法，因为分类列举的范围与总的列举的范围是重复的，立法上没有必要重复。在最后的立法决策上，是采取正面规定与排除相结合的办法解决设定范围问题。为什么采取这个方案呢？这与对行政许可的分类有关。

国务院提出的行政许可法草案的基本思路是以对行政许可定义的界定为出发点，进而将行政许可分为五类，通过分类来具体确定各类行政许可的适用范围和有关程序，以此来构篇谋局。但对于是否分类、如何分类，不同意见比较多，在九届全国人大常委会审议和征求意见的过程中，在这个问题上就有不同意见。

一种意见认为，草案对行政许可的分类存在一些问题：一是，各类行政许可的名称和含义同现行法律、法规的用语和人们的习惯称谓不一致，不仅对法律、法规要作出大量修改，执行中也容易出现分歧。比如，按照现行法律、法规的用语和人们的习惯称谓，特许类是指对申请人有特别严格限制的许可，如持枪许可、烟草专卖许可等，而草案将其列入普通许可类中，概念不够科学。二是，各类行政许可之间有交叉，界线难以划清，并且未能涵盖现行的行政许可事项，比如普通许可类的事项与核准类的事项就有重复，执行中难免会引起混乱。三是，有些类别如认可、核准、登记，是否属于行政许可，还值得研究。从发展来看，这些类别将会转移给社会中介组织办理。现在将其定位于行政许可，会限制行政审批制度的改革空间。四是，从行政法理论来看，普通许可和特许是许可的类别,认可、核准、登记是许可的形式,分类的标准不统一。因此,一些同志建议将行政许可只分为两类,即普通许可和特许,而将认可、核准、登记等事项交由社会中介组织办理。还有一些同志提出,行政许可制度比较复杂,在本法中对行政许可作出具体分类,困难很大,分类过多也不便于当事人办事,建议不作分类,而从完善行政许可设定权、行政许可实施程序上规范行政许可行为,达到减少行政审批的目的。具体事项的许可形式可由单行法律、法规规定。这也是多数国家通行的做法。

另一种意见认为:在本法中对行政许可进行分类并相应地规定不同的特别程序,是十分必要的,对于改革行政许可制度、规范行政许可行为、减少行政审批项目,以此推动政府职能转变,具有重要作用。一是,现行法律、法规中行政许可名目繁多,缺乏可以遵循的标准和规范,因而在设定行政许可时随意性很大,什么事项可以设定许可,什么事项只能设定什么样的许可,缺少客观标准。二是,草案对行政许可的分类是按照不同行政许可的不同性质、功能和适用范围确定的,很重要的一个目的是相应地规定不同的特别程序,有的需要进行实质审查,有的只需进行形式审查,有的要经拍卖,有的要经考试,宜严则严,宜简则简。这样,便于规范、监督实施行政许可的行为,防止执法扰民,以方便当事人办事。三是,将行政许可划分为五类,既借鉴了国外的做法,又尽可能与现行的法律、法规相衔接。其中,普通许可、特许的分类确实与现行法律、法规的用语和人们的习惯称谓不同,需要通过宣传、实践使各方面逐渐适应和认同。四是,有些认可和核准的事项,随着经济发展、改革深化,今后势必由行业组织、中介机构办理,但这需要有一个过程。即使如此,最终也还总会有一些认可、核准事项只能由行政机关办理。

在进行三审时,有些常委委员对此进一步提出了意见:一是,认为认可、核准不属于行政许可,而只是行政机关决定是否准予许可的手段和方式。有些行政许可形式随着政府职能转变，将会逐步移交行业组织或者中介组织办理，现在将其列入行政许可，不利于减少审批，不利于政府职能转变。二是，对各类行政许可的适用范围有不同意见，比如草案规定特许适用于有限自然资源的开发利用、有限公共资源的配置以及直接关系公共利益的垄断性企业的市场准入，一些委员认为特许应当适用于涉及国家安全、公共安全、生命财产安全和人身健康需要实施严格管理的事项。立法机关经研究认为：通过分类，对行政许可进行分类规范、分类指导，出发点是好的，所作研究也是有益的。但是，考虑到目前行政审批制度改革尚在进行之中，对行政许可的类别和适用范围还有不同意见，确定科学分类的客观条件还不够成熟。因此将各类的适用范围合并，形成了现在的行政许可的设定范围。

三、行政许可的设定范围

（一）行政机关准予公民、法人或者其他组织从事特定活动的事项

这一类事项的范围非常广泛，包括直接关系国家安全、经济安全、公共利益、人身健康、生命财产安全的事项。这一类事项设定行政许可的目的是防止危险和保障安全。其主要特点是：第一，在这些范围内，相对人行使法定权利或者从事法律没有禁止但附有条件的活动，需经批准；第二，许可事项一般没有数量控制；第三，法律、法规对这类许可事项规定的条件和标准比较明确，行政机关的自由裁量权受到限制；第四，能否取得许可，与申请人自身的条件有关，并且取得的许可不得转让。主要范围是：

1. 与国家安全有关的事项。国家安全是国家生存和发展的一种状态、环境和秩序。国家安全是一个国家的最高利益，因此从事与国家安全有关的事项，应当获得许可。如对外贸易法规定，为维护国家安全或者社会公共利益，国家可以限制进口或者出口货

物、技术。测绘法第十九条中规定，外国的组织或者个人在中华人民共和国领域和管辖的其他海域从事测绘活动，必须经国务院测绘行政主管部门会同军队测绘主管部门批准，并遵守中华人民共和国的有关法律、行政法规的规定。同样，被许可活动影响到国家安全的，也可以收回许可。

2. 经济宏观调控的事项。实行市场经济，政府的职能从计划经济时代的直接干预经济，转变到依靠宏观调控来管理经济。政府管理经济的主要职能，主要是制定和执行宏观调控政策。宏观调控的主要任务，是保证经济总量平衡，抑制通货膨胀，促进重大经济结构优化，实现经济稳定增长。宏观调控主要运用经济手段和法律手段，辅之以必要的行政手段。目前，我国已在财政、金融、税收、海关、外贸等方面制定了一系列宏观调控的法律和政策，宏观调控的手段逐步趋于完善。经济宏观调控方面的许可事项主要有投资立项、产业布局、进出口管制等。

3. 生态环境保护的事项。随着人类社会的发展，人类改造和影响自然的能力与日俱增，人类与自然的矛盾越来越突出。为了实现可持续发展，保持人类与自然的和谐关系，控制和减少人类对自然和环境的破坏，因此，有关影响生态环境的活动，需要经过批准。我国的环境保护法、水污染防治法、大气污染防治法、固体废物污染环境防治法、噪声污染防治法、海洋环境保护法、建设项目环境保护管理条例等都规定，建设项目环境影响报告书、向环境排放污染物、环境保护工程设施，均须经批准或者验收。

4. 直接关系公共安全、人身健康、生命财产安全的事项。为了防止个体行为对整个群体、社会的安全造成破坏和不利影响，防止个体行为对集体利益的损害，因此，国家在进行行政管理时，对涉及公共安全与公共利益的活动，要实行事前许可制度。如易燃性、爆炸性、放射性、毒害性、腐蚀性等危险品的生产、储存、运输、使用、销售，以及其他直接关系人身健康、生命财产安全的产品、物品的生产、经营等活动，都要经过批准。人是社会的要素和细胞。国家实施行政管理的根本目的，应当是为了人的发展和福祉。国家要以民为本，维护人的人身健康、生命财产安全。从事有关人身健康、生命财产安全的活动，需要获得许可。如药品管理法规定，开办药品生产企业，须经企业所在地省、自治区、直辖市人民政府药品监督管理部门批准并发给《药品生产许可证》；开办药品批发企业，须经企业所在地省、自治区、直辖市人民政府药品监督管理部门批准并发给《药品经营许可证》；生产新药或者已有国家标准的药品的，须经国务院药品监督管理部门批准，并发给药品批准文号。

上述几方面的内容，相互之间有一定的独立性，但有些也不能完全分开，特别是关于直接关系公共安全、人身健康、生命财产安全等方面的事项，往往是一个事物的几个方面，并不能完全划分开来。

（二）赋予公民、法人或者其他组织特定权利并且具有数量限制的事项

这类许可事项一般与民事权利有关，许可的结果是向相对人授予某种民事权利，功能是分配有限的自然资源和公共资源。这类许可事项的特点是：第一，其目的是为了合理配置、利用现有资源，防止资源利用中的无序状态。第二，申请人获得许可，通常要支付一定的对价，特别是有关自然资源开发、利用方面的许可。第三，许可与民事合同发生竞合，国家以自然资源和公共资源所有者的身份，向申请人颁发许可，既是以行政权力准许申请人从事开发利用的活动，又可以说是以特定的民事主体身份，转让民事权利。第四，申请人取得的许可，一般可以依法转让。第五，这类许可一般都有数量限制。这类事项主要有：

1. 有限自然资源的配置。土地、矿藏、水流、森林、山岭、草原、荒地、滩涂等自然资源，属于国家所有。国家对这些自然资源

享有占有、使用、收益和处分的权利。目前,全国人大常委会根据宪法,已经制定了矿产资源法、煤炭法、水法、森林法、草原法等法律,对这些自然资源的所有权以及开发利用都作出了规定。其中都规定,开发利用土地、矿产、草原、水等自然资源,都须经审批。

2. 有限公共资源的配置。公共资源包括各种市政设施、道路交通、航空航线、无线电频率等。对公共资源的利用实行许可,主要是为了优化对公共资源的配置,提高公共资源的利用率。目前,一些地方对出租车牌照、公共汽车运营线路实行招标拍卖,取得了较好的效果。

3. 专营权利的赋予,即特定行业的市场准入,主要是公用事业服务等行业,如自来水、煤气、电力、电信、邮政等与人民群众日常生活、公共利益密切相关的行业。这些行业由于其整体性和统一性的特点,无法放开竞争,放开竞争容易影响其服务效能。因此,进入这些行业要实行准入制度,要设定比较高的门槛,以使进入者能为公众提供优质服务。如电力法规定,一个供电营业区内只设一个供电营业机构。省、自治区、直辖市范围内的供电营业区的设立、变更由供电企业提出申请,经省级电力管理部门会同有关部门审查批准后,由省级电力管理部门发给《供电营业许可证》。

(三)资格资质方面的事项

公民、法人或者其他组织为公众提供服务,所从事的职业和工作直接关系公共利益,因而国家要求从事这些职业或行业的公民和组织具备特殊的资格和条件。在这一领域设定许可,主要目的是提高从业水平或者某种技能、信誉。其特点是:第一,这种许可事项限于为公众直接提供服务的特定职业和行业,间接提供服务,不需要设定许可。对于一些单位、企业内部的一些岗位、职位的资格要求,可以由各单位规定资格条件,而不必由国家来统一确定资格。第二,这些职业和行业直接关系公共利益。第三,从事这些职业或行业要具备特殊信誉、特殊条件或者特殊技能,并且需要国家统一规定。这里包含了三个“特殊”，可见其不同于其他的职业或行业。第四，这类资格资质的授予，通过考试、考核方式确定。第五，资格资质与相对人的身份相联系，不能转让、不能继承。目前公民的职业资格许可主要有两类：一是职业资格许可。如律师资格证，律师法规定，律师执业应当取得律师资格和执业证书。执业医师资格证，执业医师法规定，国家实行医师资格考试制度。医师资格考试分为执业医师资格考试和执业助理医师资格考试。医师资格考试成绩合格，取得执业医师资格或者执业助理医师资格。二是劳动技能资格许可。劳动法规定，国家确定职业分类，对规定的职业制定职业技能标准，实行职业资格证书制度，由经过政府批准的考核鉴定机构负责对劳动者实施职业技能考核鉴定。

有关企业和组织的资格、资质，主要有施工企业、勘察单位、设计单位、监理单位资质证书，证券交易所会员资格，测绘资格资质，从事工程建设项目招标代理业务的招标代理机构资格证等。

（四）对特定物的检测、检验和检疫

这一类事项通常被认为是对物的许可，其实，物与人联系起来，进入到社会生活中，才具有法律上的意义，孤立存在的物是没有法律意义的。在行政许可中，表面上看是对物的许可，实质上是对物的所有人支配和使用该物的一种许可。如国家行政主管部门对电梯进行检验，颁发合格证。表面上看是检验电梯是否安全、合格，其实质是允许所有权人使用该电梯。如果所有权人不打算把该电梯投入使用，或者只用作展览，就不需要检验其是否安全合格。再有对动植物的检验，表面上看只是对这种物的检疫，但其目的是为了允许其所有权人销售、加工该动植物。这一类许可事项的特点是：第一，以对物的检验、检测和检疫为依据决定是否许可，行政机关没有自由裁量权；第二，以既定的技术规范和技术标准作依据，没有数量限制；第三，这种许可相对于被许可人有一定的独立性，被检定为合格的物，在其所有权发生转变时，对该物品的许可仍然有效;第四,这种许可的实质是许可该物的所有权人使用、销售该物品。

这一类事项主要包括:(1)直接关系公共安全、人身健康、生命财产安全的重要设备、设施的设计、建造、安装和使用,如民用航空法规定,设计民用航空器及其发动机、螺旋桨和民用航空器上的设备,应当向国务院民用航空主管部门申请领取型号合格证书,经审查合格的发给型号证书。生产、维修民用航空器及其发动机、螺旋桨和民用航空器上的设备,应当向国务院民用航空主管部门申请领取生产许可证、维修许可证。经审查合格发给相应证书。(2)直接关系人身健康、生命财产安全的特定产品、物品的检验、检疫,如生猪屠宰管理条例规定,定点屠宰场屠宰的生猪,应当经生猪产地动物防疫机构检疫合格。肉品品质检验合格的生猪产品,定点屠宰场应当加盖肉品品质检验合格验讫印章,放行出场。

本项所列许可范围,与本条第一项所列许可范围,既有区分,又有联系。就其共同点来说,都是准予申请人从事某种活动;就其区别而言,第一项所列事项,侧重于特定的活动,并且这种活动不与特定的物联系起来;而本项所列事项,虽然最终也是准许申请人从事某种活动,但这种活动是与特定的物联系起来的。

(五)确定主体资格方面的事项

主要形式是登记。其功能是通过登记,确立个人、企业或者其他组织的特定主体资格。其特点是:第一,未经合法登记、取得特定主体资格的,不得从事相关活动;第二,没有数量上的限制;第三,对申请材料一般只进行形式审查,通常可以当场作出是否准予的决定;第四,行政机关没有自由裁量权。

登记许可主要有两类:一类是企业法人登记,确立其市场主体资格;另一类是社会组织登记,包括社会团体、事业单位、民办非企业单位登记等,以确立其从事社会活动的资格。这两类主体的确立,都需要按照法定条件登记。对于登记是否属于行政许可,立法过程中有不同意见,有的认为,登记只是一种确认行为,不属于许可;有的认为,当事人不登记,从事相关活动属于违法,因此也是行政许可。总的来看,我国的登记种类比较多,有些登记属于事后确认性质,不属于许可,如房屋登记、抵押登记等。但有一些登记,实际是为了取得行为能力、活动资格,因此这种登记属于行政许可。

这里还有一个需要研究的问题,即我国参加或者缔结的国际条约或协定,如何设定行政许可的问题。我国签订或者参加的国际条约、协定,对设定行政许可的规定有两类:一类是作为国际义务,要求成员国实施管制、设定行政许可,如军品贸易管制、生态环境保护等;另一类是作为一种权利,允许成员国设定行政许可实施管制,如进口商品配额等。这两类的情况是完全不同的。本条规定的范围,包括了我国签订或者参加的国际条约、协定所涉及的范围,并且国际条约和协定的实施,需要通过立法,转化为国内法实施。因此,国际条约和协定要求设定行政许可或者允许设定行政许可,都可以按照本法的规定办理。

此外,由于行政许可几乎涵盖了行政管理的所有领域,人的认识还难以穷尽所有需要设定行政许可的事项。为适应未来行政管理工作的需要,本法还设定了开放条款,即单行的法律、行政法规可以根据情况和需要,对上述范围之外的事项设定许可。从立法技术和法制建设上来看,这样的规定是不够理想的。因为最后一项的规定,使本来不明确的设定范围更处于一种不确定状态。因此,在运用这一条设定行政许可时,应当比照前几项的性质和类别,应是那些通过事后补救难以有效消除影响或者造成难以挽回的重大损害的其他事项。

第十三条　本法第十二条所列事项,通过下列方式能够予以规范的,可以不设行政许可:

(一)公民、法人或者其他组织能够自主决定的;

（二）市场竞争机制能够有效调节的；

（三）行业组织或者中介机构能够自律管理的；

（四）行政机关采用事后监督等其他行政管理方式能够解决的。

【释义】 本条是关于不得设定行政许可事项的规定。

前条规定的行政许可设定范围，是可以设定，并不是一定要设立。因为其中的领域是相当宽泛的，几乎包括了政治、经济和社会生活的主要方面。如果都设定行政许可，许可仍然会过多；并且有些事项，随着社会经济的发展，行政管理手段的改善，原来需要设定行政许可的，也会逐渐变成不需要设定行政许可。为了引导行政许可的设定，对于前条可以设定行政许可的事项，符合本条规定情形的，可以不设定行政许可。

一、依法由公民、法人或者其他组织自主决定的事项，可以不设定行政许可

法学理论通常认为，凡是法律未禁止的，就是公民可以行为的；而对国家机关来说，凡是法律未赋予其权力的，都意味着是禁止的。这种理论比较合理地表述了国家权力与公民权利的分配。在这种权利和权力的配置下，公民的权利和自由是广泛的，它包括了政治、民事等多方面的权利。其中民事权利包括了财产权、人身权等。人身权又包括了姓名权、肖像权、名誉权等。公民权利和自由的行使，有些不关涉他人的权利和自由，如人格权、通讯秘密等；还有一些权利和自由，虽然与社会生活发生关系，但通过正常的分析和判断，是可以自主决定的，国家对这类行为不要去干预。过去争论的一个问题，对保姆是否要设定资格？赞成者认为，保姆进入另外一家的家庭生活，密切接触家庭的财产，看管和护理小孩和老人，事关一家的财产与生命安全。事实上，一些地方发生了保姆骗走小孩、盗窃财物等情况，因此应当设定资格许可。另一种观点认

为，保姆的品性如何，雇用一个什么样的保姆，采取什么方式进行管教，聘请者完全可以自主决定，不需要国家来干预，即使国家设定了资格许可，上述现象仍然会发生，因此完全没有必要设定资格许可。显然，聘请保姆这类的事情，是当事人可以决定的事情，也应当由当事人自主决定，设定许可是政府过度干预的表现。

二、市场机制能够有效调节的事项

对经济的调节有两种，一种是市场竞争调节，还有一种是政府调节。政府调节是在市场调节失灵或市场调节滞后情况下的一种行政干预。进行这种干预时，动用行政权力，对一些经济生活实施许可制度。在市场竞争可以有效调节时，行政干预就要退出。如在市场经济条件下，商品如何定价，完全可以由生产者和销售者确定，因为商品价格与商品的质量紧密联系，如果质次价高，就会无人购买；物美价廉，就会争相购买，市场竞争完全可以解决价格问题。再有，一些行业的投资，也是可以通过平均利润率来调节的，当某一行业的投资回报超过平均利润时，其他行业的资本就会转入到该行业；当某一行业的利润低于平均利润时，该行业的资本就会退出，使该行业的投资减少，改变供求关系。因此，对于这样一些由经济规律可以解决的事情，政府不要去干预，不要设定行政许可。

三、行业组织或者中介机构能够自律管理的事项

行业组织是联系市场主体与政府的桥梁，中介机构是市场主体之间的媒介。它们具有自律、服务、灵活、高效等特点，是市场经济发育和成熟不可缺少的因素。随着市场经济的发展，行业组织和中介机构蓬勃兴起。这些组织和机构，自我管理和自我服务，经过一段时间的发育和成长，逐渐规范和完善，可以承担起一部分社会管理职能，从而减少政府的行政管理压力，实现政府职能的转

变。因此,对于一些可以由行业组织自律、中介机构服务可以解决的事项,也不要设定行政许可。特别是一些资格资质和对物品的检测、检验等,完全可以由行业组织来规范确认,如电工、烹饪、电脑软件运用以及对产品质量的认证等。将这些工作交由行业组织或中介服务机构办理,既可减少政府职能,也可以避免某些行政机关工作人员借审批谋私,还可借此调动行业组织和中介服务机构的积极性,培育和完善社会服务功能。

四、事后监督等其他方式能够解决的事项

行政许可只是众多行政管理手段中的一种。对于行政许可管理手段的选择,应当与其他管理手段相比较,看哪一种的管理成本更低,效果更好。对于通过其他方式能够解决,达到与行政许可相同作用和效果的,也不要设定行政许可。如通常对于广播电台、电视台播出什么样的节目,出版社出版什么样的书籍,事先并不去审查。但播出或出版之后,如发生版权纠纷、侵犯名誉权等问题,可以通过事后监督、处罚等解决,因此,对播出的节目或出版的书目原则上不要搞事先审查。再有,经营销售一般生活用品和工业用品,不需要审批,如发生销售假冒伪劣产品,消费者可以投诉,市场监管部门可以处罚解决,因此不需要许可。而对于销售经营危险物品,如易燃、易爆等物品,就需要经过严格的审批。因为这类事项是属于事后难以补救或者会造成重大损害的事项。

前条对行政许可设定范围的表述,使用的是“可以设定行政许可”,本条对不宜设定行政许可事项的表述,同样使用的是“可以不设行政许可”。这两个可以的使用,表明对行政许可设定范围还处在探索之中,现行的规定还有较大的弹性,仍然需要结合具体的立法,在实践中进一步完善。

第十四条　本法第十二条所列事项,法律可以设定行政许可。

尚未制定法律的，行政法规可以设定行政许可。

必要时，国务院可以采用发布决定的方式设定行政许可。实施后，除临时性行政许可事项外，国务院应当及时提请全国人民代表大会及其常务委员会制定法律，或者自行制定行政法规。

【释义】 本条是关于法律、行政法规和国务院决定的设定行政许可的规定。

行政许可是政府对经济和社会活动进行事前管制的手段，按照依法行政的要求，实施行政许可要有法律、法规作为依据。如律师法规定，律师执业应当取得律师资格和执业证书；执业医师法规定，医师执业要取得执业医师资格，并向卫生行政部门申请注册；国务院颁布的《社会团体登记管理条例》规定，成立社会团体应当经其业务主管单位审查同意，并依照本条例的规定进行登记等等。目前行政许可太多、太滥，主要原因就是设定权太乱，一些没有立法权的机关也在设定行政许可。制定行政许可法的目的之一，就是要规范行政许可的设定权，规定谁有权设定行政许可，以什么形式设定行政许可。设定行政许可是立法行为，应当符合我国的立法体制。

一、我国的立法体制

立法体制是一个国家立法权限如何划分的制度。主要内容包括两个方面：一是哪些国家机关享有立法权，享有多大的立法权；二是享有不同立法权限的国家机关之间是一种什么样的关系。从世界范围来看，主要有三种不同的立法体制：一是一级立法体制，即立法权由中央统一行使，地方不享有立法权；二是二级立法体制，即立法权由中央和地方共同行使；三是一元二级立法体制，即立法权主要集中在中央，地方享有部分立法权。一个国家采取什么相关的立法体制，是由这个国家的国体、政体、国家结构、历史传统以及民族情况等一系列客观原因决定的。我国是一个统一的、多民族的、单一制的、人民民主专政的社会主义国家,人民代表大会制度是我国的根本政治制度。我国的立法体制有自己的特点。根据宪法、立法法和有关组织法的规定,我国的立法体制是统一、多层级的立法体制。全国人大及其常委会可以制定法律,国务院可以制定行政法规,省、自治区、直辖市以及较大的市的人大及其常委会可以制定地方性法规,经济特区所在地的省、市的人大及其常委会可以制定经济特区法规,民族自治地方的人大可以制定自治条例和单行条例。此外,国务院各部、委员会、中国人民银行、审计署和具有行政管理职能的直属机构可以制定规章,省、自治区、直辖市以及较大的市的人民政府可以制定规章。法律、行政法规、地方性法规、自治条例、单行条例、规章都是我国法律体系的组成部分。只有通过上述立法形式,才可以对公民的权利和自由设定限制条件,也就是说,行政许可的设定权就是在这些立法形式之间进行分配。

二、行政许可设定存在的问题

设定行政许可属于立法行为,应当按照宪法和立法法确立的立法体制进行。目前行政许可存在的主要问题之一就是设定权太乱,不仅法律、法规、规章设定行政许可,大量的规章以下的规范性文件也在设行政许可;不仅有立法权的机关设定行政许可,许多没有立法权的机关也在设定行政许可,甚至有的行政机关的内部机构也在设定行政许可。据 1997 年深圳市对市政府各部门实施行政许可的情况进行了调查,除市人民银行外,50 个政府部门以审批、核准、备案等 3 种形式实施的行政许可共 1134 项。这些许可形式中,法律设定的 48 个,行政法规或国务院文件设定的 104 个,部门规章或者部委文件设定的 323 个,广东省地方性法规设定的 13 个,深圳市地方性法规设定的 49 个,广东省委、省政府设定的 70 个,深圳市委、市政府设定的 143 个,广东省政府厅、局设定的

53 个,深圳市委、市政府办公厅设定的 27 个,深圳市委、市政府各部门设定的 110 个,各部门内部处室发文设定的 20 多个,还有一些没有任何依据,只是政府部门自己认为应当审批。行政许可太多、太滥,限制了公民的权利和自由,影响了经济发展的活力。制定行政许可法的主要目的之一,就是要规定哪些机关可以设定行政许可,以什么形式设定行政许可,解决行政许可设定权“乱”的问题。

三、法律的设定权

法律是全国人大及其常委会制定的规范性文件,是宪法之下效力层次最高的规范性文件。全国人民代表大会是国家最高权力机关,在国家机关的权力分工中,全国人大及其常委会行使国家立法权,是立法机关,由它对公民的权利和自由作必要的限制,符合法治精神和原则。因此,本法规定法律可以设定行政许可。但是,法律设定行政许可的权力也不是无限的,首先,法律也要尊重宪法的原则和精神,充分保护宪法确定的公民的权利和自由,要尽量少设行政许可。其次,法律设定行政许可,还要受本法第十二条的限制,即一般应在第十二条规定五类事项的范围内设定行政许可。虽然本法规定法律可以超出这五类事项设定行政许可,但应当理解为这是例外规定,是在特别需要的情况下才可设定,不是可以不受限制,任意扩大设定范围。第三,法律设定行政许可还要受本法第十三条的限制,即通过本法第十三条规定的四种方式可以解决的,也不应设定行政许可。

四、行政法规的设定权

行政法规是国务院制定的规范性文件。国务院是国家最高权力机关的执行机关,是最高行政机关,根据宪法和立法法规定,国务院可以制定行政法规。在我国的法律体系中,行政法规是效力层次仅次于宪法、法律，其设定权的范围较大，根据本法第十二条的规定，行政法规和法律设定的行政许可的范围是一样的。但实际上，行政法规的设定范围要小于法律，根据本法第十四条的规定，尚未制定法律的，行政法规可以设定行政许可。因此，在行政法规与法律的关系上，法律没有规定的，它可以规定，法律有规定的，它可以作具体规定，不得与法律相抵触。此外，行政法规设定行政许可还要受立法法第八条限制，立法法第八条列举了全国人大及其常委会的专属立法权，行政法规不得设定立法法规定只能由法律规定的事项，或者须经法律明确授权。另外，行政法规还应当在本法第十二条规定的五类可以设定行政许可的事项范围内设定行政许可，虽然本法第十二条规定的行政法规还可以对其他事项设定行政许可，但应当理解这是例外授权，应慎重使用。此外，行政法规设定行政许可应遵守本法第十三条的规定，通过本法第十三条规定的四种方式可以解决的，也不应设定行政许可。

五、国务院决定的设定权

国务院发布决定是国务院根据宪法第八十九条所享有的一项权力。一般是针对某个方面的具体事项作出的、与行政法规不同的一种规范性文件，其制定程序也不同于行政法规，不属于我国法律体系的组成部分。因此，在制定行政许可法的过程中，对于国务院的决定是否可以设定行政许可，有不同意见。一种意见认为，设定行政许可是一种立法行为，宪法和立法法对立法的形式作了明确规定，国务院的决定不属于法的渊源，由它来设定行政许可与行政许可法定的原则不符，也与现有的立法体制不协调；现在对国务院发布的文件中什么是行政法规，什么不是行政法规已经分清楚了，国务院如果需要设定行政许可，可以用制定行政法规的方式，没有必要再用决定的方式设定行政许可。因此，不赞成国务院决定可以设定行政许可。一种意见赞成赋予国务院决定行政许可设定权,理由是:(1)行政许可法取消了国务院部门规章的行政许可设定权,而现在部门规章设定的行政许可量比较大,经过清理,有一些还需要保留,但又不可能马上都上升为行政法规,可以通过国务院发布决定的方式,对需要保留的部门规章设定的行政许可作一揽子规定;(2)加入世贸组织以后,出现一些紧急情况,需要我国有相应的应急措施。如当某个国家在贸易方面对我国出口的产品采取禁止、限制或其他歧视性措施时,我们有权按照对等原则采取相应措施,实施进出口许可和配额管理等临时性行政许可,由于以后国务院部门规章不能设定行政许可,就需要国务院作出决定,但这些限制措施一般是属于临时性的,也不可能制定行政法规;(3)目前,我国还有一些管理领域,法制不太健全,没有法律,行政法规也很少,实践中主要靠“红头文件”在管,在今后一段时间内,制定法律的时机还不成熟,由国务院决定设定行政许可来管,是一个现实可行的选择;(4)在改革开放的过程中,在国有企业改革、促进就业与再就业、社会保障等方面有一些试点、试验的事项,先是用政策作指导,在局部地区、特定领域实施,积累经验,在制定法律、行政法规前,也需要采取行政许可的方式实施管理,防止出现混乱。还有一种意见认为,国务院的决定在制定程序和法律效力与行政法规不同,如果要赋予其行政许可设定权,也要与行政法规有所区别,必须限定条件。

最后,综合考虑上述因素,本法规定:“必要时,国务院可以采用发布决定的方式设定行政许可。实施后,除临时性行政许可事项外,国务院应当及时提请全国人民代表大会及其常务委员会制定法律,或者自行制定行政法规。”因此,国务院采用决定的方式设定行政许可,要受两种限制:一是在“必要时”,即来不及制定法律、行政法规,又确实需要通过设定行政许可来管理;二是实施后,应当“及时”提请全国人大及其常委会制定法律或自行制定行政法规。立法过程中有人提出应当对国务院发布决定的实施时限作出规定,如规定“一年内有效”。考虑到国务院决定是针对不同情况规定的,时限不好规定,所以立法用了“及时”这个概念。

第十五条　本法第十二条所列事项,尚未制定法律、行政法规的,地方性法规可以设定行政许可;尚未制定法律、行政法规和地方性法规的,因行政管理的需要,确需立即实施行政许可的,省、自治区、直辖市人民政府规章可以设定临时性的行政许可。临时性的行政许可实施满一年需要继续实施的,应当提请本级人民代表大会及其常务委员会制定地方性法规。

地方性法规和省、自治区、直辖市人民政府规章,不得设定应当由国家统一确定的公民、法人或者其他组织的资格、资质的行政许可;不得设定企业或者其他组织的设立登记及其前置性行政许可。其设定的行政许可,不得限制其他地区的个人或者企业到本地区从事生产经营和提供服务,不得限制其他地区的商品进入本地区市场。

【释义】　本条是关于地方性法规和省、自治区、直辖市人民政府规章设定行政许可的规定。

我国的立法体制是一个统一的、分层级的立法体制,法律、行政法规、地方性法规、规章都是广义的“法”的组成部分,但它们的法律效力等级不同。在宪法之下,法律的效力等级最高、行政法规次之,它们属于中央立法,立法权限较大;地方性法规的效力等级低于行政法规,只在本行政区域有效;国务院部门规章和地方政府规章处于最低层级,立法权限较小。在联邦制国家,一般实行地方自治,地方有较大的自治权,立法权由联邦议会和各州议会分享。我国是一个单一制的国家,立法权主要集中在中央,由法律和行政法规作出决定,地方立法权限较小,主要是对中央立法具体化,起到拾遗补阙的作用,再就是对地方事务作出规范。本法对地方性法规和地方政府规章的行政许可设定权的分配上,也体现了我国立法体制的特点。

一、地方性法规的设定权

地方性法规是由有立法权的地方人大及其常委会制定的规范性文件。包括省、自治区、直辖市人大及其常委会制定的地方性法规、较大的市的人大及其常委会制定的地方性法规以及经济特区所在地的省、市人大及其常委会制定的经济特区法规。这些都属于广义的“地方性法规”的范围。从法理上讲,地方性法规是地方国家权力机关制定的,其立法权限应当比政府的立法权限大,由其设定行政许可,对所辖区域的公民的权利作出限制,符合法治的一般原则。因此,许多国家行政许可的设定权主要集中在中央和地方议会,政府没有设定权或者设定权较小。如澳大利亚、奥地利,行政许可由联邦议会和州议会设定,联邦政府没有设定权;在德国,行政许可主要由联邦议会和州议会设定,行政机关不能设定行政许可,但经过议会的授权,政府可以设定一些具体的、暂时性的行政许可;在美国,对哪些行业、职业和产品实施许可证管理,主要由州议会立法决定。我国的情况与国外不同,立法权主要集中在中央,地方的立法权限较小,地方人大的立法权要小于国务院。因此,本法规定,尚未制定法律、行政法规的,地方性法规可以设定行政许可。

地方性法规设定行政许可还应遵守以下规定:(1)在本法第十二条规定可以设定行政许可的五类事项范围内设定行政许可。(2)通过本法第十三条规定的四种方式能够解决的,也不得设定行政许可。(3)尚未制定上位法,即尚未制定法律、行政法规。(4)不得设定应当由国家统一确定的公民、法人或者其他组织资格、资质的行政许可;不得设定企业或者其他组织设立的登记及其前置性行政许可;设定的行政许可,不得限制其他地区的个人或者企业到本地区开展生产经营活动和提供服务;不得限制其他地区的产品进入本地区市场。

二、省级人民政府规章的设定权

规章是由国务院部门或者省、自治区、直辖市和较大的市的人民政府制定的规范性文件,是我国法律体系中层级最低的一种法的形式,包括国务院部门规章和地方人民政府规章。根据行政诉讼法的规定,规章不能作为行政审判的依据,法院在审理行政案件时只是“参照”使用。规章要取得完整的法的效力,必须由法律明确授权,像行政处罚法授权规章设定行政处罚一样。目前,规章设定的行政许可比较多,存在的问题也多,因此,行政许可法草案没有授权国务院部门规章可以设定行政许可,但考虑到地方政府综合管理所辖行政区域的各项事务,授权省、自治区、直辖市和较大市的人民政府规章可以设定行政许可。

对是否应当授权地方政府规章设定行政许可,存在两种意见。一种意见不同意地方规章设定行政许可,理由是:(1)制定行政许可法的主要目的之一,就是要治理行政许可过多、过滥,而当前行政许可混乱的一个主要原因,就是规章设定的行政许可太多。保留地方政府规章的设定权,行政许可过多、过滥的问题可能依然得不到解决,取消地方政府规章的行政许可设定权,有利于控制行政许可的数量,是行政许可制度改革的发展方向。(2)根据立法权的规定,国务院部门规章与地方政府规章处于同一法律位阶,行政许可法草案没有授予国务院部门规章行政许可设定权,授予地方政府规章行政许可设定权,二者不平衡。(3)设定行政许可是给行政机关设定权力,给公民设定义务,根据现代法治精神,行政机关不能自己给自己设定权力,不能自我授权。地方政府是法律、法规的实施机关,按照设定权和实施权分开的原则,地方政府不应当有设定权。(4)设定行政许可属于立法行为,应当符合宪法和立法法确立的立法体制以及依法行政的要求,规章主要是为执行法律、法规而作出具体规定，不具有创设性的立法权，赋予地方政府立法权，不符合我国的立法体制。如果地方人民政府认为有必要设定行政许可，可以提请有立法权的地方人大及常委会制定地方性法规。这样，不仅有利于巩固和加强地方人大作为地方国家权力机关的作用，也有利于进一步落实依法行政，实现依法治国。(5)地方人大两个月开一次会，立法法没有对地方性法规需要几审通过作出要求，地方人大可以灵活掌握，能够及时地制定地方性法规，设定行政许可。(6)规章设定行政许可之后，一旦在执行中产生诉讼，法院在审理案件时，只是“参照”规章，司法上会产生难以确定的后果，给执法带来困难。另一种意见赞成赋予地方政府规章一定的行政许可设定权。理由是：(1)在中国这样一个大国，社会、经济情况发展不平衡，什么事都由中央管很难管好，往往一统就死，一放就乱。从国外的经验看，地方自主权扩大是发展趋势；(2)这几年政府对经济管理的思想发生变化，地方要促进经济发展，搞好投资环境，不会乱设行政许可，以前乱设许可的情况有所改变，赋予地方政府规章设定权不会有问题；(3)地方性法规制定的周期较长，设定权集中于地方性法规，不利于保障行政管理的效率。

综合考虑上述两种不同的意见，立法机关认为我国的省级行政区划比较大，各省、自治区、直辖市之间存在很大差别，省级政府在全面负责本行政区域经济、社会管理工作中，当出现地方性的特殊问题时，需要立即采取行政许可措施进行管理，而法律、行政法规未作规定，又来不及或者不需要制定地方性法规，在这种情况下赋予省级政府一定的行政许可设定权是必要的。省级政府规章设定行政许可，一般是授权有关部门实施，不存在自我授权，这一点与国务院部门规章有所不同。最后行政许可法对草案进行了比较大的修改，将地方政府规章的设定权限制在省级人民政府规章上。行政许可法规定：“尚未制定法律、行政法规和地方性法规的，因行政管理的需要，确需立即实施行政许可的，省、自治区、直辖市人民政府规章可以设定临时性的行政许可。临时性的行政许可实施满一年需要继续执行的,应当提请本级人民代表大会及其常务委员会制定地方性法规。”

根据本法的规定,省级地方政府规章设定行政许可还应当遵守以下规定:(1)只能设定临时性的行政许可。这种临时性的行政许可有效期为1年,如果需要继续执行,应当上升为地方性法规。(2)在属于本法第十二条规定的可以设定行政许可的事项范围内设定行政许可。(3)通过本法第十三条规定的四种方式能够解决的,不得设定行政许可。(4)尚未制定法律、行政法规和地方性法规的。(5)不得设定应当由国家统一确定的公民、法人或者其他组织资格、资质的行政许可;不得设定企业或者其他组织设立的登记及其前置性行政许可;设定的行政许可,不得限制其他地区的个人或者企业到本地区从事生产经营和提供服务;不得限制其他地区的产品进入本地区市场。

第十六条　行政法规可以在法律设定的行政许可事项范围内,对实施该行政许可作出具体规定。

地方性法规可以在法律、行政法规设定的行政许可事项范围内,对实施该行政许可作出具体规定。

规章可以在上位法设定的行政许可事项范围内,对实施该行政许可作出具体规定。

法规、规章对实施上位法设定的行政许可作出的具体规定,不得增设行政许可;对行政许可条件作出的具体规定,不得增设违反上位法的其他条件。

【释义】　本条是关于行政法规、地方性法规、规章的行政许可规定权的规定。

设定权和规定权是两种不同的立法权。所谓设定权是指法的创制权,是立法机关创制新的行为规范的权力,是从“无”到“有”。

规定权是指现有的法的规范具体化的权力，不创制新的行为规范，是从“粗”到“细”。设定权和规定权都属于广义的立法权。在我国，立法主体呈多元化，除全国人大及其常委会外，国务院、省级人大及其常委会、较大市的人大及其常委会、国务院部门、省级人民政府、较大市的人民政府等都有一定的立法权。但它们的立法权限不同，立法的目的也不同，有的是创制性的立法，有的是执行性的立法。创制性的立法是立法主体为了填补法律或者法规的空白而进行的立法；执行性的立法是为了执行某个特定的法律或者法规的规定而进行的立法，是对法律或者法规的具体化。根据宪法和立法法的规定，行政法规和规章作为行政机关的立法，它们都需要上位法作为“依据”，是为实施上位法而制定的实施性的规范性文件。地方性法规虽然不需要上位法作为“依据”，只要不与法律、行政法规“相抵触”就可以，但实践中地方性法规还是以实施法律、行政法规为主。因此，可以说行政法规、地方性法规和规章主要是为了保证宪法和法律的实施而制定的，从性质上讲，主要是执行性的立法。但实际情况是，我国的法制建设起步较晚，任务重，都由全国人大及其常委会立法，一是进展慢，赶不上发展需要；二是有些事情制定法律的时机还不成熟，需要国务院或者地方先行试验。因此，不同的立法主体都有一定的创制权。在我国，行政法规创制性的立法比较多，地方性法规和规章创制性的立法比较小，尤其是规章，一般都是执行性的立法。本法第十四条、第十五条规定了行政法规、地方性法规和省级人民政府规章在行政许可立法上的创制性立法权，划分了行政许可的设定权，本条进一步规定了它们在行政许可立法上的执行性立法权，即规定了行政法规、地方性法规和规章的行政许可规定权。

一、行政法规的规定权

根据宪法和立法法的规定，行政法规是国务院根据宪法和法律或者法律的授权制定的规范性文件，它的法律位阶比较高，既可以设定行政许可，也可以对法律设定的行政许可进行具体化。目前，由于一些领域全国人大及其常委会没有立法，行政法规进行创设的立法比较多，大量的行政许可是由行政法规设定的，行政法规对法律设定行政许可作出具体规定的比较少。这是由于我国法制建设初期的任务和特点决定的。随着全国人大及其常委会的立法越来越多，法律的空白越来越少，行政法规的创制性立法空间相对变小。但全国人大及其常委会制定的法律一般比较概括、抽象，对拿不准的东西往往授权行政法规去规定，因此，行政法规对法律作进一步具体化的空间还比较大。所以，本法规定行政法规可以在法律设定的行政许可事项范围内，对实施该行政许可作出具体规定。行政法规对法律设定的行政许可作具体规定，要注意与其创设性立法的区别，也就是说在对法律规定的行政许可作具体规定时，不能创设新的行政许可。

二、地方性法规的规定权

地方性法规是省、自治区、直辖市和较大的市的人大及其常委会在不同宪法、法律、行政法规相抵触的情况下制定的规范性文件，不需要有上位法作为“依据”，有自主立法的性质。但实际情况是，地方法规创设性的立法比较少，实施性的立法比较多。尤其我国各地区经济发展不平衡，国家在制定法律时，往往规定得比较“粗”，给地方立法留下一定的“空间”，实践中地方性法规主要以实施法律为主。因此，本法规定地方性法规可以在法律、行政法规规定的行政许可事项范围内，对实施该行政许可作出具体规定。根据这一规定，地方性法规既可以对法律设定的行政许可作出具体规定，也可以对行政法规设定的行政许可作出具体规定。同样需要注意的是，地方性法规在对法律、行政法规设定的行政许可作具体化时，不能增设新的行政许可。

三、规章的规定权

这里的规章包括国务院部门规章和地方人民政府规章。国务院部门规章是根据法律、行政法规制定的规范性文件；地方政府规章是根据法律、行政法规和地方性法规制定的规范性文件。无论是国务院部门还是地方人民政府，其主要职能还是执行法律、法规，进一步落实法律、法规的规定。有时法律、法规制定得比较“粗”，如果不进一步细化，执法人员不好掌握，执行起来可能会乱，因此，需要规章进一步具体化。本法规定规章可以在上位法设定的行政许可事项范围内，对实施该行政许可作出具体规定，赋予规章行政许可规定权，以保证法律、法规的贯彻实施。

这里的“上位法”是指法律效力等级高的法。由于制定机关不同，法的效力等级也不同，在不同的效力等级的法之间，效力等级高的为上位法，效力等级低的为下位法。如在法律与行政法规之间，法律是上位法，行政法规是下位法；在行政法规与地方性法规之间，行政法规是上位法，地方性法规是下位法。对于国务院部门规章来说，法律和行政法规是上位法。对于地方政府规章来说，法律、行政法规、地方性法规都是上位法。

本法没有赋予国务院部门规章的设定权。在审议中有不同意见，有意见的认为，应当给部门规章一定的行政许可设定权，其主要理由是：(1)在我国目前的法律体系中，部门规章与地方政府规章在效力上处于同一位阶，在设定行政许可方面应当处于平等的地位，如果给地方政府规章设定权，就应当给部门规章设定权。部门规章作为我国法律体系的重要组成部分，其内容是公开、透明和规范的，并已成为各部门依法行使行政管理权的重要依据。(2)随着社会经济的不断发展，需要政府管理的事务越来越多，有些事项必须实行行政许可，但制定法律、行政法规需要一个较长的过程，应当允许各部门不断探索和调整自己的管理形式和方式，不必事事都要经过国务院讨论、决定。(3)在有些行政管理领域,法制还不健全,大量的执法依据是中央和国务院的文件,包括中办、国办、中宣部的有关文件和部门规章。如果这些文件设定的行政许可都不能作为执法依据,一时间国家法律又不能出台,管理上就会出现空档,行政管理就会出现无法可依的局面。(4)我国已加入世贸组织,为了保护人民健康,维护国家利益,需要利用部门规章的形式及时采取一些有针对性的技术贸易措施,设定必要的行政许可,如果不分情况,区别对待,一律禁止部门规章设定行政许可,在今后的管理中有可能陷于被动。(5)赋予部门规章行政许可设定权,只要按照合法、合理、效率、责任、监督的原则,通过严格行政许可的设定条件,建立规范的行政许可程序和监督机制,就能保障和监督行政机关有效实施行政管理,实现政府职能的转变。另一种意见不赞成赋予部门规章行政许可设定权。理由是:(1)在设定权问题上,要继续体现行政许可制度改革的精神,政府管该管的,放开不该管的,不能干什么都要发许可证,政府不能变成万能的政府,要尽量减少许可。(2)许可太多,会影响效率。现在企业工商登记的前置审批太多,地方政府要营造好的投资环境,要求工商行政部门快发执照,但这些前置的许可程序又不能少,给工商企业登记带来很多问题。(3)在市场监管上,应当加强事后监督,减少事前许可;在设定权上,所有许可事项,只要两道手续,搞二重奏就可以了。原则上应当取消部门规章和地方政府规章的设定权。

取消部门规章的行政许可设定权是在起草行政许可法过程中国务院所作出的重大决策,是放松行政管制,治理行政许可太多、太滥的必要措施。考虑到国务院各部门主要任务是执行法律、行政法规,是执法部门,不宜自我授权,以防止为本部门和本系统设定和扩大权力。虽然取消规章的设定权会有一些问题,但是没有行政许可并不是放弃监管,对一些必要的行政许可,可以通过国务院发布决定的方式予以保留，因此，取消规章的设定权不会有太严重的后果。权衡利弊，最后，行政许可法维持了国务院提交的草案的规定，没有赋予部门规章行政许可设定权。

法规、规章在对上位法设定的行政许可作具体规定时，主要是对行政许可的条件、程序等作出具体规定，应当注意两点：

1. 不得增设行政许可

如法律规定设立某类企业需要某个部门批准后，就可以到工商局登记注册，行政法规在作具体规定时，规定还要另外一个部门批准，这就属于增设了行政许可。对于上位法作出规定的管理事项，如果需要设定行政许可，应当由上位法设定，上位法没有设定，应当理解不需要用设定行政许可的方式管理，下位法不能增设新的行政许可。这样规定是为了防止不同立法主体重复设定行政许可。

2. 不得增设违反上位法规定的其他条件

上位法在设定行政许可时，有时没有规定条件，有时条件规定得比较概括，出现这两种情况，都需要法规、规章进一步具体规定，但不得增设违反上位法规定的其他条件。如何理解是对许可的条件进行具体化还是增设新的条件，实践中往往难以区分。应当结合设定行政许可的目的来判断。如烟草专卖法第十五条规定："经营烟草制品批发业务的企业，必须经国务院烟草专卖行政主管部门或者省级烟草专卖行政主管部门批准，取得烟草专卖批发企业许可证，并经工商行政管理部门核准登记。"没有对取得"烟草专卖批发企业许可证"的条件作规定，需要法规或者规章作出具体规定。如果法规、规章规定必须经营指定的烟厂生产的卷烟，就属于增设了违反上位法规定的条件。再比如计量法第十二条第一款规定："制造、修理计量器具的企业、事业单位，必须具备与所制造、修理的计量器具相适应的设施、人员和检定仪器设备，经县级以上人民政府计量行政部门考核合格，取得《制造计量器具许可证》或者《修理计量器具许可证》。"但对必须具备什么样的设施、人员和检定仪器设备没有规定。国务院计量主管部门可以作具体规定,如果计量主管部门规定生产规模必须达到多少才发证,也属于增设新的条件。

第十七条　除本法第十四条、第十五条规定的外,其他规范性文件一律不得设定行政许可。

【释义】　本条是关于禁止法律、行政法规、国务院决定、地方性法规和省级人民政府规章以外的规范性文件设定行政许可的规定。

这些年来,行政许可太多、太滥的一个重要原因,就是行政许可的设定权太乱。不仅法律、行政法规、地方性法规、规章设定行政许可,大量的规章以下的规范性文件也在设定行政许可,不仅有立法权的机关设定行政许可,没有立法权的机关和机关的内部机构也在设定行政许可。2002 年 11 月,国务院公布了第一批取消的许可项目,依据行政法规设定的 81 项,依据国务院文件设定的 88 项,依据部门规章设定的 279 项,依据部门文件设定的 303 项,其他部门内设机构设定的 38 项。2003 年 2 月 27 日,国务院公布了第二批取消的许可项目,共计 406 项,多数是规章或规章以下的文件设定的。行政许可法第十四条、第十五条从正面规定了可以设定行政许可的法的形式,将其限定在法律、行政法规、地方性法规和省级人民政府规章,本条从另一方面规定了除上述几种法的形式以外,其他规范性文件都不能设定行政许可。理解本条应当注意:

一、有设定权的机关设定行政许可,必须用本法规定的形式

全国人大及其常委会设定行政许可,应当用制定法律的形式;国务院设定行政许可,要通过制定行政法规、发布决定的形式;地方人大设定行政许可,要通过制定地方性法规的形式;省级人民政

府设定行政许可,要通过规章的形式。立法法对法律、行政法规、地方性法规、规章规范的内容和制定程序的要求,是其成为法的渊源的必要条件,有设定权的机关设定行政许可,要用符合立法法规定的立法形式,不能以其他规范性文件的方式设定行政许可。如国务院不能通过转发部门文件的形式设定行政许可,也不能以办公厅文件的形式设定行政许可;地方人大不能通过决定的方式设定行政许可;省级人民政府也不能通过发布文件的形式设定行政许可。

二、没有行政许可设定权的其他机关不得以任何形式设定行政许可

除本法规定有行政许可设定权的机关外,其他一切机关、组织都不能设定行政许可。如军事机关、审判机关、检察机关不能设定行政许可;社会团体、行业组织也不能设定行政许可;省级人民政府以下的行政机关或者其内部机构也不能通过发文件的方式设定行政许可。上述机关或组织设定的行政许可,都是无效的。

第十八条　设定行政许可,应当规定行政许可的实施机关、条件、程序、期限。

【释义】　本条是关于设定行政许可要明确行政许可的实施机关、条件、程序和期限的规定。

立法是执法的前提,完善的立法是公正执法的必要保证。目前行政许可存在许多乱的原因,有设定权乱的原因,还有法律、法规设定行政许可时规定得不具体,导致实施中行政许可的乱。如实施机关的管辖没有划分清楚,大家都有权管,从而导致实施中部门争管辖权、重复许可的现象;没有规定条件或者条件不具体,导致执法人中没有好处不许可,有了好处乱许可;没有程序或者程序复杂,申请人的权利无从保护;没有期限或者期限不明确,有些许

可长期拖着不办,也不答复,影响行政效率等。立法只规定要实行行政许可,而不规定行政许可的条件、程序和期限,是人治而不是法治,最终的结果会导致行政专断和执法腐败。因此,本法在总则第四条规定,设定和实施行政许可,应当依照法定的权限、范围、条件和程序。本条进一步落实总则的要求,规定设定行政许可应当规定行政许可的实施机关、条件、程序、期限。

一、应当规定实施机关

一般情况下,法律、法规在设定行政许可时,实施机关都比较明确。实施机关容易出现的问题:一是上下级之间管辖不清,下级行政机关发了许可,上级行政机关也要发,造成重复许可。如发生在某地的"馒头办"事件,省、市执法部门为了本单位利益争发证权、收费权而造成重复许可;二是有些行政许可事项,由于行政机关在职能上存在交叉,造成一个事项,两个机关都要发证,从而导致乱许可。如某省关于出租车的管理,由于存在着交通和城建两个部门管,职能交叉,出租车在市区运营,需要申请城建部门颁发一个许可证,出了市区运营,则需要申请交通部门再颁发一个许可证。这种由于部门职能交叉,导致多头管理、重复许可的现象时有发生。因此,设定行政许可,应当对实施机关作出明确规定,以防止多头管理、重复许可。

二、应当规定行政许可的条件

行政许可的条件是申请人取得许可必须达到的最低要求,是行政机关决定是否许可的客观尺度。行政许可作为一个制度化的管理手段,就是利用设定条件来限制人们的活动,通过既定的法律规则来规范社会关系,调整人们的行为。如果只有限制要求,没有相应的条件,行政许可就不是"法治"手段,就会导致"人治"。如有的城市出租车运营牌照的发放,没有标准,暗箱操作,找关系,会送礼，就能得到运营牌照，一个城市出现几百家出租汽车公司，管理混乱，再去治理，费时费力。设定行政许可没有规定许可的条件，或者规定得不具体，就可能导致行政机关执法人员在实施行政许可时带有相当大的随意性，申请人的申请是否符合许可条件，完全由执法人员自由裁量，实践中有时执法人员仅根据习惯、经验甚至关系，或者个人获得的好处多少决定是否许可，致使出现没有关系、没有好处不许可，有了好处乱许可的现象，行政许可成为滋生腐败的温床。因此，无论是法律、行政法规，还是地方性法规和省级人民政府规章，设定行政许可，都应当尽量明确许可的标准。如果法律、行政法规不能明确的，地方性法规和规章可以给予明确。

三、应当规定程序

科学、合理的程序是行政许可制度良好运行的必要保障。有强调程序重要的观点认为，程序就是法，法就是程序。但是，由于以前的立法不注重程序规定，导致行政许可设定中存在程序不完备、不科学或者缺乏程序的现象。程序不完备、不科学，可能导致环节太多，影响行政效率，如有的许可项目在政府部门之间或者一个部门内部重复审批。有的法律没有规定程序，申请人如何申请、先干什么、后干什么、行政机关不答复或者不批准怎么办、申请人有什么权利，等等，都没有规定。这种设定行政许可没有规定许可程序的情况，在早期的立法中比较普遍。没有程序，行政机关执法人员在审查时随意性大，暗箱操作，申请人的权利无法保障。因此，为了防止任意行政，保护申请人的合法权益，提高行政效率，在设定行政许可时，应当明确许可的程序。本法对行政许可的一般程序和特别程序作了规定，单行法如果没有特别的程序要求，就应当适用本法的程序规定。

四、应当规定行政许可的期限

行政许可的期限是作出行政许可决定的时间限制。规定期限限制,增强行政决定的可预期性,既是行政效率的要求,也可以防止行政许可机关故意拖延,有利于保护申请人的权利。我国不少行政许可在设定时没有期限,什么时间作出决定,完全由行政机关工作人员自己掌握。在实践中导致行政效率低下,许多该发的许可证行政机关拖着迟迟不发,有的甚至以此来索取不正当利益。尤其是在经济管理领域,有时一个投资项目的审批跑下来,往往需要几个月甚至几年的时间。有的等审批到手,已错过投资机会。因此,行政许可的期限非常重要,立法设定行政许可时,必须明确行政许可的期限。应当注意,本法第四章第三节对行政许可的期限作了比较具体的规定,一般情况下,实施行政许可应当适用本法的规定。但由于每个行政许可的情况不同,有些行政许可不宜适用本法规定的期限,这时,具体的立法就应当作特别规定。因此,本法第四十二条规定,法律、法规另有规定的,依照其规定。

第十九条　起草法律草案、法规草案和省、自治区、直辖市人民政府规章草案,拟设定行政许可的,起草单位应当采取听证会、论证会等形式听取意见,并向制定机关说明设定该行政许可的必要性、对经济和社会可能产生的影响以及听取和采纳意见的情况。

【释义】　本条是关于起草单位对拟设定的行政许可要听取意见,并向制定机关说明设定行政许可的必要性和对经济、社会的影响评价的规定。

实践中,行政机关争许可权、收费权、罚款权的现象比较多。行政机关对搞行政许可有积极性,一讲管理,就是搞行政许可,利用行政许可收费。由于我国行政管理性的法律、法规大都是由各部委或者厅局等执法部门起草的,搞行政许可的积极性也反映到法律、法规的起草中,把设行政许可当作管理的主要手段,好像不搞行政许可就无法管理。有的管理领域一出事,就说是没有把好“入门关”,就要设许可。重庆彩虹桥倒塌后,建设部就要求各地都设一个审图机构,对设计后的建设图纸进行审查,但审图机构力量有限,由他们来审图,既影响效率,又不能保证建设设计质量。有些行政许可规定得并不合理,设定的理由并不充分,但草案中规定了,审议时要去掉很困难。要减少行政许可,首先从源头抓起,在起草时就要控制。因此,本法对起草法律、法规、规章草案拟设定行政许可的,规定了几种程序性的限制。

一、应当广泛听取意见

立法应当体现人民群众的意志,反映人民群众的意见、要求和建议。起草法律、法规草案是立法的一个环节,也需要体现立法民主的要求。尤其是设定行政许可,限制了公民的权利和自由,更应当让公民参与立法过程。此外,随着行政管理专业性、技术性的增强,立法还要听取各方面专家的意见。总之,立法就是要在各方利益上画杠杠,要保证立法的公正性、科学性,就要协调好全局利益与局部利益、集体利益和个人利益、长远利益和眼前利益等的关系。为了保证立法质量,起草法律、法规草案要听取方方面面的意见,不仅听管理部门的意见,还要听被管理方的意见;不仅要听利益相关人的意见,还要听专家的意见。根据本条规定,听取意见可以采取论证会、听证会等形式。

1. 论证会。就是邀请有关专家对草案内容,尤其是一些带有技术性的问题的必要性、可行性、科学性进行研究论证,作出评估,供起草单位和制定机关参考。目前,全国人大的立法听取专家意见主要是以座谈会的形式出现的,以立法论证会的形式不多见。对于座谈会和论证会有什么不同,理论意义多于实践意义。

2. 听证会。立法听证会是指由法案的起草单位主持,由代表不同利益的双方或多方参加，对立法草案内容的必要性、合理性等进行辩论，起草单位根据辩论结果，确定草案内容。听证一词来自英国的司法程序，最初指司法听证，后来这一制度从英国传到美国，扩大到立法和行政中。20 世纪 60 年代，西方社会公众参与立法和行政事务的呼声越来越高，美国法律规定了立法听证制度，受到西方社会的普遍认同。目前，立法听证在国外是一种比较成熟的立法民主制度。在我国，立法法、行政法规制定程序条例、规章制定程序条例都规定了听证制度。它是加强立法民主化、科学化的一个重要措施，是我国社会主义民主立法和人民群众参加国家管理的重要形式。但在实践中，立法听证运用得还不多，听证的效果还不显著，立法听证制度还有待进一步完善。立法听证较之座谈会有其优越性，就是透明度高，对问题的调查更深入、更充分。对立法中是否需要设定行政许可进行听证，让管理方和被管理方充分陈述意见和进行辩论，矛盾就会得到比较充分的暴露，立法就会更加切实可行。

此外，还有其他听取意见的方式，如将草案印发各有关部门和单位，书面征求意见，或者将草案在报纸或者其他媒体上全文刊登，向全社会征求意见。这些是立法机关运用得比较多的形式。

二、向制定机关说明理由

立法是要确立行为规则，要建章立制，每一项制度的确立都不可能只有利，没有弊，只有收益，没有成本，行政许可也是这样。要求起草单位对拟设定行政许可说明理由，有助于立法机关判断设定行政许可的必要性、可行性，减少不必要的行政许可。起草单位的说明包括：（1）设定该行政许可的必要性；（2）对经济和社会可能产生的影响；（3）听取和采纳意见的情况。

1. 必要性评价。立法是对社会关系进行调整，对人们的行为予以规范，虽然是一个社会所不可缺少的，但立法也有成本，如限制了人们的自由，带来管制成本等等。因此，不是法越多越好，立法既要考虑其积极作用，也要考虑其消极作用。需要不需要立法，立法能不能规范社会关系，这些都是每个草案必须回答的问题。对立法的必要性作出说明，是每个法律、法规的起草单位向制定机关说明的重要内容。为了限制乱设行政许可，本条规定要对设定行政许可的必要性作出说明。

2. 经济、社会影响评价。行政许可功能有多种，其中有两种作用是主要的，一个是配置资源，一个是控制危险。作为一种配置资源的手段，行政许可是弥补市场机制自发配置资源上的不足，在出现自然垄断、信息不对称等情况下发挥作用。因此，在市场经济体制下，在发挥市场配置资源方面的基础性作用的同时，对于自然资源的开发利用、有限公共资源的配置等方面，由政府通过行政许可的方式进行配置，以提高资源的利用效率，节约资源，已成为各国的通行做法。不仅我国的行政许可多，美国、日本等西方国家的许可都比较多，都有放松管制的要求。对于设定行政许可，要从经济影响进行评价和分析，看其对经济的影响是利大于弊，还是弊大于利，是成本高于收益，还是收益高于成本，是提高了资源的配置效率，还是妨碍了市场机制的配置作用。行政许可的另一个重要作用是作为一种社会规制手段，它用于控制危险，在出现外部不经济（如企业生产对环境造成破坏）、非价值性物品（如枪支、毒品）等情况，这些都直接关系人身健康、生命财产安全、公共安全和公共利益，通过事先许可的方式加以控制，以保证公民的人身、财产安全，维护正常的社会秩序。

3. 听取和采纳意见的情况。法律规定起草单位应当采取听证会、论证会等形式广泛听取意见。起草单位要通过这些形式充分听取各方面的意见，既要听取行政管理机关的意见，也要听取管理相对人的意见，既要听取本系统、本部门的意见，也要听取其他部门和系统的意见，既要听取赞成的意见，也要听取反对的意见。

从国外的情况看，正式的听证，要根据听证记录作出决定。现在我们的听证会出现走过场的情况，采纳与否，完全由主持听证的机关自己掌握，有的部门把听证会、论证会当作维护部门利益的工具，听得进对自己部门有利的，听不进对自己部门不利的，使听证失去本来的作用。因此，法律规定要向制定机关说明听取和采纳意见的情况，以保证立法民主参与的实效性。

第二十条　行政许可的设定机关应当定期对其设定的行政许可进行评价；对已设定的行政许可，认为通过本法第十三条所列方式能够解决的，应当对设定该行政许可的规定及时予以修改或者废止。

行政许可的实施机关可以对已设定的行政许可的实施情况及存在的必要性适时进行评价，并将意见报告该行政许可的设定机关。

公民、法人或者其他组织可以向行政许可的设定机关和实施机关就行政许可的设定和实施提出意见和建议。

【释义】　本条是关于对已有的行政许可进行评价的规定。

根据辩证法的观点，一切事物都是运动的，反映事物规律的制度也要与时俱进，要放在一个动态的过程中进行考察，要随着社会的发展而作出相应的调整。对于一项具体的行政许可，其设定的时候可能是必要的，但经过一段时间，这种必要性可能就降低，再实施下去，可能就会弊大于利，阻碍经济和社会的发展。20 世纪 80 年代以来，为了解决长期困扰人们的经济增长缓慢问题，在西方主要发达国家出现了改革和放松政府管制的趋势。英国从撒切尔政府开始就抛弃了过去一贯奉行的国家干预政策，采用私有化、分权、放松管制、竞争机制、企业精神等所谓新的“自由市场经济”和非官僚化制度来促进经济发展。在美国，解除政府对经济的过度管制一直是 80 年代里根政府 8 年执政的热门话题；90 年代，克林顿政府亦宣称,“大政府的时代已经结束”,政府的管理模式正由过去的强制管制朝着市场自律的方式发展。90 年代以后,日本的泡沫经济开始崩溃,为应对严峻的局面,日本政府也开始了大规模的改革,其中最重要的措施之一就是放弃规制(管制)、保护模式的体制,构筑充满创造性和活力的健全的竞争社会。为此还建立了对规制立法的评估制度。我国的情况虽与西方国家不完全相同,经济持续高增长,但如果不对过度的不适当的政府管制加以改革,也难以保证经济长期健康发展。目前我国行政审批制度改革正在进行之中,从中央到地方都在对行政许可进行清理,范围之广,力度之大,前所未有。目前清理工作进展顺利,2002 年 11 月,国务院公布了第一批取消的审批项目,涉及国务院 56 个部门和单位。其中,涉及经济管理事务的 560 项,涉及社会管理事务的 167 项,涉及行政管理事务及其他方面事务的 62 项。2003 年 2 月 27 日,国务院又公布了第二批取消的审批项目 406 项。

清理工作实质上就是对现存的行政许可进行分析和评价。根据西方经济学的理论,对行政许可的评价可以包括经济分析和道德分析。经济分析是指对行政许可的成本分析,包括实施行政许可的直接成本和错误成本。直接成本是行政许可的运作成本,包括公共成本和私人成本两部分,公共成本是实施行政许可的行政机关的办公费用、工作人员的工资等;私人成本是申请人自行或者委托他人准备和递交的申请材料、开展寻租、打通关节等费用。错误成本是指错误许可的成本,如对该许可的不许可,不该许可的给予许可等导致资源无效利用产生的成本。道德成本是指行政许可实施机关的工作人员利用许可设租,申请人为了取得许可而寻租所产生的道德损害。道德成本在行政许可过程中不可避免。西方经济学理论给我们评价行政许可制度提供了思路,如何在实践中加以应用,需要我们认真地思考和研究。

本法对实施行政许可的评价规定了具体的标准和要求。

一、设定机关的评价

根据本法的规定,行政许可主要是由国家立法机关、国务院和地方立法机关设定的,最终的修改和废止权也在设定机关,从根本上解决行政许可存在的问题,还要靠设定机关从源头上把好关。因此,本法规定设定机关要定期对其设定的行政许可进行评价。评价的内容主要是必要性,对经济和社会的影响等。经过评价,认为通过本法第十三条规定能够解决的,就应当及时修改或者废止。至于“定期”是多长时间,本法没有明确规定,由各设定机关自己决定。

二、实施机关的评价

实施机关是法律、法规的执行机关,在执法的第一线,对法律、法规设定的行政许可的实施情况最了解,行政许可是否有必要,最有发言权。但是,设定行政许可是赋予实施机关权力,实施机关能否公正地评价行政许可的必要性,值得研究。从实际情况看,地方政府减少行政许可的积极性高,政府部门减少行政许可的阻力大。因此,是由地方政府对法律、法规设定的行政许可的必要性进行评价,还是由具体执法部门进行评价,法律没有明确规定,由地方政府自己决定。评价的标准,可以按照本法第十三条的规定进行分析评价。

三、公民、法人或者其他组织的意见和建议

公民、法人或者其他组织作为行政管理相对人一方,是行政许可实施的对象,与设定机关和实施机关相比,对行政许可的负面作用可能体会得更为深切。设定机关对实施的行政许可进行评价,不仅要听取实施机关的评价,还要充分听取公民、法人或者其他组织的意见和建议,听取人民群众的评价,这样才能作出正确的判断。人民群众既是国家的主人,是国家权力的来源,同时也是行政管理的对象。不仅在设定行政许可时,设定机关要听取公民、法人或者其他组织的意见,在实施后,也要听取公民、法人或者其他组织的意见和建议。根据本条的规定,公民、法人或者其他组织既可以向行政许可的设定机关提出意见和建议,也可以向实施机关提出意见和建议;既可以针对行政许可的设定提出意见和建议,也可以对行政许可的实施提出意见和建议。规定由公民、法人或者其他组织对行政许可的设定和实施提出意见和建议,是宪法规定的公民的批评、建议权的具体体现,设定机关和实施机关如何听取这些意见和建议,需要在实践中不断完善。

第二十一条　省、自治区、直辖市人民政府对行政法规设定的有关经济事务的行政许可,根据本行政区域经济和社会发展情况,认为通过本法第十三条所列方式能够解决的,报国务院批准后,可以在本行政区域内停止实施该行政许可。

【释义】 本条是关于省级人民政府停止实施行政法规设定的有关经济事务的行政许可的规定。

在市场经济条件下,资源的配置一般是由市场机制发挥作用来配置的,但是,市场不是万能的,市场机制会出现失灵或者失败的情况,如当市场经济中出现自然垄断、信息不对称、不正当竞争等情况,需要行政权力的介入和发挥作用。根据西方规制经济学的理论,政府对经济的干预,主要是利用许可和认可等手段,对企业的进入和退出、价格、服务的质量和数量、投资等行为加以规制,以提高资源的配置效率和确保利用者的公平使用。因此,行政许可的存在对发展市场经济不可缺少。但是,正像市场机制调节存在失灵一样,政府规制失灵也同样存在。如为了限制过度竞争,对某些行业的进入加以限制,已进入这些行业的企业就可以维持较高的利润水平,而无须通过技术进步等手段降低成本,从而导致企业内部无效率;为了实施规制,需要设置相应的管理机构和人员,会增加行政费用,同时企业用于规制方面的费用也在增加;此外,行政机关的工作人员会利用许可的权力“寻租”,谋取不当利益,不仅增加投资者的成本,还会产生道德成本。因此,行政许可使用不当会阻碍经济发展。在各种行政许可中,有关经济事务的行政许可占较大比例,如 2002 年国务院各部门共清理出审批项目 4159 项。有关经济管理和社会管理等事物的审批项目各约占一半。据上海市政府统计,在上海共有行政审批 2027 项,其中经济建设类为 1249 项,占 61.6%。涉及经济事务的行政许可太多,增加了投资成本和市场主体进入市场的成本,阻碍了经济的发展。目前现有的行政许可,有些是计划经济时期制定的,有的严重不适应市场经济的需要,但法律、法规没有修改或废止,地方仍要执行。各地为了促进经济发展,减少经济性行政许可的积极性很高,在实践中裁减了一些涉及经济事务的行政许可。但这些行政许可来源不一,有些是法律设定,有些是行政法规设定,有些是地方性法规设定,还有些是规章设定的。为了保护法制统一,维护法律的稳定性和权威性,停止实施法律、法规设定的行政许可要慎重。地方政府在清理这些行政许可的过程中,要坚持法制统一原则。即使出现法律、法规不适应社会和经济发展的需要,也要通过法定的程序加以修改或废止,地方政府不能自己决定哪些行政许可应当保留,哪些行政许可应当取消。根据本法规定,省级人民政府对行政法规设定的有关经济事务的行政许可,报国务院批准后,可以停止实施。

一、必须是行政法规设定的行政许可

如果是国务院部门规章设定的行政许可,根据本法的规定,部委规章没有设定权,国务院不上升为行政法规,也不通过决定的方式予以保留,其设定的行政许可自然在清理之列;如果是地方性法规设定的，一般地方政府是这些地方性法规的提案人，地方政府可以向地方人大提出修改或者中止执行的议案；对于法律设定的行政许可，由于法律设定的行政许可比较少，如果确有一些行政许可不适应经济发展需要，地方政府可以建议全国人大及其常委会修改，不能自主决定停止执行。对于行政法规设定的行政许可，地方政府无权清理，要报国务院批准后，可以在本行政区域内停止实施有关行政许可。

二、必须是省、自治区、直辖市人民政府才能提出

省级人民政府的层级比较高，是国务院的直接下级机关，向国务院提出停止实施行政法规设定的行政许可，符合程序。县（区）、市政府不能提出停止实施行政法规规定的行政许可，如果需要在本行政区域停止实施行政法规设定的行政许可，可以由省、自治区、直辖市人民政府提出。

三、必须是对有关经济事务的行政许可事项

行政许可有的是防止社会危险而设定的，属于涉及社会事务的行政许可；有的是弥补市场机制的不足，为了配置资源而设定的，属于涉及经济事务的行政许可。省级政府提出停止实施的行政许可必须是有关经济事务的，对于涉及社会事务的行政许可，不能申请停止实施。

四、停止实施的标准是通过本法第十三条规定的方式能够解决

这主要是：（1）公民、法人或者其他组织能够自主决定的；（2）市场竞争机制能够有效调节的；（3）行业组织或者中介机构能够自律管理的；（4）行政机关采取事后监督等其他行政管理方式能够解决的。

第三章 行政许可的实施机关

行政许可是政府对社会生活实施管理的一种手段,作为一项公权力,行政许可权是对公民私权利的一种限制,尽管这种限制是社会有序发展所必需的,但它干预了公民的生产和生活,限制了公民的权利和自由,负面作用不容小看。因此,实施行政许可必须严肃、慎重,不仅要尽量少设行政许可,对必要的行政许可,也要正确实施。目前行政许可存在的问题既有设定方面的原因,也有实施方面的原因。在实施方面存在的许多问题,表现之一就是行政许可的实施机关不规范。作为一项行政权,行政许可应当由行政机关行使,但现实的情况是,许多行政许可是由事业单位甚至一些企业在实施,导致行政许可与实施单位的利益挂钩,把通过行政许可收费作为解决本单位职工工资和福利的一种途径,影响了实施行政许可的公正性和实行行政许可制度目的的实现。因此,制定行政许可法不仅要解决行政许可设定上的问题,也要解决行政许可实施机关存在的问题,规范行政许可的实施主体。为了保证行政许可的正确实施,行政许可法把由行政机关实施行政许可作为一项原则加以规定。但是,仅有行政机关实施行政许可还不够,目前许多行政许可是由管理公共事务职能的组织实施,今后这种情况还将会长期存在。如中国银行业监督管理委员会、中国证券监督管理委员会、中国保险监督管理委员会等作为国务院直属事业单位,是许多行政许可的实施主体。还有一些专业性、技术性比较强的行政许可,如果由行政机关实施可能成本更高,效率更低,如对设备、设施、产品、物品的检验、检疫、检测等,由专业技术组织实施可能是今后的一个发展方向。因此,本法除强调行政许可由行政机关实施外,还规定了授权具有管理公共事务职能的组织实施行政许可和委托其他行政机关实施行政许可的内容。为了提高行政效率,方便当事人,针对现实中存在的行政许可太多、许可手续复杂等问题,本法还规定了相对集中行政许可权制度以及"一个窗口对外""并联审批"等制度。

第二十二条 行政许可由具有行政许可权的行政机关在其法定职权范围内实施。

【释义】 本条是关于行政许可实施机关的规定。

行政机关是依法成立、能够以自己名义独立从事行政管理活动,并承担相应法律后果的行政组织。行政机关与行政组织、行政机构等既有区别,又有联系。行政组织是行政学上的概念,包括行政机关和行政机构,行政机构一般是指行政机关内部设置的职能部门,它没有法人资格,不能独立对外从事行政管理活动。在我国,行政机关包括中央和地方各级人民政府以及它们的组成部门、直属机构、派出机构等。行政许可是行政机关根据公民、法人或者其他组织的申请,经依法审查,准予其从事特定活动的行为。行政许可权是一项行政权力,是公权力,原则上只能由行政机关行使。因此,行政许可法将行政许可由行政机关实施作为一项原则加以规定,授权具有管理公共事务职能的组织实施行政许可是例外。但是,法律规定行政许可由行政机关实施,并不是说所有的行政机关都可以实施行政许可,也并不是行政机关什么行政许可都能实施。根据本条规定,行政机关实施行政许可,必须符合以下条件:

一、必须是履行外部行政管理职能的行政机关

行政机关是代表国家行使行政权、管理国家行政事务的机关,所承担的行政管理职能分为两大类:一类是对社会上的公民或者

组织进行管理，承担外部管理职能；一类是基于隶属关系，对行政机关内部的人员和事务进行管理，承担内部管理职能。相应地，根据行政机关所行使的行政管理职能不同，可以将行政机关分为内部行政机关和外部行政机关。内部行政机关是指基于隶属关系（特别权力关系）对行政机关系统内部的人员和事务实施管理的机关，如各级人民政府的办公机构、事务机构、咨询机构、人事部门、监察部门等。内部行政机关的主要职责是为了保证和监督外部行政机关更好地履行行政管理职能，对内部行政机关及其人员实施管理，它们不行使外部行政管理职能，没有管理社会事务的权限。外部行政机关是指依据法律的授权代表国家对公民、法人或者其他组织实施管理的机关，包括各级人民政府和行使管理职能的政府组成部门。行政许可是行政机关对社会事务进行管理的一种手段，是一种外部行政行为，因此，必须由外部行政机关来实施。

二、必须依法取得实施行政许可权的明确授权

宪法和有关组织法将行政权概括性地授予各级人民政府，各级政府根据管理需要设置不同的管理部门，具体承担相应的行政管理职责。一般法律、法规在规定具体的行政管理事项时，除一小部分授权政府直接管理外，一般都规定由相应的行政主管部门管理，也就是对政府的权力作了分解。在这一点上，国外的情况与我国不同，许多国家的法律在授权时一般将行政权授予给各级政府，尤其是地方政府，一部分是授予给联邦政府各部或独立委员会。我们可以笼统地说行政许可权由外部行政机关行使，但具体到哪个行政机关享有哪项行政许可权，还需要有法律、法规或规章的特别授权作为依据，这是依法行政的要求。因此，外部行政机关虽然享有管理社会事务的权力，但是，它并不必然享有行政许可权，行政许可权是一项特定的行政权，是行政机关管理社会事务的常用手段之一，不是唯一手段。根据行政许可法的规定，行政机关要享

有行政许可权，还必须经法律、法规和省、自治区和直辖市人民政府规章特别授予。法律、法规和规章根据管理的需要，对有些事务设定了行政许可，负责管理此项事务的行政机关就享有行政许可权；有些法律、法规赋予行政机关其他的管理权限，没有设定行政许可，负责管理此项事务的行政机关就没有行政许可权。

三、必须在法定职权范围内实施

各级人民政府根据管理的需要，设置了不同的行政职能部门，不同的职能部门享有不同的行政管理权限，按照职权法定的要求，其行使职权必须在法律、法规、规章规定的职权范围内，不能相互打架。相应地，行政机关行使行政许可权也必须在法定的职权范围内，不得超越管理权限实施行政许可。如下级行政机关不能行使上级行政机关应当享有的行政许可权；工商行政管理机关不能行使公安机关的行政许可权；公安机关也不能行使卫生行政管理机关的行政许可权等。当然，在目前我国行政管理权限划分不合理、行政管理部门职能存在交叉、行政许可过多的情况下，经过法定程序，合并行政许可权，由一个行政机关行使其他行政机关的行政许可权，也是行政许可法所允许的。

第二十三条　法律、法规授权的具有管理公共事务职能的组织，在法定授权范围内，以自己的名义实施行政许可。被授权的组织适用本法有关行政机关的规定。

【释义】　本条是关于授权具有管理公共事务职能的组织实施行政许可的规定。

前条规定行政许可由具有行政许可权的行政机关在法定职权范围内实施。随着行政管理专业性、技术性的日益加强，现有的行政机关难以满足行政管理的需要，如对设备、设施、产品、物品的检验、检疫、检测等，由专业技术组织实施比由行政机关实施可能效率更高。虽然行政机关及其人员随着行政管理职能有不断扩张的要求,但行政机关也不能无限制地膨胀,受机构设置的制约,它有一个相对的稳定性,不能立一部法,增加一项管理权限,就增加机构和人员。授权非行政机关行使行政管理权的情况,无论是中国还是外国都存在。像对设备、设施、产品、物品的检验、检疫、检测等,授权专业技术组织实施可能是今后的一个发展方向。授权许可是指法律、法规将行政许可权授予行政机关以外的组织行使。经过授权,该组织就取得了实施行政许可的主体资格,能够以自己的名义行使行政许可权,以自己的名义独立地承担法律责任。本法规定法律、法规授权具有管理社会公共职能的组织在法定职权范围内以自己的名义实施行政许可。经过本法授权,行政机关以外的组织实施行政许可就有了法律依据。授权实施行政许可应当注意以下几点:

一、必须授权给具有管理公共事务职能的组织

根据法律规定,经过授权,被授权的组织就成为行政主体,能以自己的名义实施行政许可,并承担相应的责任。因此,授权的对象必须严格。法律要求被授权的对象必须是具有管理公共事务职能的组织。这就要求:首先授权的对象是组织而不是个人;二是授权的对象要具有管理公共事务的职能。组织作为履行一定社会职能的集合体,它具有相应的机构和人员,一般应具有法人资格,作为社会活动的主体,具有相应的责任能力。从一般意义上讲,组织的范围很广泛,不仅包括行政机关在内的所有国家机关,还包括社会团体和企业、事业组织。然而,并不是任何组织都可以被授权实施行政许可。首先,不能授权给其他国家机关。根据宪法和有关组织法的规定,不同的国家机关行使不同的权力,权力机关行使立法权、任免权、重大事项决定权和监督权;人民法院行使审判权;人民检察院行使检察权。不同性质的国家机关行使不同的职能,不

能通过法律、法规的授权改变宪法和组织法的分工。因此，不能将行政许可权授予行政机关以外的行政机关行使。其次，被授权的组织必须具有管理公共事务的职能。在除国家机关以外的组织中，根据组织成立的目的不同，可以分为社会团体、事业组织和企业组织。社会团体是指政党、工会、共青团、妇联、各种学会等组织；事业组织是指从事某项社会职能，不以盈利为目的的组织，如学校、医院、各种科学研究机构等；企业组织是以盈利为目的的组织。不论是什么类型的组织，只要具有管理公共事务职能，都可以被授权实施行政许可。目前，法律、法规授权实施行政许可的有事业组织，如证券监督管理委员会、保险监督管理委员会、银行业监督管理委员会等。

二、必须通过法律、法规的形式授权

根据依法行政的原则，行政权的来源必须有法律、法规依据，无论是行政机关，还是社会组织都不能自己给自己赋予权力。社会组织要享有行政许可权，必须有法律、法规的授权作为依据。这里的法律是指全国人大及其常委会制定的规范性文件；法规包括行政法规和地方性法规。行政法规是国务院制定的规范性文件，地方性法规包括省、自治区、直辖市以及立法法规定的较大市的人大及其常委会制定的规范性文件和经济特区法规。为了保证行政许可授权的严肃性，防止乱授权，行政许可法将授权限定在法律、法规层级，规章和规章以下的规范性文件不能授权组织实施行政许可。

三、被授权的组织以自己的名义实施行政许可

法律、法规授权具有管理社会公共职能的组织实施行政许可，这个组织就享有实施行政许可的行政主体资格，具有与行政机关同等的法律地位，能够以自己的名义实施行政许可，并独立地承担

法律责任，对引起的行政争议，能够以自己的名义参加行政复议和行政诉讼。这一点与受委托实施行政许可不同。如证券法将公开发行股票的核准权授予中国证券监督管理委员会，中国证券监督管理委员会就可以自己的名义作出是否核准的决定。

四、被授权的组织在法定授权范围内实施行政许可

法律、法规授权具有管理社会公共职能的组织实施行政许可，一般都有明确的授权范围，经授权的组织只能在法律、法规授权的范围内实施行政许可，不得超越授权范围。否则，就是越权，就是违法行政，要导致行为被撤销的法律后果。

五、经授权的组织的地位相当于行政机关，适用有关行政机关的规定

由于行政许可主要由行政机关实施，所以，行政许可法的许多条款都是针对行政机关规定的，在表述上主语都是行政机关。行政许可法是一部规范行政许可行为的法律，参与行政许可活动的行政主体和相对人都受它的约束。具有管理社会公共事务职能的组织经过授权，获得了行政主体的资格，其地位相当于行政机关，因此，它在实施行政许可时也要适用行政许可法的规定，受行政许可法的约束。

第二十四条　行政机关在其法定职权范围内，依照法律、法规、规章的规定，可以委托其他行政机关实施行政许可。委托机关应当将受委托行政机关和受委托实施行政许可的内容予以公告。

委托行政机关对受委托行政机关实施行政许可的行为应当负责监督，并对该行为的后果承担法律责任。

受委托行政机关在委托范围内，以委托行政机关名义实施行政许可；不得再委托其他组织或者个人实施行政许可。

【释义】 本条是关于委托实施行政许可的规定。

委托许可是行政许可机关依照法律、法规、规章的规定,将其行使的行政许可权委托给其他行政机关行使。受委托的行政机关在委托范围内,以该行政许可机关的名义行使行政许可权。由于行政权的范围越来越宽,行政管理的复杂性、专业性、技术性的增强,有时行政机关的设置不能完全满足行政管理发展的需要,有时为某项行政管理再设置相应的行政机关既没必要,也不经济。将一些行政许可权委托其他行政机关行使,充分利用行政机关现有的资源,既可以提高行政效率,实现对社会事务的有效管理,又可以防止机构膨胀,起到精简机构的效果。尤其是在目前机构改革的背景下,地方政府部门的设置不要求与中央上下对口,中央政府设置的职能部门,地方政府不一定设置,中央政府没有设置的职能部门,有的地方根据本地的需要也可以设置。如果中央立法将某项行政许可权授权某个行政主管部门,但有的地方政府没有设置相应的部门,这时立法可以规定采取委托的方式,让其他行政机关代行行政许可权。如烟草专卖法第十六条规定:“经营烟草制品零售业务的企业或者个人,由县级人民政府工商行政管理部门根据上一级烟草专卖行政主管部门的委托,审查批准发给烟草专卖零售许可证。”在我国,国务院设有烟草专卖局,省级政府一般也设有烟草专卖局,但有些地方既不产烟叶,也不生产卷烟,就没有必要再设烟草专卖局。因此,法律规定由县级工商行政管理部门根据上一级烟草专卖行政主管部门的委托,实施行政许可。针对这类情况,本法规定行政机关在其职权范围内,依照法律、法规或者规章的规定,可以委托其他行政机关实施行政许可。从法律上肯定了委托许可的地位。委托许可与授权许可从形式上看都是行政许可权的转移,但二者有本质的区别:(1)依据不同。授权许可的依据是法律、法规;委托许可的依据是法律、法规和规章。(2)成立的前提不同。授权许可是单方性的,法律、法规一旦授权，被授权组织没有选择权，不能拒绝；委托许可是一种行政合同行为，委托的成立一般要征得受委托机关的同意。（3）被授权组织和受委托机关的法律地位不同。经过法律、法规授权，被授权组织具有独立的法律地位，能够以自己的名义实施行政许可并承担法律责任；受委托机关不以自己的名义实施行政许可，由委托的行政机关承担法律责任。

行政许可权是公权力，按照职权法定的原则，该由谁行使，就由谁行使，不能随意转让和处置。确实需要委托的，要严格遵守法律的规定，本法明确规定了委托实施行政许可的规则。

一、必须是在法定权限范围内

行政许可权是法律、法规赋予行政机关的法定职权，一般应当由其自己行使，只有在由其自己行使不方便或不经济的情况下，依据法律、法规或者规章的规定，委托其他行政机关行使。因此，行政机关委托其他行政机关实施行政许可，必须是在法律、法规授权其行使的职权范围内，不能把不属于自己的行政许可权委托给其他行政机关。否则，委托无效。

二、必须有法律、法规或者规章为依据

实施行政许可是法律、法规赋予行政机关的权力，是法定职权，除非有法律、法规或规章作为依据，行政机关不得自行委托。如果没有法律、法规或者规章作为依据，行政机关可以自行委托，可能会使实施行政许可的主体混乱，从而导致乱许可，妨碍设立行政许可制度的目的实现。行政许可主要是法律、法规设定的，对于需要委托其他行政机关实施的，法律、法规在设定时一并作出规定，符合行政许可法定的原则；除省级政府规章外，规章一般没有行政许可设定权。为什么规章也可以规定委托许可呢？这是考虑到：（1）与授权组织实施行政许可不同，委托实施行政许可不是行

政许可权的重新配置，行政许可权还属于法律、法规规定的主管机关，规章规定委托没有违背职权法定原则；(2)委托许可是委托给其他行政机关，不是其他组织，也不是个人，其他行政机关如果能够履行好其主管的职权，也应当能够履行好委托给它的职权；(3)除了法律、法规或者规章的规定外，具体还要由实施行政许可的行政机关来委托，由其对受委托的行政机关实施的行政许可进行监督，并对后果承担法律责任，可以防止受委托许可出现混乱的问题。因此，行政许可法规定规章也可以规定委托许可，这是它与授权许可的区别所在。根据行政许可法的规定，规章不能授权具有管理社会公共职能的组织实施行政许可。

三、必须委托给行政机关

法律、法规授权行政机关行使该项职权，如果没有相应的行政机关，法律、法规还可以授权具有管理公共事务职能的组织行使。除非一些特定的情况出现，如不方便或不经济等，不存在行政机关自己不能行使，需要委托其他组织代为行使的理由。为了体现行政许可权的慎重，行政许可法将委托的对象限定为其他行政机关。行政机关不能委托其他组织或者个人实施行政许可。这一点与行政处罚法规定行政机关可以委托组织实施行政处罚不同。

四、委托机关应当公告受委托机关和委托权限

公开原则是行政许可法的一项基本原则，根据这一原则，设定行政许可的规范性文件应当公开，要让申请人知道实施机关、条件、程序、期限等。同样，如果行政机关将法律、法规赋予自己的行政许可权委托给其他行政机关行使，也应当通过一定的方式让公民、法人或者其他组织知道，以方便公民、法人或者其他组织提出申请。因此，本法规定委托机关应当将受委托行政机关和受委托实施行政许可的内容予以公告。

五、受委托的机关应当以委托机关的名义实施行政许可

在委托许可中,委托机关和受委托机关之间是一种代理关系,受委托机关实施行政许可的基础是委托机关的委托行为。根据代理的性质,受委托机关在法律上没有独立的地位,它不能以自己的名义实施行政许可,只能以委托机关的名义进行。相应地,受委托的行政机关也不能以自己的名义承担实施行政许可所带来的法律后果,引起行政争议,只能由委托其实施行政许可的行政机关作为被申请人或被告,参加行政复议或者行政诉讼。

六、受委托机关不得再委托

再委托是受委托机关将委托机关委托其实施的行政许可又委托给其他组织或个人行使。委托是基于委托机关对受委托机关的业务能力和慎重行使行政许可的信任而发生的代理关系,受委托的行政机关应当自己完成委托的业务,不能再委托。行政许可权是一项公权力,它的行使必须严肃、慎重。委托行政许可受法律的严格限制,实施委托要符合法律的规定。根据本法的规定,受委托行政机关不得再委托其他组织或者个人实施行政许可。

七、委托机关对委托实施的行政许可负责监督

委托行政机关将法律、法规授予自己的行政许可权委托给其他行政机关行使,为了保证该行政许可权不被滥用,委托行政机关要对受委托行政机关实施行政许可的行为负责监督,使委托实施行政许可符合行政管理目的;经过委托,委托机关与受委托机关之间形成一种委托代理关系,委托机关要对受委托行政机关行为的后果承担责任。引起行政争议,委托机关要作为被申请人或被告参加行政复议或者行政诉讼;由受委托机关违法实施行政许可给公民、法人或者其他组织造成损失的,还要承担赔偿责任。

第二十五条 经国务院批准，省、自治区、直辖市人民政府根据精简、统一、效能的原则，可以决定一个行政机关行使有关行政机关的行政许可权。

【释义】 本条是关于相对集中行政许可权的规定。

目前我国的行政许可制度存在一些问题：一是由于政府职能部门分工过细，一级政府由几十个部门组成，而且职能划分不尽科学、合理，有些部门职能存在交叉，权责不清，多头管理。据调查，由于国务院各部委之间职能交叉，导致地方政府部门之间执法发生矛盾，在一个省就出现28对，涉及56个部门。反映在管理上就是多头执法，重复许可，严重影响了行政效率，也不利于保护当事人的合法权益。如有的地方对出租车的管理，在城里由城建部门管，在城外，由交通部门管，这样，出租车市区运营，需要申请城建部门颁发许可证；出了市区运营，则需要再申请交通部门颁发许可证，如果不办许可证，就出不了城，而多办一个许可证，就要多交一份钱，所以很多出租车为了少交钱，只在城里开，乘客要坐出租车出城很困难。这就造成一件事大家都有权管，结果是有利大家都争，无利大家都不管。在行政许可问题上，就是都争发证权，无人去监督被许可人是否违法。二是我国的法律、法规在设定行政许可时，往往将行政许可权授予相应的主管部门，将政府权力部门化，如果不经法定程序，这些主管部门都应当自己履行职责，政府也不能根据实际需要调整部门之间的行政许可权。三是行政许可设定太多、太乱，有时一个申请事项需要多重许可，涉及多个部门，每个行政许可都让申请人一个部门一个部门去跑，费时费力。广西玉林市有位投资者准备建一个专业花木市场。他先在市建设局和规划局来回6次，然后去市计委跑了4次，才决定立项。接着7次找到土地局，申请终被批准。接下来到了环保局，3次才解决问题。随后，规划局土地勘测大队要土地现状勘测图，折腾了5次。工商局跑2次解决。回规划局填土地使用申请表，办证，共6次。

最后这位投资者统计了一下，为了这个项目，光办理手续来来回回就折腾了 86 次。为了对目前我国的行政许可制度进行改革，提高行政效率，降低投资成本，促进经济发展，最根本的办法是对政府机构和行政许可制度进行彻底改革，放松行政管制，减少行政许可，精简政府机构，科学、合理地划分行政管理职权。但在目前，改革不可能一步到位，需要一些过渡措施，解决目前行政许可实施中存在的种种问题。因此，行政许可法规定经国务院批准，省、自治区、直辖市人民政府根据精简、统一、效能的原则，可以决定一个行政机关行使有关行政机关的行政许可权。

一、相对集中行使行政许可权不违反职权法定的原则

将法律、法规授权一个行政机关行使的行政许可权，交给另外一个行政机关行使，是否是违反职权法定原则，有没有法律依据？这个问题必须要搞清楚。根据地方各级人民代表大会和地方各级人民政府组织法（以下简称地方组织法）的规定，省、自治区、直辖市的人民政府的厅、局、委员会等工作部门的设立、增加、减少或者合并，由本级人民政府报请国务院批准，并报本级人大常委会备案。自治州、县、自治县、市、市辖区的人民政府的局、科等工作部门的设立、增加、减少或者合并，由本级人民政府报请上一级人民政府批准，并报本级人大常委会备案。因此，科学、合理设置和划分政府部门，对政府部门的职能进行调整，是各级政府的职权。只要按照法定的权限和程序进行，就不违法。省、自治区、直辖市人民政府既可以决定设置或者撤销哪些政府部门，也可以调整现有的政府部门的职能。决定一个行政机关行使有关行政机关的行政许可权，属于调整其政府部门的职能，是其权限范围内的事，经国务院批准，履行了相应的法律程序，符合该法的规定，不违背职权法定原则。

草案曾将实行垂直领导的行政机关行使的行政许可权排除在

相对集中行使行政许可权外。但有的意见认为,目前我国实行垂直领导的行政机关有两类,一类是中央以下垂直领导,如国税,海关等;一类是省以下垂直领导,如工商行政管理部门。这两类行政机关是不是都不能与其他行政机关相对集中行使行政许可权,值得研究,立法要为地方已开展的综合执法试点留有空间。最后考虑到相对集中行使行政许可权需经国务院批准,国务院可以在实际操作中具体掌握,法律就没有作排除性规定。

二、相对集中行使行政许可权应当根据精简、统一、效能的原则

精简、统一、效能的原则是毛泽东同志在抗日战争时期提出的,以后一直是我国国家机关和政府机构建设的重要指导原则。我国宪法也规定"一切国家机关实行精简的原则"。党的十六大报告中进一步明确提出要"按照精简、统一、效能的原则和决策、执行、监督相协调的要求,继续推进机构改革,科学规范部门职能,合理设置机构,优化人员结构、实现机构和编制的法定化,切实解决层次过多、职能交叉、机构臃肿、权责脱节和多重多头执法等问题"。精简、统一、效能的原则是政府机构改革的原则。所谓精简,就是精简机构和人员,解决政府机构庞大,机构臃肿的问题,实行精兵简政;统一就是按照权责一致的原则,调整政府部门的职责权限,明确划分部门之间的职能分工,相同或相近的职能交由一个部门承担,克服多头管理、政出多门的弊端;效能就是提高政府部门的行政效率。决定一个行政机关行使有关行政机关的行政许可权,就是调整政府部门之间的职能分工,合理划分行政职权,是政府机构改革的一个内容。因此,相对集中行使行政许可权,应当符合政府机构改革的原则,符合政府机构改革的方向,为进一步推进政府机构改革提供思路,不能有随意性。

三、相对集中行使行政许可权应当符合法定的程序

按照本法的规定，经国务院批准，省、自治区、直辖市人民政府可以决定一个行政机关行使有关行政机关的行政许可权。根据这一规定，决定一个行政机关行使有关行政机关的行政许可权的决定权在省、自治区、直辖市人民政府，但要经国务院批准，才能生效，这也是地方组织法的要求。之所以将决定权限放于省级人民政府，是考虑到在原有行政机关还存在的情况下，将法律、法规授权其实施的行政许可权交给其他行政机关行使，涉及本法与其他单行法的关系问题。还会带来其他一些问题，如实施行政许可的机关与原行政机关之间的关系，行政许可权与许可后监督检查权、处罚权的处理，以及产生行政纠纷的法律责任由谁承担等等。决定一个行政机关行使有关行政机关的行政许可权，涉及一个机构改革这样深层次的大问题，应当慎重。省级政府层级较高，由其根据本区实际情况作出决定，然后由国务院批准，便于国务院统筹考虑、把握政府机构改革的方向。

相对集中行使行政许可权，减少了不必要的审查程序，方便了申请人，提高了行政效率，是深化行政管理体制改革的重要步骤。但同时也应当看到，它没有从根本上解决政府机构设置不合理，职能划分不清的问题。如果像一些地方相对集中行政处罚权那样，为了相对集中行使行政许可权而设立新的机构，而原有的行政机关并没有撤销，机构不仅没有减少，反而增加了，就达不到改革的目的。因此，相对集中行使行政许可权仍然是一个过渡性的改革措施，存在一定的局限性。

第二十六条　行政许可需要行政机关内设的多个机构办理的，该行政机关应当确定一个机构统一受理行政许可申请，统一送达行政许可决定。

行政许可依法由地方人民政府两个以上部门分别实施的，本级人民政府可以确定一个部门受理行政许可申请并转告有关部门分别提出意见后统一办理，或者组织有关部门联合办理、集中办理。

【释义】 本条是关于方便申请人办理行政许可的规定。

由于我国的行政许可太多、太滥，尤其是在经济管理领域，一个项目往往需要几十个甚至上百个许可，如根据2000年的调查统计，上海市从事建筑工程项目需要的审批环节在100个以上；企业登记也设置了许多前置许可。据统计，在企业登记中的前置审批程序，在中央为193项，到地方增加2至3倍，如北京是444项，深圳是735项。行政许可太多、太滥，抬高了进入市场的门槛，影响了投资者的积极性。针对目前行政许可存在的问题，各地在实施涉及企业登记、投资等经济管理领域的行政许可过程中，创造性地探索出一些方便申请人的措施，如“一个窗口对外”“一站式审批”“并联审批”“告知承诺制”等，取得良好的效果。对此，行政许可法总结实践中好的做法，作出了相应的规定，为这些便民措施提供了法律依据。

一、行政许可需要行政机关内设的多个机构办理的，该行政机关应当确定一个机构统一受理行政许可申请，统一送达行政许可的决定

即通常所说的“一个窗口对外”。其适用于行政许可申请需要一个行政机关内设的多个机构分别审查、出具审查意见的情况。这种情况属于一个行政许可，应当由行政机关统一办理，申请人不参与其内部程序。但由于行政审批过程中存在一些不正之风，有些执法人员利用审批权“寻租”，谋取个人利益，凡是经手的人，申请人哪个不拜到都不行。因此，实践中有时需要申请人一个处（科）室一个处（科）室去跑，去做工作，打通关节，否则，哪道关都

不好过;另外还存在行政机关内部处(科)室之间相互扯皮,相互推诿,让申请人无所适从的现象。这种情况就属于内部行政程序外部化,使一个行政许可变成多个许可,不仅增加了行政机关工作人员腐败的机会,加大了申请人的成本,还拖延了审批时间,影响了行政效率。因此,近年来许多地方都在搞"一个窗口对外",就是规定行政审批从"一个窗口"进出,不让申请人参与行政审批的内部程序,从制度上防止出现内部行政程序外部化,减少执法人员利用审批搞腐败的机会。对此,行政许可法明确规定,行政许可需要行政机关内设的多个机构办理的,应当确定一个机构统一受理行政许可申请,送达行政许可决定。

二、依法应当由地方人民政府两个以上部门分别实施的行政许可,确定由一个部门受理行政许可申请并转告有关部门分别提出意见后统一办理

即通常所说的"并联审批"。从各地的情况看,并联审批主要适用于企业设立登记,是以工商行政管理机关为枢纽,对于依法需前置审批的项目,由相关行政审批部门同步审批的新型企业注册登记方式。根据一些地方的做法,并联审批的程序是:

(1)工商受理。对纳入并联审批的经营项目,由相关行政审批部门制定并联审批申请须知,明确办理照前审批或许可证的条件和要件,在企业申请注册登记时发放。申请人向工商行政管理机关申请注册登记时,经营范围中涉及并联审批项目的,依据并联审批申请须知的要求,如实填写统一格式的并联审批申请表,连同申请注册登记的其他要件一并交给工商行政管理机关。

(2)抄告相关部门。工商行政管理机关受理申请人并联审批的申请后,在两个工作日内将并联审批申请表通过计算机网络传送给相关行政审批部门。

(3)并联审批。相关行政审批部门接到工商行政管理机关传

送的并联审批申请表后，应及时与申请人取得联系，原则上在 5 个工作日内，提出具体审批意见。同意的，由相关部门加盖公章回传给工商行政管理机关；不同意的，相关部门应及时向申请人说明具体理由，并回传给工商行政管理机关。相关行政审批部门逾期未回复的，视为同意。

（4）限时办理。工商行政管理机关收到相关行政审批部门同意的回传意见后，对经审核符合注册登记条件的企业，在 5 个工作日内核发经营期限半年的《营业执照》。

取得上述《营业执照》的企业可以从事生产经营活动，并应于半年内到相关行政审批部门领取批准文件或许可证书，到原发照的工商行政管理机关换发《营业执照》。相关行政审批部门对表示同意的照前审批项目，应在限定工作日（最长不超过半年）内发给企业批准文件或许可证书。

根据并联审批的要求，工商行政管理机关要在各级注册大厅内将所有审批事项、审批依据、审批方式、审批时限、审批部门及其联系人、地址、电话予以公布。经政府明确改为照后审批和备案的经营项目，工商行政管理机关在发给企业营业执照的同时，通过工商网站，将企业的注册登记情况向其他相关行政审批部门通告。建立企业登记注册照前审批联席会议制度。联席会议由工商行政管理机关牵头，各主要行政审批部门参加。联席会议主要负责研究协调解决并联审批中的有关问题，通报并联审批的运转情况，促进并联审批工作的顺利进行。各级工商行政管理机关和相关行政审批部门要制订相应的工作人员守则并建立责任追究制度，对在审批时限内不完成审批程序的，要追究相关承办部门和经办人员的责任。在市和区县两级行政监察机关设立举报电话和举报箱，受理投诉，监督检查各有关行政部门的并联审批工作。

对“并联审批”有的意见提出一些疑问，如行政许可决定是由受理部门一个部门作出，还是由各个部门分别作出？如果其中一个部门不同意许可，是由该部门当被告，还是由受理部门当被告？如果企业在工商部门颁发营业执照后，取得其他许可证前发生违法，由谁承担责任，等等。“并联审批”制度来自于地方政府的实践，上述问题需要地方在实践中不断完善。

三、地方人民政府可以组织有关部门联合办理、集中办理有关的行政许可

即通常所说的“一站式”审批。主要是对有关投资项目的审批，往往涉及政府的多个部门，需要多个许可，为了提高效率，地方政府通过设立“一站式”服务中心，让各审批机关到“一站式”服务中心联合办公，集中办理有关行政许可。如连云港市建立了行政审批中心，把所有的审批部门集中在一个大厅里，对企业登记注册、房地产开发、外商投资企业、技术改造、基本建设等 5 个涉及多个部门审批的重大项目制订了“一条龙”联合审批办法，确定了 5 个相应的牵头部门，印制了标明详细流程的《一本通》。以前办一个房地产开发项目，要跑 18 个部门，经过 69 个环节，盖 67 个公章，时间要 8 个月。现在只需进一个门，一周时间就可办成。外商投资企业项目审批过去涉及 28 个部门和单位，现在由外经贸局牵头，只需 4 个环节，盖 12 至 14 个章即可，一般的项目 3—7 天就可办妥。在审批中心，实行了“六公开”审批制度，即审批内容、办理程序、申报材料、审批依据、办结时限、收费标准等向社会公开。同时，要求每个审批事项的受理、缴费、领取结果三个环节都要在中心办理，坚持开票、收款分离，杜绝暗箱操作。行政审批中心以“进一个门办好，交规定费办成，在承诺日办结”为标准，96% 的市级审批事项都由中心办理，两年来共快速办结了 192769 个审批事项，按时办结率达到 100% 。

采取“一站式”审批方式，审批手续减少了，各审批环节衔接更紧密了，部门之间推诿扯皮现象减少了，极大地方便了申请人办

理行政审批事项,提高了工作效率。

第二十七条 行政机关实施行政许可,不得向申请人提出购买指定商品、接受有偿服务等不正当要求。

行政机关工作人员办理行政许可,不得索取或者收受申请人的财物,不得谋取其他利益。

【释义】 本条是关于行政机关实施行政许可不取获得不正当利益的规定。

行政机关实施行政许可是行使公权力,行政执法人员要公正地执行法律、法规,使行政许可能够起到配置资源、防止危险的作用。实施行政许可时,不能掺杂部门利益或者个人利益,执法不能与部门或者个人利益挂钩。否则,执法人员就可能徇私枉法,没有好处不办事,有了好处乱办事,不该许可的许可了,该许可的可能得不到许可,法律、法规设定行政许可的目的就无法实现,行政许可制度就变成了行政机关或执法人员"寻租"的工具。这些年来,在行政审批过程中,出现行政权力部门化,部门权力利益化的倾向,行政机关或其工作人员利用审批、年检的机会,谋取部门利益或者个人利益,搞不正之风。针对这些情况,本法规定行政机关实施行政许可,不得向申请人提出购买指定商品、接受有偿服务、参加指定的商业保险等不正当要求。行政机关工作人员办理行政许可,不得同申请人进行私下接触,不得接受申请人的宴请、财物或者获得其他利益。

一、不得向申请人提出购买指定商品、接受有偿服务等不正当要求

在实践中行政机关在实施行政许可时,经常让申请人购买指定商品、接受有偿服务或者参加指定的商业保险。否则就不予许可。如有的地方申请消防许可证,消防部门就让申请人购买指定

的消防设备,不然就不发许可证;有的工商行政管理机关利用企业登记、年检的机会,要求申请人订阅报刊;还有的地方机动车年检,不管是新车还是旧车,负责年检的工作人员总能找到毛病,都要到指定的维护厂接受服务才能过关。虽然行政机关没有直接向申请人收取费用,但实际上通过商品或服务的提供者间接地得到好处,是一种比较隐蔽的违法行为。本法列举了两种实践中比较常见的不正当要求,其他形式的不正当要求也在禁止之列。

二、行政机关工作人员不得索取或者收受申请人的财物,不得谋取其他利益

行政机关工作人员实施行政许可,是代表行政机关行使权力,不得谋取个人利益,不得接受申请人的宴请、财物或者获得其他利益。本法第七十三条对此作了相应的处罚规定:行政机关工作人员办理行政许可、实施监督检查,索取或者收受他人财物或者谋取其他利益,构成犯罪的,依法追究刑事责任;尚不构成犯罪的,依法给予行政处分。

为了减少行政机关工作人员可能谋私的机会,有的法律对审批事项办理人员规定不得与申请人私下接触。不得私下接触一般是指行政机关工作人员不得在非工作时间或非办公场所与申请人接触。不得私下接触是一项程序规则,目的是防止行政执法人员利用私下接触接受申请人的好处,影响执法人员对事实的正确判断,影响公正执法。不私下接触,执法人员就能减少从申请人那里得到好处的机会,从而可以杜绝腐败现象。

第二十八条　对直接关系公共安全、人身健康、生命财产安全的设备、设施、产品、物品的检验、检测、检疫,除法律、行政法规规定由行政机关实施的外,应当逐步由符合法定条件的专业技术组织实施。专业技术组织及其有关人员对所实施的检验、检测、检疫

结论承担法律责任。

【释义】 本条是关于由行政机关承担的设备、设施、产品、物品的检验、检测、检疫要逐步由专业技术组织实施的规定。

从国外的经验看,对设备、设施、产品、物品由行政机关实行事前许可制的很少,一般是由企业按照国家规定技术标准生产,自己检测,就可以进入市场;如果没有按照标准执行,一旦查出,企业要受很重的处罚。只有对药品、食品、机动车、化工产品等少数产品才需要事前许可,一般由行政机关委托专业技术组织进行检测,检测合格,发给批准证书才能出售。对设备、设施、产品、物品的许可,主要是看其是否符合技术标准和经济技术规范,符合的,就应当许可,不符合的就不许可,比较客观,行政机关没有自由裁量权,不一定通过行政许可的方式来管理,可以由专业技术组织实施,行政机关作事后的监督。由专业技术组织实施,充分发挥专业技术组织的特长,有利于节约社会资源,是社会发展的趋势,也符合市场经济的规则。目前,我国对直接关系公共安全、人身健康、生命财产安全的设备、设施、产品和物品实行行政许可制管理的越来越少,一般实行强制认证制度,大部分设备、设施、产品和物品都由专业技术组织负责检验、检测、检疫,符合技术标准和技术规范的,由专业技术组织出具检验、检测、检疫报告,然后由国家质量认证中心发给认证证明。只有一小部分由行政机关实行许可证管理,如电梯、压力锅炉、药品、民用爆炸物品等。

一、法律、行政法规规定由行政机关实施的,行政机关才能实施

根据西方的理论,政府是提供公共服务产品的,不过政府提供的这些服务产品是其他市场主体不能提供的,如办理国防、外交,维护社会治安,提供基础设施建设等。如果其他市场主体也能提供,政府就应当退出。如果按照这种理论来衡量对设备、设施、产

品和物品进行检验、检测、检疫，这些并非政府所长，而其他社会中介机构可以承担这些服务。因此，政府要从这些领域退出。本法将由行政机关实施的对设备、设施、产品和物品的检验、检测、检疫，限定在法律、行政法规作出规定的范围内。这样，由行政机关实施的对设备、设施、产品和物品的检验、检测、检疫就比较少。

二、法律、行政法规没有规定的，由符合法定条件的专业技术组织实施

由专业技术组织对直接关系公共安全、人身健康、生命财产安全的设备、设施、产品和物品进行检验、检测、检疫，是市场经济条件下的一种发展趋势。由于我国各种专业技术组织数量众多，水平参差不齐，如果不限定条件，放手让专业技术组织去实施检验、检测、检疫，就会乱，达不到对设备、设施、产品和物品监管的目的。因此，本法规定要"逐步"由符合法定条件的专业技术组织实施。

三、专业技术组织对其实施的检验、检测、检疫结论承担法律责任

专业技术组织作为中介组织，对直接关系公共安全、人身健康、生命财产安全的设备、设施、产品和物品进行检验、检测、检疫，可以收取费用。根据权利与责任相一致原则，专业技术组织应当对其检验、检测、检疫结果承担法律责任。如果专业技术组织不认真负责，让不合格的设备、设施投入使用，不合格的产品、物品进入市场，造成财产损失和人身伤害的，专业技术组织及其有关人员要承担相应的责任，包括承担刑事责任、行政责任和承担民事赔偿责任。这样规定，能够督促专业技术组织勤勉、敬业，把好质量关。

第四章 行政许可的实施程序

行政许可的实施程序是指国家为保障行政许可权的公正和有效行使而规定的实施行政许可行为必须遵循的方式、步骤、时限和顺序。行政许可程序的设置是否适当,对于保护申请人的合法权益,提高行政效率,防止行政机关及其工作人员权力"寻租",具有重要意义。我国行政许可中出现的一些问题,直接原因就是目前关于行政许可的有关程序还不完善,行政许可环节过多、手续繁琐、时限过长、"暗箱操作",老百姓办事很难。针对上述行政许可程序的诸多问题,行政许可法确立了公开制度、一次告知制度、申请人陈述和申辩制度、说明理由制度、期限制度和听证制度等,对行政许可的实施程序进行规范。

第一节 申请与受理

第二十九条 公民、法人或者其他组织从事特定活动,依法需要取得行政许可的,应当向行政机关提出申请。申请书需要采用格式文本的,行政机关应当向申请人提供行政许可申请书格式文本。申请书格式文本中不得包含与申请行政许可事项没有直接关系的内容。

申请人可以委托代理人提出行政许可申请。但是,依法应当由申请人到行政机关办公场所提出行政许可申请的除外。

行政许可申请可以通过信函、电报、电传、传真、电子数据交换和电子邮件等方式提出。

【释义】 本条是对提出行政许可申请的规定。

一、申请行为的性质

申请人提出申请,是行政许可的前提条件,是申请人从事某种特定行为之前必须履行的法定义务。行政许可是依申请的行政行为,行政机关遵循“不告不理”的原则,申请程序因相对人行使其申请权而开始。申请权是一种程序上的权利,相对人有权通过合法的申请,要求行政机关作出合法的应答。无论申请人在实体法上是否符合获得许可的条件,在程序上都享有该权利。

二、提出申请的方式

1. 行政许可机关颁发许可证必须以相对人的申请有效为前提,为此申请人提出申请应当符合一定的要求。首先,申请人提出申请,必须有真实、明确的意思表示,不得含糊其辞,使行政机关难以判断。其次,对于法律、法规规定有申请期限的许可,申请应当在法定期限内提出。一般情况下,法律、法规对于申请人提出许可申请没有期限限制,申请人可以随时提出申请。如申请人开办一个餐厅,进行企业登记,只要申请人具备了法律、法规规定登记机关进行登记的条件和要求,就可以向登记机关提出登记的申请。但在某些特殊情况下,基于事实上或者法律上的原因,要求申请人在一定的期限内提出,申请人不得逾期提出申请。例如,需要对产品、物品和设备等进行检测、检验、检疫的,往往要求申请人在一定的期限内送检;行政许可需要采取招标、拍卖方式的,投标人应当在招标人规定的提交招标文件的截止时间前,将投标文件送达投标地点。

行政许可申请的内容不仅包括申请人要求行政机关准予其从事某种特定活动的意思表示,还包括行政机关要求申请人提供的申请人是否符合行政许可的条件和标准的有关信息。如果申请书所要包含的事项较多,申请人撰写申请书时,可能会丢项、漏项,既浪费申请人的时间,也不利于提高行政效率。申请书采用格式文本,可以有效地解决这个问题。根据本法的规定,如果申请书需要采用格式文本的,行政机关负有提供的义务,行政机关不能要求申请人自行设计格式文本。行政机关提供的格式文本中所列出的要求申请人填写的项目,应当是行政机关批准行政许可所必须了解的事项,申请书格式文本不得包含与申请行政许可事项没有直接关系的内容,否则可能构成对申请人隐私权的侵犯。此外,根据本法第五十八条的规定,行政机关向申请人提供格式文本不得收取费用。

申请人除以传统方式向行政机关递交申请书以外,还可以利用现代的通讯手段提出申请。申请人可以向具备接收条件的行政机关,通过电报、电传、传真、电子数据交换和电子邮件等方式提交申请。通过上述方式提出申请,主要适用于只需要申请人提交有关书面材料,不用提交实物、样品的行政许可。行政许可法作出这一规定,目的在于鼓励行政机关和申请人利用现代科技,提高行政效能,同时也体现了行政许可的便民原则。以上述方式提交的申请具有与普通申请书相同的效力。鉴于通过电子数据交换、电子邮件方式提出行政许可申请,在一些地方还是新鲜事物,在具体操作程序上还有待完善,因此行政许可法只作了倡导性的规定。

2. 申请人提出申请可以委托代理人提出,但依法应当由申请人到行政机关办公场所提出行政许可申请的,申请人委托代理人提出申请,申请无效,行政机关不予受理。

申请人委托代理人提出申请,应当出具授权委托书,载明委托事项和代理人的权限。代理人受申请人的委托提出申请,应当向行政机关出示能证明其身份的证件。

第三十条　行政机关应当将法律、法规、规章规定的有关行政

许可的事项、依据、条件、数量、程序、期限以及需要提交的全部材料的目录和申请书示范文本等在办公场所公示。

申请人要求行政机关对公示内容予以说明、解释的，行政机关应当说明、解释，提供准确、可靠的信息。

【释义】 本条是对行政许可的申请和受理程序中行政机关公开义务的规定。

一、关于行政公开原则

本条规定体现了行政公开原则。行政公开，是指将行政权力运行的依据、过程和结果向相对人和公众公开，使相对人和公众知悉。行政公开的目的在于增加行政的透明度，加强公众对行政的监督，防止行政腐败，保护公民的合法权益。行政公开是现代社会行政活动所遵循的一项基本原则，具有重要意义。首先，行政公开可以实现公民的知情权，满足公民对信息的需要。在现代社会，公民有权了解政府的活动，而政府对其制定的政策、规章以及作出的具体决定，有义务向公众公开，接受公众的监督。第二，行政公开，有利于公民对行政事务的参与，增强公民对行政机关的信赖。知情权是公民实现其政治权利及其他相关权利的前提条件。公民只有在充分、确实了解政府活动的基础上，才能有效参与国家事务和社会事务的管理。在现代社会，行政机关活动的一个重要的变化是，行政行为从命令式向社会管理和社会服务职能的转变，行政机关的任务需要公民的合作才能完成。行政公开通过加强行政机关与公民之间的沟通和了解，促进了公民对行政的参与，有助于维护公民对政府的信赖。第三，加强对行政机关的监督，防止行政腐败。行政公开是监督行政机关的一条非常重要的途径，所谓阳光是最好的消毒剂。如果将政府的规章、政策以及行政活动的过程和结果予以公开，使公众有权知悉和公开评论，可以有效地防止行政专断和腐败。许多国家的行政程序法都规定了情报公开制度。

例如，日本行政程序法规定，许可认可的审查标准和审查期间等，除有特别的障碍外，行政机关必须在受理机关的办公地点张贴以及以其他适当方式公布。

二、行政机关公示的义务

要求行政许可的受理机关在其办公场所，将其受理的有关的行政许可事项、依据、条件、数量、程序、期限以及需要申请人提交的全部材料的目录和申请书示范文本予以公示，主要是保证申请人的知情权，同时也有利于提高办事效率。对行政许可的事项的公示，可以使申请人了解该行政机关的职权范围，使其将许可申请提交给有权的机关。对行政许可数量的公示，可以使申请人了解其申请的许可是否为有数量限制的许可，并促使其及时提出申请。对行政许可依据、条件的公示，可以使申请人对自己是否符合行政许可的实质要件做到心中有数，同时申请人可以据此监督行政机关是否依法作出行政许可决定。对于程序、期限的公示，可以使申请人了解行政机关受理、审查和作出决定的流程，同时也可以了解自己的程序权利。将需要提交的全部材料的目录和申请书示范文本在办公场所公示，是为了让申请人了解行政机关受理申请时对申请材料形式上的要求，方便申请人准备申请材料、撰写或填写申请表格，节省申请人的时间，提高行政机关的工作效率。

三、行政机关的说明、解释义务

面对日益复杂的行政管理制度以及越来越多法律的规定，行政相对人在许多情况下需要行政机关及其工作人员予以告知、咨询以及履行其他协助义务。行政机关工作人员如果不履行这种义务，在一些情况下，公民的权利便难以实现。根据本法的规定，申请人如果对行政机关公示的有关内容有疑问的，可以要求行政机关予以说明和解释，行政机关应当对申请人的要求予以配合，提供其所需要的信息及解释，同时行政机关应当提供准确、可靠的信息。法律的这一规定，一方面，要求行政机关提高服务意识，改变过去高高在上的作风；另一方面，也有利于增强行政相对人对行政机关的信任，积极配合和参与行政行为的实施，从而使行政机关与相对人之间形成一种良性的服务与合作的关系。

第三十一条　申请人申请行政许可，应当如实向行政机关提交有关材料和反映真实情况，并对其申请材料实质内容的真实性负责。行政机关不得要求申请人提交与其申请的行政许可事项无关的技术资料和其他资料。

【释义】　本条是对申请人应对其申请材料的真实性负责的规定。

一、申请人应当如实向行政机关提交申请材料

行政许可法是规范行政许可的设定和实施的法律，是一部对行政行为进行规范的法律。对于行政许可的申请人和利害关系人来说，行政许可法为行政机关设定的义务，恰恰是为了保护申请人和利害关系人的合法权益，从这个角度上，可以说行政许可法是一个申请人和利害关系人的权利保护法。另一方面，行政机关作出行政许可决定的过程，也需要申请人的参与，需要申请人履行一定的义务。法律对申请人设定的基本要求，同时也是最重要的义务，就是向行政机关如实提交有关材料和反映真实情况，保证申请材料的真实性。

法律作出这种规定，首先，是保证行政许可决定有效性的需要。如果申请人提交的申请材料不真实，申请人应当承担法律责任。根据本法第六十九条的规定，被许可人以欺骗、贿赂等不正当手段取得行政许可的，行政机关应当予以撤销。第二，是保证行政机关有效实施行政管理、保障社会秩序和公共利益的需要。行政

许可是行政机关事前管理的手段，法律规定需要经过许可才能从事的活动，都是关乎公共利益和社会秩序的事项。申请人以虚假的申请材料骗取了行政许可，其后果与行政机关未经许可无异，申请人的活动可能会对他人利益甚至公共安全造成危害，行政机关也无法实现以行政许可的手段进行有效管理的目的。根据本法第七十八条的规定，申请人隐瞒有关情况或者故意提供虚假材料申请行政许可的，行政机关不予受理或者不予行政许可，并给予警告；行政许可申请属于直接关系公共安全、人身健康、生命财产安全事项的，申请人在 1 年内不得再次申请该行政许可。第七十九条规定，被许可人以欺骗、贿赂等不正当手段取得行政许可的，行政机关应当依法给予行政处罚；取得的行政许可属于直接关系公共安全、人身健康、生命财产安全事项的，申请人在 3 年内不得再次申请该行政许可；构成犯罪的，依法追究刑事责任。第三，是诚信原则的要求。诚信原则，即诚实信用原则，其基本含义在于行使权利、履行义务，应依诚实及信用之方法。这一原则原为民法上的一项基本原则，进而扩充到行政法的领域。一个尊崇诚信的社会，对市场经济的建立和健康有序地发展十分重要。在行政法中，诚信原则主要是对行政机关提出的要求，但行政行为离不开公众的参与，个人和组织也应当遵守诚信原则。

与申请人应对申请材料实质内容的真实性负责相关的问题是，申请人因采用欺骗、贿赂手段取得行政许可，在从事许可活动中给第三人造成损害，受害人除向申请人要求赔偿外，行政许可机关是否应当承担负责。行政机关在对行政许可申请进行审查时，根据法律法规的规定，依法进行形式审查或者实质审查。行政机关进行形式审查时，不负责对申请材料的真实性进行核查。例如，在进行公司登记或者企业法人登记时，登记主管机关的责任是对申请人提交的有关申请材料和证明文件是否齐全，以及申请材料和证明文件及其所记载的事项，是否符合有关登记管理的法律法规进行审查。因申请材料和证明文件不真实所引起的后果,登记主管机关不承担相应的责任。但行政机关进行实质审查的,应当对申请材料的真实性进行核查。行政机关未尽到实质审查的责任,违法颁发行政许可的,申请人和行政机关均应承担责任。

二、行政机关不得要求申请人提交与其申请的行政许可事项无关的技术资料和其他材料

根据行政公开的原则,行政许可的实施和结果应当公开。行政公开势必会涉及申请材料的公开,这就要求行政机关在履行公开义务的过程中,还负有保护国家秘密、商业秘密和个人隐私的义务。行政机关在申请的环节,即应注意不得要求申请人提交与其申请的行政许可事项无关的技术资料和其他材料,以保护申请人的商业秘密或个人隐私。

第三十二条　行政机关对申请人提出的行政许可申请,应当根据下列情况分别作出处理:

(一)申请事项依法不需要取得行政许可的,应当即时告知申请人不受理;

(二)申请事项依法不属于本行政机关职权范围的,应当即时作出不予受理的决定,并告知申请人向有关行政机关申请;

(三)申请材料存在可以当场更正的错误的,应当允许申请人当场更正;

(四)申请材料不齐全或者不符合法定形式的,应当当场或者在五日内一次告知申请人需要补正的全部内容,逾期不告知的,自收到申请材料之日起即为受理;

(五)申请事项属于本行政机关职权范围,申请材料齐全、符合法定形式,或者申请人按照本行政机关的要求提交全部补正申请材料的,应当受理行政许可申请。

行政机关受理或者不予受理行政许可申请，应当出具加盖本行政机关专用印章和注明日期的书面凭证。

【释义】 本条是对行政机关对行政许可申请处理方式的规定。

一、受理条件和期限

1. 受理的条件。行政许可申请符合以下条件，行政机关应当予以受理：(1)申请事项属于该行政机关职权范围；(2)申请材料齐全、符合法定形式。行政机关应当将申请材料的有关要求，尽可能具体和详尽地告知申请人，有利于申请人正确地提交申请材料，避免出现需要补正、延误受理的情况。

申请人向有权机关提交符合法定形式的申请，且申请材料齐全，该机关应当予以受理。对于当场可以受理的，行政机关应当当场予以受理。

申请材料是否齐全或者是否符合法定形式，需要行政机关的工作人员依法审查并予以确认。对于申请人提交的申请材料，虽然不完全符合要求，但申请材料存在的错误属于文字性错误（如书写人发生笔误）、计算错误、装订错误等，对此，申请人当场即可更正的，行政机关应当允许申请人当场更正。行政机关不得以申请材料存在当场可以更正的错误为由拒绝受理。本法的这一规定，体现了对行政机关的服务意识和以人为本的要求。目前我国有的法规中对此已有规定，如《货物进出口管理条例》规定："进口配额管理部门和进口许可证管理部门要求申请人提交的文件，应当限于为保证实施管理所必需的文件和资料，不得仅因细微的、非实质性的错讹拒绝接受申请。"

2. 受理的期限。受理的期限是指行政机关自收到申请材料到作出是否受理的决定的时限。我国的一些法律、法规和规章，对受理期限规定了一定的时段。如《无公害农产品认证程序》规定，农业部农产品质量安全中心自收到申请材料之日起，应当在 15 个工作日内完成申请材料的审查。

为了促使行政机关尽快对申请材料作出审查，避免拖延，行政许可法对行政机关的受理期限作出了较为严格的规定，要求行政机关对申请作出迅速应答，即自收到之日起即为受理。作出这一规定，并不是说行政机关对申请材料不作审查，而是只对申请材料是否齐全、是否符合法定形式进行形式审查，不涉及申请材料的实质内容，因此行政许可法对行政机关设定了收到申请材料应当即时进行审查并作出是否受理的决定的义务。行政机关经审查，申请材料符合要求的，应即时予以受理；申请材料不符合要求，需要补正的，行政机关应当当场或者自收到申请材料之日起 5 日内予以告知。在这里，补正告知的期限实际上与受理期限是有联系的，除当场告知的外，5 日的补正告知期限，实际上是赋予了行政机关 5 天的受理期限。但是与上述《无公害农产品认证程序》明确规定 15 日的受理期限不同的是，对于申请材料不需要补正的，根据行政许可法的规定，这 5 天即被计入作出行政许可决定的期限。如果行政机关不即时对申请材料进行是否受理的审查，而是在收到的第 5 天才审查，那么行政机关作出行政许可决定的期限则被相应缩减，以本法第四十二条的规定一般为 20 天为例，变为 15 天。行政许可法对受理期限的这一规定，可以有效地督促行政机关提高受理审查的效率，防止行政机关对申请迟迟不予作答的现象。

日本的行政程序法在受理期限上的规定与我国行政许可法的规定是类似的。日本行政程序法第七条规定：“申请到达事务所时，行政机关应立即开始审查该申请。对申请书中记载事项不完备、没有附加申请书必需的附件、未在申请期限内提出申请以及不具备其他法令规定的申请形式要件的申请，应设定相当的期限要求申请人补充更正该申请，或者拒绝给予该申请所请求的许可认可。”根据这一规定，行政机关对申请的受理，采取“到达主义”，即当“申请到达事务所时”行政机关即开始负有审查义务。这样的立法方法有意地将“受理”阶段排除出了法定程序。

本法对于行政机关发出补正告知的期限作出了规定,但未对申请人完成补正的期限作出规定。这并不是说,申请人补正可以无限期地进行。《无公害农产品认证程序》规定:申请材料不规范的,申请人应当自收到通知之日起 15 个工作日内按要求完成补充材料并报中心。有的国家的行政程序法中也对补正期限作出了规定。西班牙行政程序法规定补正的期限为 10 天。规定申请人补正期限,可以促使申请人尽快提交补正材料,以尽快确定许可申请是否被受理,因此是必要的。虽然行政许可法对此未作规定,但有关的法律、法规制定机关可以针对某一具体的行政许可的情形,规定补正期限。

二、不予受理的情形及其处理方式

1. 申请事项依法不需要取得行政许可的。有的申请人对所要从事的活动不清楚是否需要行政许可,例如,由于法律、法规、规章作出修改,以前需要取得行政许可才能从事的活动,现在不再需要许可,但申请人对这种变化并不了解。对于这种情况,行政机关应当即时明确告知申请人其所申请的事项不需要行政许可。

2. 申请的事项不属于被申请的机关的职责范围。申请人只能向法定的行政许可机关提出申请,也只有该法定的行政机关才能接受其管辖范围内的申请并予审查。申请人向无许可权的行政机关提出申请的,申请行为无效,被申请机关应当作出不予受理的书面决定。作出不受理决定的行政机关应当告知申请人受理其申请的行政机关。行政机关告知申请人负责受理的机关,是行政许可法给行政机关赋予的一项新的职责。对于承担这一职责,可能有的行政机关及其工作人员会产生顾虑,认为既增加了行政机关的工作量,如果工作人员对负责受理的机关本身并不清楚或者告知有误,还会承担责任。事实上,如果某一受理事项连行政机关的工作人员都不知道应负责受理的机关,那么对于许多行政相对人来说将会是一件更困难的事情。实际生活中,在某一行政机关发生申请人"走错门"的情形常常是雷同的,多数情况下是由于申请人不清楚某两个或某几个行政机关的职责分工而对被申请机关产生误解。对于具体经办的、有一定经验的工作人员来说,这种现象是较常见的,因此,行政机关的工作人员告知申请人有关的负责机关,虽然会增加一定的工作量,但并不会增加太大的难度,给申请人带来的则是极大的方便。如果工作人员无法凭经验知道负责受理的机关,应当通过机关的内部系统设法询问清楚。告知负责受理的机关,工作人员可以采取口头告知的方式。针对申请人经常发生错误的情形,行政机关也可以事先印制一些"申请人须知"或"申请注意事项"之类的书面材料,提醒申请人根据各自的情况向正确的行政机关提出申请。

3. 申请材料不齐全或者不符合法定形式。一般来说,申请人向行政机关申请从事某一活动的许可,应当提交书面形式的申请和法律、法规和规章规定的有关材料。申请书一般必须载明申请人的姓名或名称、工作单位和地址,申请许可的要求、理由,从事该项许可活动的能力证明,从事该许可活动的场地、人员、设备等事项的说明或证明等。

如果申请材料不齐全、不完备或者不符合法定的格式、要求,行政机关不能径行驳回,而应当向申请人发出补正告知。补正告知,可以当场作出的,应当当场告知;不能当场作出的,行政许可法规定了5日的补正告知期限。行政许可法还对告知作出一个较为严格的要求,即申请人的申请材料存在多处不符合法定形式的情况的,行政机关应当将需要补正的全部内容一次告知申请人,不能反复要求申请人补正,以避免浪费申请人的精力和时间。补正告知如果未能一次完成,行政机关即构成程序上的瑕疵。根据本法

第七十二条的规定，对未一次告知补正内容的行政机关及其工作人员，上级行政机关或者监察机关应予责令改正，情节严重的，对直接负责的主管人员和其他直接责任人员给予行政处分。

三、书面凭证

行政机关受理或者不受理行政许可申请，均应向申请人出具书面凭证。由于行政许可法规定了“收到申请材料之日起即为受理”的原则，这就要求行政机关收到申请材料时，即应出具收到材料的凭证。除非另有规定，如果申请人 5 日内未收到补正告知，行政机关收到申请材料的凭证可以具有受理凭证的效力。受理凭证上应当加盖本行政机关的专用印章，并注明日期。作出这一规定，目的是防止有行政许可机关以没有收到申请书为由而迟迟不作许可决定的违法行为，促进行政机关及时作出许可决定，保障公民请求权的实现。

第三十三条　行政机关应当建立和完善有关制度，推行电子政务，在行政机关的网站上公布行政许可事项，方便申请人采取数据电文等方式提出行政许可申请；应当与其他行政机关共享有关行政许可信息，提高办事效率。

【释义】　本条是对推广电子政务，方便申请人提出行政许可申请的规定。

一、电子政务的内涵及在我国的发展

电子政务是指国家机关在政务活动中，全面应用现代信息技术、网络技术以及办公自动化技术等进行办公、管理和为社会提供公共服务的一种全新的管理方式。电子政务实际上就是政务工作信息化，而推行电子政务的政府便被称为电子政府。电子政府与传统政府的最大区别，就在于它所具有的虚拟性，电子政府在传统的实体政府之外,又存在着一个不受时间和空间限制的、对社会和公众不断提供各种在线服务的虚拟政府。因此,电子政务更具透明度,能更好地实现政府与社会、公众的互动,改善政府的公共服务。电子政府可以将原来需要大量的人力来处理的行政事务,在数字化的设备和虚拟空间中轻松甚至自动地完成。

随着信息技术的不断发展,我国对推进电子政务、加快政府信息化建设高度重视。早在 1992 年,国务院办公厅就提出建设全国行政首脑机关办公决策服务系统的目标和具体实施方案,并在全国政府系统推行办公自动化。2001 年,国务院办公厅又制定了全国政府系统政务信息化建设的五年规划,对我国政府信息化的指导思想、方针和政策等作出了明确规定。第一,我国在政府信息化的建设方面,大体用 3—5 年建设以“三网一库”为基本的政府系统的政务信息化枢纽框架,即政府机关内部的办公业务网,国务院办公厅与各地区、各部门连接的办公业务网,以因特网为依托的政府公众信息网,政府系统共建共享的电子资源库。第二,我国推动政府信息化的指导原则是:“以需求为导向,以应用促发展,统一规划,协同发展,资源共享,安全保密。”第三,我国政府信息化的任务主要集中在以下七个领域:一是大力推进政府业务的应用建设。具体包括政府机关内部的应用系统建设、公文、信息无纸化传输系统、多媒体应用系统以及办公决策服务系统。二是加强政府办公业务网和办公业务资源网网络建设。三是筹建办公业务资源网及政府公众信息政府网站。四是建立和完善共享信息资源库。五是做好计算机网络安全保密工作。六是加强对公务员的培训工作。七是抓好与系统建设和应用相关的法规工作。

二、推进电子政务在行政许可中的作用

推进电子政务,将对行政权力的行使提出提高透明度、更加规范化等更高的要求。这就要求各级政府及其工作人员更新观念,

主动接受电子政务这一新管理手段。我国目前的政府管理运作方式,多数都是在计划经济体制下形成和确立起来的。随着市场经济的发展和政府机构的改革,一些问题得到很大的改善,但一些深层次的问题并没有解决,机构设置不合理,政府各部门职能交叉、重叠,审批过多过滥,办事缺乏严格的程序,行政流程不合理、透明度低、暗箱操作等,这些问题都有可能成为推动政府信息化的重要障碍。推行电子政务,对于政府公共服务将会产生积极影响。政府可以通过网络,向社会及时、准确地传递信息,为企事业单位和个人及时了解政府的各种公共服务信息提供有利条件,从而改变以往政府公共服务技术手段落后的问题,同时大大提升政府管理的有效性,满足社会以及公众对政府公共管理和公共服务的期望。还可以保证公共服务的公正性和公平性,真正做到一视同仁。

在行政许可方面,推行电子政务,对于实现行政许可中的公开、公平、公正原则、便民原则,提高行政机关的行政效率,具有重要作用。通过及时建立和不断完善政府机关内部的办公业务网、公众信息网和电子资源库,可以实现在行政机关的网站上公布行政许可事项,使申请人和公众能够便捷地了解有关信息。申请人可以采取数据电文等方式提出行政许可。同时,申请人的申请材料提交给一个行政机关之后,与行政许可事项相关的行政机关可以共享有关行政许可信息,既可以提高行政机关的办事效率,也可以避免申请人重复提交申请材料。

第二节　审查与决定

第三十四条　行政机关应当对申请人提交的申请材料进行审查。

申请人提交的申请材料齐全、符合法定形式,行政机关能够当场作出决定的,应当当场作出书面的行政许可决定。

根据法定条件和程序，需要对申请材料的实质内容进行核实的，行政机关应当指派两名以上工作人员进行核查。

【释义】 本条是对行政机关对申请予以审查的规定。

行政机关受理申请以后，行政程序进入审查阶段。根据法律、法规的规定，行政机关对申请材料的审查，包括形式审查和实质性审查。

1. 形式审查

所谓形式审查，是指行政机关仅对申请材料的形式要件是否具备进行的审查，即审查其申请材料是否齐全，是否符合法定形式。对于申请材料的真实性、合法性不作审查。例如，民办教育促进法第十八条规定："民办学校取得办学许可证，并依照有关的法律、行政法规进行登记，登记机关应当按照有关规定即时予以办理。"根据这一规定，民办学校的登记机关，不需要对民办学校的设立是否符合条件作实质审查，即不需要对民办学校办学的资金来源是否真实、教师是否具备资格、场地和校舍是否符合国家的有关规定等进行审查，因为这些内容已经由民办学校的审批机关如教育行政部门或者劳动部门等进行过审查。民办学校登记，目的仅是确立其法人资格，因此，只要取得了审批机关颁发的办学许可证，登记机关就应当即时予以登记。由于形式审查不对申请材料的内容进行审查，因此，本法规定，对于能够当场作出决定的，行政机关应当当场作出决定，以方便申请人，提高行政效率。

2. 实质审查

所谓实质审查，是指行政机关不仅要对申请材料的要件是否具备进行审查，还要对申请材料的实质内容是否符合条件进行审查。对于申请的实质审查，有的可以采取书面审查的方式，即通过申请材料的陈述了解有关情况，进行审查，但有的实质审查还需要进行实地核查，才能确认真实情况。例如，食品卫生法规定，食品卫生监督机构对食品生产经营企业和食品摊贩的申请材料进行初审后，应在规定的期限内委派食品卫生监督员深入现场进行卫生审查，对不符合卫生要求的环节，提出意见，给予指导，待改正后再进行审查，直至符合国家规定的卫生要求。又如，《液化气体铁路罐车（罐体）运输许可证发证规则》第七条规定：“在对液化气体铁路罐车办理审查发证或复审过程中，必要时可实地核查液化气体铁路罐车。”

对于需要采取实地核查的，行政机关应当指派两名以上工作人员进行核查。行政机关工作人员在进行实地核查时，应当向当事人或其他有关人员出示执法身份证件，以表明自己正代表国家执行公务，否则当事人可以拒绝接受核查。例如，《无公害农产品认证程序》第九条规定：“申请材料符合要求的，但需要对产地进行现场检查的，中心应当在10个工作日内作出现场检查计划并组织有资质的检查员组成检查组，同时通知申请人并请申请人予以确认。检查组在检查计划规定的时间内完成现场检查工作。”要求行政机关派两名以上工作人员进行核查，主要是为了保证核查工作的公正性。

对于情况复杂的或者重大的行政许可，行政机关应当采取极为慎重的态度，行政机关的负责人应当集体讨论决定。情况复杂的或者重大的行政许可，一般是指涉及公共利益或者利害关系人的重大利益，对于这类行政许可，除适用一般审查程序，给申请人或利害关系人以陈述和申辩的机会，对符合听证条件的，应当按照听证程序举行听证。在作出行政许可决定前，行政机关的负责人应当集体讨论，对于审查过程中的情况进行深入分析、研究，再作出行政许可决定，从行政程序上最大限度地保障公民和组织的合法权益。

第三十五条　依法应当先经下级行政机关审查后报上级行政机关决定的行政许可，下级行政机关应当在法定期限内将初步审

查意见和全部申请材料直接报送上级行政机关。上级行政机关不得要求申请人重复提供申请材料。

【释义】 本条是对行政许可需要先经下级行政机关审查后报上级行政机关决定的程序的规定。

对于一些行政许可事项,法律、法规规定了先经下级行政机关审查后报上级行政机关决定的程序。对于一些重要的行政许可事项,需要由级别较高的行政机关作出最终决定;还有一些许可事项,由于需要有数量限制,需要较高级别甚至国家级的行政机关统筹考虑、合理布局。由于对这些行政许可的审查,都需要了解相关的实际情况,有的还需要进行实地核查,由级别较低的行政机关先进行初步审查,有利于了解情况,作出判断,因此法律、法规规定先经下级行政机关审查。例如,《水生野生动物保护实施条例》规定:"(一)需要捕捉国家一级保护水生野生动物的,必须附具申请人所在地和捕捉地的省、自治区、直辖市人民政府渔业行政主管部门签署的意见,向国务院渔业行政主管部门申请特许捕捉证;(二)需要在本省、自治区、直辖市捕捉国家二级保护水生野生动物的,必须附具申请人所在地的县级人民政府渔业行政主管部门签署的意见,向省、自治区、直辖市人民政府渔业行政主管部门申请特许捕捉证。"

对于法律、法规规定应先经下级行政机关审查的行政许可,下级行政机关应当在法定期限内将初步审查意见和全部申请材料直接报送上级行政机关。下级行政机关的审查意见,只是初步的,供上级行政机关参考的,不是终局的行政决定。上级行政机关作出的决定,才是正式的决定。申请人如果对行政许可决定不服,提出复议和诉讼,只能就上级行政机关作出的决定提出。下级行政机关应当将收到的全部申请材料直接报送上级行政机关,不能要求申请人再提交申请材料或由申请人向上级行政机关提交。作出许可决定的上级行政机关不得要求申请人重复提交已向下级行政机关提交过的申请材料，但上级行政机关如果认为申请人提交的材料还不足以证明其已经符合行政许可的条件，需要申请人进一步补充的材料，可以要求补充。

第三十六条　行政机关对行政许可申请进行审查时，发现行政许可事项直接关系他人重大利益的，应当告知该利害关系人。申请人、利害关系人有权进行陈述和申辩。行政机关应当听取申请人、利害关系人的意见。

【释义】　本法是对申请人、利害关系人陈述权和申辩权的规定。

一、听取申请人、利害关系人陈述和申辩的意义

行政许可的设定和实施，应当遵循公正原则。行政许可事项直接关系第三人重大利益的，利害关系人享有知情权，申请人、利害关系人享有陈述权和申辩权，正是公正原则的体现。首先，行政相对人享有知情权以及程序的参与权是行政程序公正的基本要求。行政机关在对行政许可申请进行审查的过程中，当发现行政许可事项直接关系第三人重大利益的，行政许可决定的作出会对第三人的利益产生影响，行政机关应当在合理的期限内，及时告知利害关系人，给予申请人、利害关系人充分表达自己意见并为自己辩解的机会，行使其知情权和陈述权。第二，公正的程序要求程序参与人在程序中受到平等对待。行政机关在行政许可中应保持一种超然的态度和地位，不得对申请人和利害关系人任何一方存有偏见和歧视。行政许可的作用，不仅是行政机关对社会事务进行事前管理，同时也是依法解决许可申请人与利害关系人之间就公共物品的使用或分配的问题，防止利害关系人利益和公众利益受到许可申请人的侵犯，维护社会的平等和公平。当事人享有陈述权和驳斥不利于自己的证据的权利，行政机关必须充分听取他们

的意见并予以认真考虑,这就有利于行政机关发现事实真相,作出公正的决定。当然,程序公正并不直接决定结果的公正,但程序公正同结果公正之间具有深刻的内在联系。公正程序尽管不能满足全体当事人的要求,但公正程序具有疏导、容纳功能,使决定易为各方接受,从而使决定易于执行,因而也能体现提高行政效率的作用。

二、听取申请人、利害关系人陈述和申辩与听证程序的区别

听取申请人、利害关系人的陈述和申辩,与听证程序都是行政机关听取当事人的意见的程序,都是程序公正原则的体现。这两种制度的区别在于:第一,听取意见的时间不同。听取申请人、利害关系人的陈述和申辩的时间范围较大,行政机关在对行政许可申请进行初步审查后,直到作出行政许可决定前,行政机关只要发现行政许可直接关系第三人的利益,都应当及时告知申请人和利害关系人;在此期间内,申请人、利害关系人也都有权向行政机关进行陈述和申辩。除行政机关依职权主动举行的听证外,听证程序是在行政机关对行政许可形成了审查意见,在作出行政许可决定前,告知申请人、利害关系人有听证的权利,申请人、利害关系人必须在被告知的5日内决定是否申请听证,否则即视为放弃听证权利。第二,听取意见的程序不同。听取陈述和申辩的主体是与审查行政许可申请的人员是同一的,听取的方式既可以是书面的,也可以是口头的,听取的程序也比较简单。听证程序与之相比则更为复杂和正式,听证一般应当公开举行,听证主持人必须是审查行政许可申请的工作人员以外的人员,申请人和利害关系人如认为主持人与该行政许可事项有直接利害关系的,有权申请回避,听证不能仅为书面的,申请人和利害关系人应当有机会与行政许可机关当面对质,听证过程中审查行政许可申请的工作人员必须提供审查意见、证据和理由,申请人和利害关系人可以进行质证。第

三，听取意见的结果对行政许可决定的拘束力不同。听取申请人和利害关系人陈述和申辩，行政机关应当予以记录，但记录对于行政许可决定不具有绝对的拘束力，行政机关听取意见后，还可以自行调查取证，并据此作出许可决定。听证程序中，行政机关应当根据听证笔录作出行政许可决定，也就是说听证笔录对行政许可决定具有拘束力。

第三十七条　行政机关对行政许可申请进行审查后，除当场作出行政许可决定的外，应当在法定期限内按照规定程序作出行政许可决定。

【释义】　本条是对行政机关必须在法定期限内作出行政许可决定的规定。

行政机关对行政许可决定，必须在法定期限内作出。行政许可是一种对社会进行管理的手段，行政机关对经济事务设定和实施行政许可，本质上是对市场机会资源的一种分配行为。对于行政相对人来说，政府对个人或者组织从事某种活动的申请作出准予或者不准予的决定，直接关系申请人的利益，许可本身为被许可人创造了一种“事实上的财产权”。正因为如此，行政许可决定何时作出，行政相对人何时能够获准从事其申请的活动，是他们极其关注的问题。在以往的行政审批中，一些行政机关办事效率低下，对于审批事项的审查久拖不决，导致申请人无法开展经济活动，甚至影响他们的正常生活。个别工作人员以“拖”为手段，向当事人暗示索要财物，当事人为尽快取得许可，不得不经常“跑步钱进”。有的时候，申请人虽然取得了行政许可，但由于时间拖得过长，市场的情况已经发生变化，行政许可的取得对其已经变得没有实质意义。对行政机关来说，一些客观上的情况，也妨碍其工作效率。如机构设置不合理，造成重复审批、多头审批；审查的流程设计不合理，等等。制定行政许可法的宗旨之一，就是要简化行政许可的程序、减少环节，方便群众，强化服务，如本法规定由一个行政机关行使有关行政机关的行政许可权，行政许可需要行政机关内设的多个机构办理的，应当确定一个机构统一受理、统一送达，依法应当由地方人民政府两个以上部门分别实施的行政许可，本级人民政府可以确定由一个部门受理申请并转告有关部门分别提出意见后统一办理，或者组织有关部门联合办理或集中办理等。此外，本法还规定了行政机关要积极推行电子政务，运用信息、网络等现代技术手段。除上述规定，规定期限制度，对于促进使行政机关提高管理水平和效率，保障行政相对人的权益具有重要作用。本法在下一节对作出行政许可的期限作出了具体规定。

本条规定的“按照规定程序”，是指行政机关审查决定行政许可的工作程序，如哪些问题由主要领导或者主管领导决定，哪些问题需要请示报告，哪些问题需要由负责人集体讨论决定，等等。行政机关可以本着行政首长负责制原则作出具体规定。

第三十八条　申请人的申请符合法定条件、标准的，行政机关应当依法作出准予行政许可的书面决定。

行政机关依法作出不予行政许可的书面决定的，应当说明理由，并告知申请人享有依法申请行政复议或者提起行政诉讼的权利。

【释义】　本条是对行政机关作出准予行政许可决定的规定以及作出不予行政许可决定时说明理由义务的规定。

一、行政机关作出准予行政许可的决定

行政许可是一种事前控制的制度，是行政机关依法对个人和组织的特定活动在事前作出一定的限制。个人和组织从事法律、法规设定行政许可的行为，需要经过有权机关的批准，但行政机关的这种限制并不是对社会中的个人和组织从事有关活动的绝对禁止。因为，从事设定行政许可的有关行为，原本是他们的权利，而且行政机关的限制并不一定是因为该行为本身对社会秩序造成危害，而是为了防止因实施该行为的人、场所、设备、时期和方法等的不同而对社会产生危害。例如，对餐馆的营业许可，开办餐馆为社会提供餐饮服务本身对社会没有危害，但由于餐馆的经营场所和设备以及厨师、服务员的健康状况直接关系顾客的饮食卫生和身体健康，因此，餐馆必须办理卫生许可证，厨师、服务员必须进行体检；经营场所是否符合消防规范，直接关系顾客的消防安全，因此，餐馆应当事先经过公安消防机关的许可。

只要申请人符合法律规定的有关要件，不存在不予许可的特别理由，行政机关原则上应当予以许可。有人将这一制度称“原则许可制”。这一制度对于限制行政机关的自由裁量权、保障申请人取得行政许可的权利具有重要作用。这一制度还要求法律、法规在设定行政许可时，应当对许可的条件和标准作尽可能具体的规定。原则许可制一般来说适用于没有数量限制的行政许可。对于有数量限制的行政许可，并不是所有的符合法定条件和标准的申请人都可以取得行政许可，行政机关可以依法按提出申请的顺序或者招标、拍卖等公平竞争的方式等，决定获取许可的被许可人。

行政许可是要式行政行为，行政许可决定应当以书面形式作出，并应以正规的文书、格式、日期和印章等形式予以批准和证明。

二、说明理由的作用和意义

行政机关作出不予行政许可决定，应当说明理由，并告知申请人享有的权利。说明理由作为行政程序的一项制度，具有以下重要功能：一是说服功能。行政机关基于民主的要求，应将行政决定的理由明白、易懂、令人信服地向行政相对人说明，可以增强公众对政府的信任感，避免对立。二是自律功能。对于行政许可机关而言，通过说明理由，可促使其事先充分考虑行政许可决定的事实根据和法律依据，在理由充分、推理严密的情况下形成自己的判断，慎重地作出决定，避免职业性的草率，防止行政专断，促进行政机关的自我监督，从而保证行政决定的正确性。三是保护功能。行政机关作出行政决定，特别是对行政相对人作出不利处理后，要考虑到行政相对人可能会对行政决定不服。行政相对人只有通过行政机关了解其作出该决定的理由，才能认真考虑请求行政救济的可能性，确定是否提起和如何提起行政复议或者行政诉讼，从而增强对行政相对人权益的保护。四是证明功能。对于行政复议的受理机关或者人民法院来说，通过行政决定的理由，可以了解行政机关作出该决定的动机和依据，便于对其进行审查。五是引导作用。在行政许可决定中说明理由，还可以使行政机关在以后处理同类案件时有据可循，促成平等保护。公众也可以通过了解行政机关对特定事务在事实上和法律上的意见或态度，提高其预测的可能性，对公众的行为具有一定的引导的作用。

三、说明理由的范围

说明理由制度主要适用于对相对人合法权益产生不利影响的行政行为，但说明理由也不是绝对的。有的国家行政程序法或其他法律在规定行政决定应说明理由的同时，也都规定了例外情况，如情况紧急，行政行为所指定或所涉及的人已经知道或者可以知道的，法律规定保密的事项，行政行为没有限制公民权利的，大量作出的同种类行政行为或以自动机器作成的行政行为，有关专门知识、技能或资格考试、检定或鉴定的程序等。

说明理由适用的行政行为范围，应取决于如何协调维护个人权利与行政效率之间的关系。我国在行政许可法中，将行政机关说明理由的义务，限定于行政机关作出不予行政许可的书面决定。这主要是考虑到，说明理由主要是为了申请人了解行政机关的观点，以保护其利益。行政机关批准许可人的申请，也就是说作出了有利于申请人的决定的情况下，没有必要再向申请人作出解释。

四、说明理由的要求

说明理由的内容应包括事实方面的、法律方面的，以及自由裁量是否符合法定目的。说明理由应当以明文方式作出，叙述时应当简洁、清楚。

第三十九条　行政机关作出准予行政许可的决定，需要颁发行政许可证件的，应当向申请人颁发加盖本行政机关印章的下列行政许可证件：

（一）许可证、执照或者其他许可证书；

（二）资格证、资质证或者其他合格证书；

（三）行政机关的批准文件或者证明文件；

（四）法律、法规规定的其他行政许可证件。

行政机关实施检验、检测、检疫的，可以在检验、检测、检疫合格的设备、设施、产品、物品上加贴标签或者加盖检验、检测、检疫印章。

【释义】　本条是对行政机关颁发的许可证形式的规定。

行政许可的形式，有书面文件形式与非书面形式。在书面文件形式中，又可以分为证照式形式与非证照式形式。证照式形式是行政许可的主要表现形式，如许可证、执照等。非证照式的行政许可文书，包括批准书、同意书等。根据行政许可法的规定，行政许可证件包括以下几类：

（一）许可证、执照或者其他许可证书。许可证是指有关行政许可机关根据行政相对人的申请而依法核发的批准书，它以“许可证”的名称出现，如卫生许可证、采矿许可证、捕捞许可证等。

执照一般是指许可机关颁发的准许申请人从事某种生产经济

活动的书面凭证,如驾驶执照、营业执照和行政执照。

其他许可证书,包括:(1)准许证,是某些许可证的另类名称,如准购证,计划生育机关发放的“准生证”,新闻出版机构发放的“准印证”,森林法规定的“木材运输证”,枪支管理法中规定的“携运证”、“运输证”、“持枪通行证”和“购买证”等。(2)特许证,这类许可证所针对的是一般情况下都普遍禁止的行为,只在极其特别的条件下才赋予权利,与一般许可证书相比,其条件更严格,申请程序更复杂,发放机关层次也较高。

(二)资格证、资质证或者其他合格证书。资格证、资质证是指经过考试、考核等审查程序合格,颁发给申请人的证明其能力、资格的许可证件。证件持有人可以从事某一职业或进行某种活动。例如,《内河交通安全管理条例》规定,渡口工作人员应当经培训、考试合格,并取得渡口所在地县级人民政府指定的部门颁发的合格证书。资格证、资质证是个人或组织某种资格的证明,如律师证、建筑师证是持证人资格水平的证明。资格证和资质证的效力较稳定,能在相对较长时间内起到资格证明的作用,持证人超过一定期限不行使某权能或采取某种行为则可能导致许可证失效。

(三)行政机关的批准文件或者证明文件。行政机关的批准文件是指行政机关批准有关主体从事一定活动的书面意见。例如,按照国家有关规定,开采黄金矿产,黄金管理局颁发开采黄金矿产批准书后,方准开采。又如,《森林法实施条例》规定,勘查、开采矿藏和修建道路、水利、电力和通讯等工程,需要占用或者征用林地的,用地单位应当向县级以上人民政府林业主管部门提出用地申请,经审核同意后,按照国家规定的标准预交森林植被恢复费,领取使用林地审核同意书。

行政机关的证明文件是指行政机关对特定事实予以确认的书面意见。例如,《国际海运条例》规定,国际船舶运输经营者增加运营船舶的,增加的运营船舶必须符合国家规定的安全技术标准,并应当于投入运营前 15 日内向国务院交通主管部门备案。国务院交通主管部门应当自收到备案材料之日起 3 日内出具备案证明文件。

（四）法律、法规规定的其他行政许可证件。另外，对于行政机关实施行政许可，采取对设备、设施、产品、物品进行检验、检测、检疫的，行政机关经检验、检测、检疫合格的，可以直接在设备、设施、产品、物品上加贴表示其合格的标签或者加盖印章。例如，动物防疫法规定："经检疫合格的动物、动物产品，由动物防疫监督机构出具检疫证明，动物产品同时加盖或者加封动物防疫监督机构使用的验讫标志。"

行政许可证件一经行政许可机关发放即具有法律效力。行政许可证件的法律效力取决于行政许可行为的法律效力，与行政许可行为的法律效力状态及其表现一致。行政行为的效力特性如公定力、确定力和拘束力等，一般也适用于行政许可证件，同时行政许可证件还具有证明力、拘束力，但不具有执行力。（1）公定力。即许可证件一经发放，一般即认定其合法有效从而具有法律效力。当事人如认为其违法只能在法定期限内通过复议或诉讼途径解决，并且暂不影响或停止行政许可证件的效力。当然，如果行政许可证件的发放是基于虚假或者程序严重违法的，则可认定其为无效，而不具有公定力。（2）既定力。即权益的明确。行政许可机关向申请人发放许可证，即表明许可机关认可并同意被许可人可以行使一定的权利或从事一定的活动，被许可人也只有在领取了许可证件之后才能在许可的权利范围内进行活动。（3）确定力。申请人一经取得许可证，许可机关非依法不得收回或撤销。被许可人与许可机关之间的关系是确定的。一般来说，只要许可证持有人依法使用许可证件，在许可范围内依法从事活动，许可机关就不得改变行政许可。（4）证明力。被许可人在从事有关的许可活动中，可以持许可证件向许可机关、其他行政机关以及其他公民、组织证明自己的权利能力和行政能力。(5)拘束力。许可证一经发放,被许可人必须在许可的范围内进行活动,不得违反;许可机关也不得随意加以干预,其他机关或组织、个人也不得侵犯其法定权利。

第四十条　行政机关作出的准予行政许可决定,应当予以公开,公众有权查阅。

【释义】　本条是对行政机关应当将行政许可决定予以公开的规定。

一、行政许可决定公开的意义

行政许可决定公开,即是将行政许可的结果予以公开。将行政许可的结果公开是行政公开的重要内容,对于保障被许可人、利害关系人和公众的知情权、加强对行政机关的监督具有重要意义。首先,对于利害关系人来说,行政许可决定会对其利益产生影响,尽管行政许可法规定了利害关系人有陈述、申辩及听证的权利,但行政许可决定的作出是否采纳了利害关系人提出的证据和意见,是否考虑了对利害关系人利益的保护,利害关系人都需要通过行政许可决定进行了解,然后才能决定是否采取对自身权益的相关保护措施。第二,在有数量限制的行政许可中,并不是所有申请人最终都能得到行政机关的许可,对于未获得许可的申请人来说,在有关的行政许可决定作出后,他们所关心的是行政机关是否依法采用了公平的程序,保障申请人有平等竞争的机会,获得许可的被申请人的条件是否符合行政机关事先公布的条件,行政机关的决定对自己是否存在不公正。通过行政许可决定,如果其他申请人发现行政机关的行为违法,作出的行政许可决定不公正,可以采取相应的救济措施。第三,对于公众来说,行政决定公开,使其可以了解自己需要的信息。如,在工商部门查询企业法人的登记,可以了解有关企业的情况,从而使个人和企业在与注册登记的企业进行民事活动的过程中,降低商业风险,避免损失的发生。又如,对于经检验、检测、检疫合格的产品的结果予以公开,可以使公众根据这些结果选择商品,保护使用者、消费者的权益。第四,将行政决定予以公开,使被许可人、利害关系人以及社会公众可以从决定中了解行政许可的决定过程和理由,从而增加公众对行政机关的监督的作用。

目前,一些行政机关已经规定公众查询有关行政许可决定的资料的办法,为公众提供服务。如国家工商行政管理机关制定的企业登记档案资料的查询办法规定,工商行政管理机关依照管理权限办理企业登记档案资料查询。企业登记档案资料的查询,按照提供途径,可以分为机读档案资料查询和书式档案资料查询。机读档案资料的查询内容包括:(一)企业登记事项:名称、住所、经营场所、法定代表人、负责人、经济性质或企业类别、注册资金或注册资本、经营范围、经营方式、主管部门、出资人、经营期限、注册号、核准登记注册日期等。(二)企业登记报批文件:部门批准文件、章程、验资证明、住所证明、法人资格证明或自然人身份证明、法定代表人任职文件和身份证明、名称预先核准通知书。(三)企业变更事项:核准设立子公司或分支机构日期,变更有关名称、住所、法定代表人、经济性质或企业类别、注册资金或注册资本、经营范围、经营方式等事项和各种登记文件及核准变更日期。(四)企业注销(吊销)事项:法院破产裁定、企业决议或决定、行政机关责令关闭的文件、清算组织及清算报告、核准注销(吊销)日期。(五)监督检查事项:企业被处罚记录及日期、年度检验情况(企业经营情况、财务状况、开户银行及账号除外)。书式档案资料的查询内容包括核准登记企业的全部原始登记档案资料。各组织、个人均可向各地工商行政管理机关申请进行机读档案资料查询。各级公安机关、检察机关、审判机关、国家安全机关、纪检监察机关,持有关公函，并出示查询人员有效证件，可以向各级工商行政管理机关进行书式档案资料查询。律师事务所代理诉讼活动，查询人员出示立案证明和律师证件，可以进行书式档案资料查询。书式档案资料中涉及的机密事项，须经工商行政管理机关批准方可查阅。工商行政管理机关内部审批文书，在办理涉及工商行政管理机关的案件时方可查阅。机读档案资料、书式档案资料查询，应查询人的要求，可以加盖工商行政管理机关档案资料查询专用章。

二、行政许可决定公开的例外

根据本法第五条的规定，行政许可的实施和结果应当公开，但是涉及国家秘密、商业秘密和个人隐私的内容除外。因此，一般情况下，行政许可决定应当予以公开，供公众查阅，但遇有下列情形，不得公开。

1. 国家秘密

根据我国保守国家秘密法的规定，国家秘密是关系国家的安全和利益，依照法定程序确定，在一定时间内只限一定范围的人员知悉的事项。国家秘密包括下列秘密事项：(1)国家事务的重大决策中的秘密事项；(2)国防建设和武装力量活动中的秘密事项；(3)外交和外事活动中的秘密事项以及对外承担保密义务的事项；(4)国民经济和社会发展中的秘密事项；(5)科学技术中的秘密事项；(6)维护国家安全活动和追查刑事犯罪中的秘密事项；(7)其他经国家保密工作部门确定应当保守的国家秘密事项。由于国家秘密涉及国家的安全和国家利益，因此，行政许可决定涉及国家秘密的，不能予以公开。

2. 商业秘密

关于商业秘密，目前国际上还没有统一的定义。美国的学者认为，商业秘密是指在营业中使用的、能使该秘密的所有人在同行竞争中占据优势的东西，它可以是一个配方、一项公式、一种模式或者是推销产品的计划等。我国的反不正当竞争法规定:“本条所称的商业秘密,是指不为公众所知悉、能为权利人带来经济利益、具有实用性并经权利人采取保密措施的技术信息和经营信息。”商业秘密通常表现为新技术、新方法、新工艺、新材料、新配方、新流程以及情报、经验、技巧、规程、报表、名单、计划和数据等。商业秘密必须具有经济价值,即能够为权利人带来实际的或潜在的经济利益和竞争优势。这是商业秘密与政治秘密、个人隐私等其他秘密的最为显著的区别。对商业秘密的保护,对权利人而言,维持了商业秘密的秘密状态,直接目的就是谋求经济上的利益。国家对商业秘密的保护,其目的是维护权利人的经济利益和社会的经济秩序。对于商业秘密的保护,各国主要是以合同法、侵权行为法、反不正当竞争法和刑法的有关规定予以保护。行政法在强调行政公开和公民知情权的原则下,也需要对行政许可相关方商业秘密予以保护。

3. 个人隐私

隐私是指公民个人生活中不愿为他人公开或知悉的秘密。隐私权是自然人享有的对其个人的、与公共利益无关的个人信息、私人活动和私有领域进行支配的一种人格权。

行政公开是行政机关的义务,原则上行政机关将其掌握的文件资料向公众公开,但由于行政机关掌握大量个人隐私和商业秘密,行政公开很有可能侵犯公民的隐私权,因此,有必要在规定行政公开的同时,规定对公民隐私权的保护。例如,有的国家规定,公民隐私权具体体现为以下权利:(1)了解和取得个人记录的权利。公民个人有权知道行政机关是否存有关于他的记录以及记录所记载的内容,并要求得到复制品。(2)要求修改记录的权利。个人认为关于自己的记录不正确、不完全或不及时的,可以请求行政机关修改。(3)同意权。除了法律规定的免除情形外,行政机关公开个人的记录,必须取得个人的书面同意,否则不能公开。

在某些情况下,商业秘密、个人隐私和知情权会发生冲突。一方面,公众希望知道更多的有关行政管理的情况,并对有关信息加以利用;另一方面,每个人又不希望自己以及与自己有关的情况被他人过分关注,以维护自己的隐私权。要协调隐私权和知情权的关系,就要将隐私权与知情权的权利范围予以明确界定。但我国的法律目前尚未对隐私权作出明确规定。在将行政许可决定公开时,行政机关必须在权衡因公共利益而决定公开与保护个人隐私之间的关系。第一,行政机关收集的申请人的有关情况,应当是行政机关作出行政许可决定所必需的,行政机关不得要求申请人提交与行政许可事项无关的材料。第二,行政机关将行政许可决定公开,涉及申请人的有关情况,应当经申请人同意。第三,在我国目前情况下,行政机关在行政许可决定公开的问题上,对于个人隐私、商业秘密的认定不宜过宽,尤其是对于本身具有公示的作用行政许可更是如此。如企业法人登记,其功能一是为企业赋予法人资格,允许其从事经营活动。登记的另一个很重要的功能是对企业的营业状态予以公示,保护交易安全。如果过多将企业的有关情况认定为商业秘密,登记的公示作用就无法发挥。

第四十一条　法律、行政法规设定的行政许可,其适用范围没有地域限制的,申请人取得的行政许可在全国范围内有效。

【释义】 本条是对行政许可的地域效力的规定。

行政许可的适用范围,有的有地域限制,对于没有特别的地域限制的许可,则在全国范围内有效。一般来说,对于行为的许可,有地域限制的较多。例如,集会游行示威活动,必须在有关机关指定的路线和区域范围内进行。又如,根据烟草专卖法的规定,取得烟草专卖批发企业许可证的企业,应当在许可证规定的经营范围和地域范围内,从事烟草制品的批发业务。对于资格资质的许可,没有地域限制的较多。例如,律师法规定,律师执业不受地域限制。根据海关关于报关员资格考试的管理规定,报关员资格证书是从事报关工作的专业资格证明,在全国范围内有效。《锅炉压力容器制造监督管理办法》规定:“制造企业依据本办法取得的《制造许可证》在全国范围内有效。各地相关部门不得进行重复审查、重复发证。”

行政许可的实施有地域管辖。所谓地域管辖,是指同级人民政府及其所属部门在各管辖区内实施行政许可的权限分工。一般来说,行政许可实施的地域管辖并不影响行政许可的适用范围。例如,《特种设备质量监督与安全监察规定》规定:“安装、维修保养、改造单位必须具备相应的条件,向所在地省级特种设备安全监察机构或者其授权的特种设备安全监察机构申请资格认可,取得资格证书后,方可以承担认可项目的业务。该资格证书在全国范围内有效。”但有的行政许可的适用范围与实施机关的管辖范围一致,例如,种子法规定:“通过国家级审定的主要农作物品种和主要林木良种由国务院农业、林业行政主管部门公告,可以在全国适宜的生态区域推广。通过省级审定的主要农作物品种和主要林木良种由省、自治区、直辖市人民政府农业、林业行政主管部门公告,可以在本行政区域内适宜的生态区域推广;相邻省、自治区、直辖市属于同一适宜生态区的地域,经所在省、自治区、直辖市人民政府农业、林业行政主管部门同意后可以引种。”

根据行政许可法本条的规定,法律、行政法规设定的行政许可原则上在全国范围内有效,但法律、行政法规规定行政许可的适用有地域范围的除外。这一规定的目的主要在于防止某些地方政府和部门利用行政许可权力推行地方保护。据报道,某地政府为限制某一外埠品牌的汽车进入本地市场,规定凡私人、私企、三资企业在购买该品牌的汽车时,除缴纳一般费用外,还要另外再交数万元的“特困企业解困基金”。这实际上是对该品牌汽车的销售进行地域限制,是不符合市场经济要求的。发展市场经济,要求地区、行业和企业间的商品和生产要素,按照价值规律向最有效益的方向流动,形成良好的协调关系,最终达到社会资源的有效配置。行政许可的设定和实施,都必须有利于市场经济的建立和发展。对行政许可的地域效力进行不当限制,是与市场经济相背离的,因而是违法的行为。

第三节 期 限

第四十二条 除可以当场作出行政许可决定的外,行政机关应当自受理行政许可申请之日起二十日内作出行政许可决定。二十日内不能作出决定的,经本行政机关负责人批准,可以延长十日,并应当将延长期限的理由告知申请人。但是,法律、法规另有规定的,依照其规定。

依照本法第二十六条的规定,行政许可采取统一办理或者联合办理、集中办理的,办理的时间不得超过四十五日;四十五日内不能办结的,经本级人民政府负责人批准,可以延长十五日,并应当将延长期限的理由告知申请人。

【释义】 本条是对作出行政许可决定的期限的规定。

一、规定期限的意义

在行政许可程序中规定期限,具有重要意义。首先,设定期限是提高行政效率的基本途径之一。检验行政程序得失的基本标准,一是公正性,二是及时性。如果没有期限的约束,及时性就难以做到。其次,设定期限是行政程序的基本手段,行政程序不仅包括行政机关或相对人一方的活动,在需要共同行为的活动中,期限是对活动进行统一的手段。第三,设定期限可以使行政程序的各方主体预知自己的行为及其后果。

二、期限的概念和种类

期间是指程序主体完成一定行为的时间界域。以期间的时间界域为标准,期间可以分为期限和期日。作出行政许可决定的期限是指行政机关从受理行政许可,经审查直至作出行政许可决定的时间限制。期日是指程序主体共同为某种行为的日期或时间。

以期间形成的原因和根据为标准,可以将期间分为法定期间和指定期间。法定期间是指法律直接规定的期间,是基于某种法定事实的发生而开始。如本条规定,行政机关应当自受理行政许可申请之日起 20 日内作出是否准予行政许可的决定,即属于法定期间。指定期间是指行政许可机关根据实际情况依职权指定进行某项具体行政行为的期间。如行政机关告知申请人、利害关系人享有听证权利的时间。

以期间能否变动为标准,可将期间分为不变期间和可变期间。不变期间,指期间一经确定,非有法律规定的情形,不得随意变更。例如,本法规定行政机关应当于举行听证的 7 日前将举行听证的时间、地点通知申请人、利害关系人,必要时予以公告。可变期间是指期间确定以后,由于情况变化,在确定的期间内完成某一项行政许可有困难的,行政许可机关变更原定的时间。本条规定,如果行政许可机关在 20 日内不能作出行政许可决定的,经本行政机关负责人批准,可以延长 10 日,就是对可变期间的规定。延长期间的原因,一般是由于行政许可的情况比较复杂,行政许可机关无法在法定的时间内审查完毕。但由于申请人的原因而延长的时间,不应计算在期限内。

根据本法的规定,除可以当场决定的外,行政机关应当自受理行政许可申请之日起 20 日内作出是否准予行政许可的决定。法律、法规对作出是否准予行政许可的决定另有规定的,依照其规定。目前,我国的法律、法规、规章对作出行政许可决定的期限规定长短不一。例如,《文物保护法实施条例》规定,运送、邮寄、携带文物出境,文物进出境审核机构应当自收到申请之日起 15 个工作日内作出是否允许出境的决定。《药品管理法实施条例》规定,开办药品生产企业办理药品生产许可证,省、自治区、直辖市人民政府药品监督管理部门应当自收到申请之日起 30 个工作日内进行审查,并作出是否同意筹建的决定。

三、国外的有关规定

关于行政机关作出行政行为的期限,各国一般在行政程序法中作出规定,但期限的长短各异。奥地利行政程序法规定:"对当事人的申请的诉愿,除非法律另有规定,行政机关应当自接到申请之日起 6 个月内裁决,不得延迟。"西班牙行政程序法规定:"行政程序自开始至作出裁决的不得超过 6 个月,除非遇到具有正当利益的例外情况的阻止。例外情况应当记录,并由有关的处长签字。"葡萄牙行政程序法规定:"(一般程序)一、除第 108 条及第 109 条规定,法律无特别规定或者行政当局没有定出期间外,行政机关作出行为的期间为 10 日。二、利害关系人申请任何行为或作出任何行为、促成采取措施、对于其表明立场的事项作出答复,或在程序中行使其他权力的期间同样为 10 日。"

四、其他法律、法规规定的期限与本法的规定不一致如何适用

根据本法的规定,除可以当场决定的外,行政机关应当自受理行政许可申请之日起 20 日内作出是否准予行政许可的决定。对于法律、法规对作出是否准予行政许可的决定另有规定的,依照其规定。

五、采取统一办理或者联合办理、集中办理方式作出行政许可决定的期限

行政许可采取统一办理或者联合办理、集中办理的，由于涉及多个行政许可机关的办理期限，加起来办理期限会很长，因此本法规定办理的时间不得超过45日；45日内不能办结的，经本级人民政府批准，可以延长15日，并应当将延长期限的理由告知申请人。

六、期间的计算

根据本法第八十二条的规定，行政许可期间的规定是指工作日，不含法定节假日。根据民事诉讼法有关期间的规定，期间以时、日、月、年计算。期间开始的时和日，不计算在期间内，而是从开始后的次时、次日起算，即从下一小时和第二日的零点开始起算。

第四十三条　依法应当先经下级行政机关审查后报上级行政机关决定的行政许可，下级行政机关应当自其受理行政许可申请之日起二十日内审查完毕。但是，法律、法规另有规定的，依照其规定。

【释义】　本条是对下级行政机关进行初审的审查期限的规定。

由于客观情况或者行政许可事项的重要性，法律、法规规定一些行政许可申请须先经下级行政机关审查同意后报上级行政机关决定。设置层级审查，是为了保证对有关申请的审查的正确性，但层级审查，使申请需要经过两级部门审查，申请人取得许可要等较长的时间。在目前一些规定层级审查的法规中，没有对下级机关的初步审查的期限作出规定，这种情况不利于申请人及时取得许可。如《血液制品管理条例》规定：“申请设置单采血浆站的，由县

级人民政府卫生行政部门初审，经设区的市、自治州人民政府卫生行政部门或者省、自治区人民政府设立的派出机关的卫生行政机构审查同意，报省、自治区、直辖市人民政府卫生行政部门审批；经审查符合条件的，由省、自治区、直辖市人民政府卫生行政部门核发《单采血浆许可证》，并报国务院卫生行政部门备案。”这里只规定了进行初审的行政机关报审的程序，但没有对初审的期限，即下级行政机关在多长时间内提出初审意见作出规定。本法施行后，对于法律、法规未对初审期限作出规定的行政许可，应当依照本条规定办理。但法律、法规另有规定的，依照法律、法规的规定。

第四十四条　行政机关作出准予行政许可的决定，应当自作出决定之日起十日内向申请人颁发、送达行政许可证件，或者加贴标签、加盖检验、检测、检疫印章。

【释义】　本条是对行政机关颁发、送达行政许可证件的期限的规定。

一、送达的概念

送达是行政许可机关按照法定的程序和方式，将依法制作的行政许可证件送交被许可人的行为。在行政许可中，送达的主体是行政许可机关，送达的内容是行政机关制作的行政许可证件或者加贴的标签，加盖的检验、检测、检疫印章，送达的对象是申请人。送达是一种法律行为，即能够产生一定的法律后果，因此，送达必须按照法定程序和方式进行，否则不能产生法律效力，达不到预期的后果。

二、送达的日期和方式

送达日期是确定法律文书是否生效的重要依据，是确定法定后果的必要条件。本法规定，行政机关作出准予行政许可的决定，应当自作出决定之日起 10 日内向申请人送达。

根据民事诉讼法的规定,送达一般有六种方式:

一是直接送达。即行政许可机关将行政许可证件直接送达本人或其法定代理人、法定代表人、委托代理人或者其他代收人。行政许可证件一般应采用直接送达的方式。只有在无法直接送达或者直接送达有困难的情况下,才考虑采取其他送达方式。

二是留置送达。即受送达人或者其同住的成年家属拒绝接收行政许可证件的,送达人可以邀请有关基层组织或者所在单位的代表到场,说明情况,在送达回证上记明拒收事由和日期,由送达人、见证人签名或者盖章,把行政许可证件留在受送达人的住所,即视为送达。由于行政许可证件是依申请人的申请作出的授益性行政行为,实践中留置送达的情形是少有的。

三是委托送达。即行政许可机关委托受送达人所在地的行政机关代为送达。委托送达是基于许可机关不能直接送达,或者不便直接送达而采用的一种送达方式。

四是邮寄送达。即行政许可机关通过邮局,把行政许可证件用挂号信函寄送给受送达人。邮寄送达虽然简便易行,但时间上可能难以保障。邮寄送达的,以挂号回执上注明的收件日期为送达日期。

五是转交送达。只能在法定条件下才能采用,只有负有转交义务的单位,才可以接受委托。

六是公告送达。即行政许可机关通过张贴公告、登报或者广播等方式,说明需要送达的行政许可证件的内容。公告送达必须在受送达人下落不明,或者用其他方法无法送达的情况下才能采用。公告送达经过一定的期限即视为送达。

三、送达回证

送达回证是证明行政许可证件已经送达申请人的凭证。为了在发生争议时有据可查，所以要求送达行政许可证件必须有送达回证，由受送达人在送达回证上记明收到日期，签名或者盖章。受送达人在送达回证上记明收到日期。

第四十五条　行政机关作出行政许可决定，依法需要听证、招标、拍卖、检验、检测、检疫、鉴定和专家评审的，所需时间不计算在本节规定的期限内。行政机关应当将所需时间书面告知申请人。

【释义】　本条是对一些行政许可的审查方式不计算在期限内的规定。

在计算期间的时候，有些时间必须扣除。根据本法的规定，依法需要听证、招标、拍卖、检验、检测、检疫、鉴定和专家评审的，所需时间应从作出行政许可决定的期限内扣除。作出这一规定，主要是考虑到上述方式所需时间较长，无法将其计算在期限内。但法律同时要求行政机关应当将上述方式所需的时间书面告知申请人，使申请人对作出许可决定的期限可以预期。

第四节　听　　证

第四十六条　法律、法规、规章规定实施行政许可应当听证的事项，或者行政机关认为需要听证的其他涉及公共利益的重大行政许可事项，行政机关应当向社会公告，并举行听证。

【释义】　本条是对行政机关依职权进行听证的规定。

一、行政许可听证的范围

听证程序是行政机关作出行政行为前给予当事人就重要事实表示意见的机会，通过公开、公正、民主的方式达到行政目的程序。就其作用而言，听证应当适用于所有行政机关的行政行为。但采用听证程序必然要发生人力、财力的成本，因此，不可能所有的行政行为作出之前均要求举行听证。那么,制定一个科学、合理的听证程序的范围就是十分必要的。确定听证的范围必须遵循一定的原则,即个人利益与公共利益均衡原则和成本不大于效益原则。首先,听证程序范围的设置必须均衡个人利益与公共利益关系,即在有可能严重侵害个人利益的情形下适用听证程序;遇有一般情形,应允许行政机关自由裁量决定是否适用听证程序;在轻微影响当事人权益的行政决定或当事人放弃获得听证权利的情况下,不适用听证程序。遇有个人利益与国家公共利益发生严重冲突的情形,则应优先考虑公共利益。这就是各国在国家安全、军事、外交领域及紧急情况下均不适用听证程序的原因。第二,听证程序的设置还涉及成本与效益的关系。这里的成本是指行政机关适用听证程序必须负担的人力和财力。效益是指适用听证产生的经济社会综合效益。如果仅考虑该程序带来的经济社会效益,忽视其耗费的成本,那么它也是没有生命力的程序制度。而如果为了避免人力的耗费而不适用听证程序,从短期局部利益看,也许降低了成本,但从长远和全局看,却是对行政目的和社会利益、个人利益的严重损害,是需要更昂贵的代价弥补的。因此,确定听证程序适用范围必须综合考虑成本与效益的关系,在成本不大于综合效益的前提下进行。

从各国的行政程序立法看,原则上将听证程序限定于行政机关作出对当事人不利的行为中。但对于何为"对当事人不利的行为",行政机关拒绝申请许可的行为是否为不利行政行为,则有不同的意见。一种观点认为,拒绝当事人申请的情形,由于当事人尚未存有具体的法律地位,所以即使拒绝,也不致对其权利产生干涉的效果,所以当事人无权要求听证。具体而言,如果当事人本来就没有请求的权利,且行政机关拒绝也是合法的,当然就不会损害他的权利。如果当事人具有请求权而受到行政机关违法拒绝时,由于当事人的法律地位,尚须经由许可处分才能加以确认,在未确认前,他仍未获得法律地位,所以行政机关的拒绝也无干涉可言。例如,日本行政程序法规定的“不利益处分”就不包括“拒绝申请”的行为,该法关于申请,并未设有听证等程序上的权利。另一种观点则认为,行政机关拒绝申请的行为与其他干涉行为并无区别。虽然申请人在未获许可前并无特定权益和法律地位,但他根据法律规定提出申请本身就证明他与行政机关之间存有不同于普通人的法律关系,行政机关作出的行为必然直接影响到他可能享有的权益。因而,行政机关作出不利于申请人的拒绝行政行为时,应当给予申请人一个陈述其观点、说明事实情况的机会。例如,荷兰行政程序法规定:“行政机关作出否定一个申请的全部或一部分的决定之前,该行政机关应当给予申请人让他陈述其观点的机会,即听证。”在普通法国家,人们公认许可权是一项极大的影响公民权利与自由,特别是影响人的生计的重要权利,单就这一点就要求行政程序必须公正。没有必要划清要求颁发许可证的初次申请与吊销或不延长已发许可证之间的原则界限。初次许可申请人在被拒绝批准前通常应当被允许陈述案由。

根据本条的规定,行政机关作出行政许可决定,在下列情况下,应当主动举行听证:(1)行政机关认为需要听证的涉及公共利益的重大行政许可事项;(2)法律、法规、规章规定实施行政许可应当听证的事项。

二、行政机关依职权应当进行听证的情形

1. 法律、法规、规章规定实施行政许可应当听证的事项

对于行政许可行为的听证,目前在我国的法律、法规、规章中作规定的还为数较少,只有个别的作了规定。如《公共文化体育设施条例》规定:“因城乡建设确需拆除公共文化体育设施或者改变其功能、用途的,有关地方人民政府在作出决定前,应当组织专家论证,并征得上一级人民政府文化行政主管部门、体育行政主管

部门同意,报上一级人民政府批准。""涉及大型公共文化体育设施的,上一级人民政府在批准前,应当举行听证会,听取公众意见。"《外国投资者并购境内企业暂行规定》规定:"外国投资者并购境内企业涉及本规定第19条所述情形之一,外经贸部和国家工商行政管理总局认为可能造成过度集中,妨害正当竞争、损害消费者利益的,应自收到规定报送的全部文件之日起90日内,共同或经协商单独召集有关部门、机构、企业以及其他利害关系方举行听证会,并依法决定批准或不批准。"《利用外资改组国有企业暂行规定》规定:"利用外资改组国有企业,改组方应当向同级经济贸易主管部门提出改组申请。接受申请的经济贸易主管部门应当依照《指导外商投资方向规定》的权限和有关法律法规进行审核。中央企业及其全资或具有控制权的企业进行改组的、被改组企业直接或间接持有上市公司股权的、改组后的企业资产总额不低于3000万美元的,由国务院经济贸易主管部门审核;对可能导致市场垄断、妨碍公平竞争的,在审核前组织听证。"上述规定中设置的听证程序,主要是从公共利益的角度考虑的。随着我国民主程度的进一步提高,法律、法规和规章中规定听证程序的将越来越多。凡法律、法规和规章中明确规定听证程序,行政许可属于其规定的情形的,行政机关在作出行政许可决定前,应当举行听证。

2. 行政机关认为需要听证的其他涉及公共利益的重大行政许可事项

行政许可是一种授益性的行政行为,对于申请人来说,取得行政许可,意味着获得一种权利能力,有权从事某种活动。因此,行政机关应申请人的要求作出颁发行政许可的决定,申请人不会要求听证。但是,一些行政许可涉及公共利益的重大事项,如征地拆迁、环境污染和城市建设等,影响的是不特定的多数人的利益,且这种影响一般是全局性的、长期的和潜在的。个别的公民、法人和其他组织由于对信息掌握等原因,在行政许可对其当下的切身利益没有直接影响的情况下，他们并不能够立即感知或了解行政许可可能对他们的将来产生的直接或间接的影响，因此，这时他们也不会要求听证。但这类行政许可实施后，又确有可能对社会带来很大的影响。这就要求行政机关对行政许可申请进行审查的过程中，应当考量行政许可事项是否会影响到公共利益。如果行政机关认为行政许可事项对公共利益可能产生较大的影响，行政机关就应当将有关的行政许可事项予以公告，使社会对此予以关注，听取社会各界包括有关专家的意见。行政机关经过对申请人的利益与公共利益进行考量后，认为准予许可不会对公共利益造成损害的，应当作出准予许可的决定；反之，则应拒绝颁发许可。

第四十七条　行政许可直接涉及申请人与他人之间重大利益关系的，行政机关在作出行政许可决定前，应当告知申请人、利害关系人享有要求听证的权利；申请人、利害关系人在被告知听证权利之日起五日内提出听证申请的，行政机关应当在二十日内组织听证。

申请人、利害关系人不承担行政机关组织听证的费用。

【释义】　本条是对行政机关依申请进行听证的规定。

一、行政许可直接涉及申请人与他人之间重大利益关系的，申请人和利害关系人有要求听证的权利

1.“他人”的范围。这里的“他人”是指行政机关和申请人以外的同行政许可的实施有直接利益关系的个人或组织。在有数量限制的行政许可中，虽然申请人之间是竞争关系，存在直接的利益关系，甲申请人取得许可，乙申请人便不能取得许可，但申请人之间在申请的过程中，相互间不构成第三人关系。在这个过程中，行政机关通过招标、拍卖程序等法定方式，调整申请人之间的关系和取得许可的优先顺序，确定被许可人，而不必使用听证程序。

2. 直接涉及申请人与他人之间重大利益关系的界定。在现实中较常见的是，涉及申请人与第三人之间民事的相邻权关系。例如，申请人拟在某地实施一个建设项目，该项目将对其周围的个人、组织的生产经营和生活带来较大的影响，如给民居造成的采光影响、噪声污染或水源污染等，或者该项目使周边原有企业无法开展正常的生产经营活动等。如果实施了申请的行政许可，则会给利害关系人造成损害。在有数量限制的许可中，后申请的人与已取得行政许可的被许可人，一般来说存在竞争关系，如果已取得行政许可的个人或组织，认为申请的行政许可将给其经济利益造成较大损失，是否构成“直接涉及申请人与他人之间重大利益关系”？有的认为，在这种情况下，申请的行政许可可能给已取得行政许可的人造成的不是对其已有财产的损害，而是间接损失，不属于“直接涉及申请人与他人之间重大利益关系”。一般来说，直接损失与间接损失的划分，对于违约责任、侵权责任的认定，是至关重要的。作出是否准予的行政许可决定，无论是会造成直接损失，还是造成间接损失，都是对申请人或第三人的一种不利处分，都是关系到其重大利益的，因此，应当适用听证程序。当然对间接损失的认定，不能无限扩大，应当遵循合理预期的原则。在美国的行政程序中，竞争人甚至消费者都属于利害关系人。例如，美国联邦电讯委员会批准了一项要求建立一个电台的申请，这个电台将使用与另一利害关系人的电台使用的同一频率。新设的电台对利害关系人的电台会产生电波干扰，因此，在此申请被批准以前利害关系人有权作为当事人介入听证程序。在另一个案件中，美国联邦电讯委员会批准，在该地区另建一个电台之前，正在开业的电台所有人有获得听证的权利，因为新电台对广告收入的竞争，将使其遭受经济损害。

至于何为“重大利益”，本法没有作出具体规定。对于申请人和第三人来说，许多事项自身的利益都被认为是其重大利益，本法中将认定权授予行政机关,行政机关对此有一定的自由裁量权。

二、行政机关的义务

1. 告知的义务。如果行政机关认定行政许可直接涉及申请人与他人之间重大利益关系,行政机关在作出行政许可决定前,必须告知申请人、利害关系人有要求听证的权利。申请人、利害关系人有权要求举行听证,同时也有权放弃听证的权利。由于拟作出的行政许可决定,一般来说对申请人和利害关系人的影响是不同的,其中一方将承受不利影响。因此,对于申请人和利害关系人中一方放弃听证,另一方尤其是将承受不利影响的一方要求听证的,行政机关应当举行听证。行政机关告知申请人、利害关系人有听证的权利,一般来说应当以书面的形式告知。申请人和利害关系人在被告知听证权利之日起 5 日内提出听证申请的,应向行政机关提交书面申请。除非遇有不可抗力或者有正当的理由,申请人、利害关系人在被告知 5 日内未提出书面申请的,视为放弃听证。

2. 在法定期限内举行听证。行政机关在收到申请人、利害关系人要求举行听证的申请书之日起 20 日内,应当举行听证。

3. 承担听证费用。组织听证的费用指行政机关举行听证所支付的费用,如必要的办公经费等,不包括当事人聘请律师、取得证据等个人所应支付的费用。组织听证的费用,由行政机关承担,申请人、利害关系人不承担听证的费用。作出这样的规定,是为了保障当事人行使听证的权利。

第四十八条　听证按照下列程序进行:

(一)行政机关应当于举行听证的七日前将举行听证的时间、地点通知申请人、利害关系人,必要时予以公告;

(二)听证应当公开举行;

(三)行政机关应当指定审查该行政许可申请的工作人员以

外的人员为听证主持人，申请人、利害关系人认为主持人与该行政许可事项有直接利害关系的，有权申请回避；

（四）举行听证时，审查该行政许可申请的工作人员应当提供审查意见的证据、理由，申请人、利害关系人可以提出证据，并进行申辩和质证；

（五）听证应当制作笔录，听证笔录应当交听证参加人确认无误后签字或者盖章。

行政机关应当根据听证笔录，作出行政许可决定。

【释义】　本条是对听证程序的规定。

1. 关于听证通知

听证涉及当事人的重要权利，当事人必须了解听证所涉及的事项，听证如何进行，只有这样才能进行充分的准备。因此，在合理的时间前得到通知是当事人的权利，也是程序公平的要求。通知一般采用书面的方式进行，必要时，可以公告。关于通知的时间，本法规定应当于举行听证的7日前通知。通知的内容除举行听证的时间、地点外，一般还应包括听证所要涉及的问题，行政机关拟作出的行政许可决定的内容以及当事人程序上的权利。

2. 关于听证公开原则

行政许可听证应当公开举行，这就要求在听证的过程中，允许公众，特别是新闻记者在场旁听。对于当事人来说，公开听证是行政决定获得其认可的基础。通过公开听证，即使作出的行政决定不利于当事人，但由于该决定是通过公正的程序作出的，当事人也较容易接受并执行。对于公众来说，参与听证可以了解行政决策的过程，并加强对行政机关的监督。对于行政机关来说，公开听证，可以增强行政机关及其工作人员的责任心，同时也是对公众进行教育的机会。

如果听证的事项涉及国家秘密、商业秘密或者个人隐私的，不应公开举行听证。

3. 关于听证主持人

听证主持人在听证程序中的地位类似司法程序中的法官，他负责听证程序的进行。听证主持人是否具有独立地位，对于听证程序的公正性十分重要。为此，指定听证主持人应当遵循职能分离的原则。根据本法的规定，行政机关应当指定审查行政许可申请的工作人员以外的人员为听证主持人，也就是说，听证主持人可以是同一行政许可机关的工作人员，但不能是负责行政许可审查的工作人员。职能分离原则，是为了有利于听证主持人在听证的过程中能够客观公正，不将其调查时得到的印象带到听证程序中来，避免偏见。

为保障听证主持人的独立性，本法规定，申请人或者利害关系人认为主持人与本行政许可事项有直接利害关系的，有权申请回避。利害关系，主要指经济上的利害关系，即个人对案件的裁决结果能直接得到利益或丧失利益。主持人与行政许可事项有直接利害关系的，主持人应当主动申请回避，申请人或者利害关系人也有权申请回避。

在听证的过程中，听证主持人享有指挥听证的进行、讯问证人、安排证据的调查顺序、对妨碍听证的人采取必要的措施、对听证中出现的程序问题作出决定等权力。

4. 关于举证和质证

（1）举证责任。在听证程序中，负责审查行政许可申请的行政机关，负有主要的举证责任，行政机关应当提供审查意见，包括拟作出行政许可决定的证据、理由和依据。这是因为，首先，听证的内容不仅包括拟作出行政许可决定的事实和依据，还包括行政机关拟作出的决定本身。行政机关在审查行政许可申请的过程中，应当充分进行调查、收集证据，然后依据事实和有关法律提出审查意见。行政机关在行政许可程序中的职权，决定其在听证中应当负主要的举证责任。第二，只有行政机关对审查意见提供充分的证据、理由和依据，申请人或者利害关系人才能了解行政机关的审查意见是否有事实和法律的依据，才能有针对性地进行申辩和质证。

对于申请人和利害关系人来说，提出自己的主张并提供相关的证据，既是当事人的权利，也是其义务。听证程序就是听取当事人的意见，听证的性质决定了申请人和利害关系人在听证过程中更多的是享有权利，而不是承担义务。因此，举证主要是申请人和利害关系人的权利。另一方面，申请人或者利害关系人实际上掌握和控制着有利于自己的一些证据，在某类案件中，由行政机关承担举证责任往往困难较大，而当事人承担举证责任则比较容易。由其承担一定的举证责任不仅符合公平的要求，同时也有利于提高行政效率。

听证主持人不直接参加本案的调查取证，但应参与各方讨论，促使当事人阐明不清楚的申请内容，完善不充分的陈述，并对有关事实进行解释。

(2)质证。听证程序中，申请人和利害关系人不仅有提供证据为自己辩护的权利，而且还享有知晓和驳斥行政机关提供的证据的权利。质证是辨别证据真伪的有效办法，既是当事人的权利，又是听证程序中的一项必要的手段。但质证不能滥用，否则就会导致拖延时间，降低效率。因此，在听证程序中，听证主持人应当根据具体情况，限定质证的范围。例如，对于重复的和与案件无关的证据，不需要质证；可以凭直接观察、测验或计算而确定的事实，不需要质证；传闻证据不需要质证，等等。

5. 关于听证笔录

在听证程序中，行政机关应当对听证过程进行书面记录，制作成听证笔录。听证笔录一般应当包括以下内容：(1)听证案件名称；(2)听证主持人的姓名、职称；(3)到场的当事人的姓名、住址等；(4)听证的时间、地点；(5)听证是否公开；(6)当事人的陈述、申辩和发问;(7)证据调查的内容;(8)主持人认为重要的其他事项。在听证结束时,听证笔录应当出示给听证参加人,并由审查行政许可申请的工作人员、申请人、利害关系人以及证人确认听证记录无误后签字或者盖章。

6. 作出听证决定的依据

从各国行政程序法关于听证会制度的规定来看,都对听证记录对行政机关的最终决定的约束力作了规定,但听证记录对行政机关决定的约束力程度不一样。有两种做法:一种是美国的案卷排他性原则,即行政机关的决定必须根据听证会案卷作出,不能在案卷之外,以当事人不知道或没有论证的事实作为行政决定的根据,否则,行政裁决无效。案卷排他性原则在美国被认为是正式听证的核心内容,其目的在于维护听证的公正性,有的观点认为,如果行政机关可以根据听证以外的证据作出决定,当事人的听证权就会毫无意义。另一种是德国、韩国、日本和瑞士等国家规定的听证记录对行政决定的作出有一定的约束力,但行政决定不是必须以听证记录作根据。根据这些国家行政程序法的规定,听证记录对行政机关的决定有一定的约束力,行政机关应斟酌听证记录作出行政决定,但行政机关不是必须以听证记录为根据,只有在行政程序法之外的其他法律明确规定以听证记录为根据的,行政机关才必须以听证记录为根据而不能以听证记录之外或当事人不知道或没有论证的事实作根据。

目前,我国的行政处罚法、价格法以及一些法规、规章对听证程序作出了规定,但由于缺乏听证笔录对行政决定的约束力的规定,导致一些听证会听而不证,没有真正发挥听证会制度保护公民重大合法权益、保证行政机关作出正确决定的作用。在本法中,听证笔录对行政许可决定的约束力,作出了明确的规定,即行政机关应当根据听证笔录,作出是否准予行政许可的决定。

第五节　变更与延续

第四十九条　被许可人要求变更行政许可事项的，应当向作出行政许可决定的行政机关提出申请；符合法定条件、标准的，行政机关应当依法办理变更手续。

【释义】　本条是对行政许可的变更的规定。

行政许可的变更，是指根据被许可人的请求，行政机关对许可事项的具体内容在许可被批准后加以变更的行为。许可证具有确定力。无论是对持证人还是对许可机关，许可证一经颁发，非经法定程序不得随意变更。但随着情况的发展变化，原先的许可内容可能不再适应被许可人的需要，此时被许可人可以向许可主体申请变更许可内容。行政许可的被许可人，在从事行政许可的有关活动中，如果对行政许可中所列的事项需要变更或者其活动需要超出许可范围的，应当向作出准予行政许可决定的机关提出对原许可事项予以变更的申请。对被许可人而言，未经行政许可机关通过法定程序，持证人不得自行更改许可证内容，或从事超出许可范围的活动。对行政许可机关而言，变更许可证应对变更申请进行认真审查，确定其是否符合法定的条件和标准，并且依照法定程序办理变更手续。行政许可的变更实质上是对原行政许可的修改，一般须许可主体审查后重新核发许可证。变更的原因可能是活动内容、方式或性质发生改变，原许可证不能适用。变更的内容，可以是许可的条件、范围等。例如，民办教育促进法第五十四条规定：民办学校举办者的变更，须由举办者提出，在进行财务清算后，经学校理事会或者董事会同意，报审批机关核准。第五十五条规定：民办学校名称、层次或类别的变更，由学校理事会或者董事会报审批机关批准。申请变更为其他民办学校，审批机关应当自受理之日起 3 个月内以书面形式答复；其中申请变更为民办高等学校的，审批机关也可以自受理之日起6个月内以书面形式答复。消防法规定：“经公安消防机构审核的建筑工程消防设计需要变更的，应当报经原审核的公安消防机构核准；未经核准的，任何单位或个人不得变更。”执业医师法规定：“医师变更执业地点、执业类别或执业范围等注册事项的，应当到准予注册的卫生行政部门依照本法第十三条的规定办理变更注册手续。”对于合法或正当的要求，行政机关认为被许可人的申请符合法定条件和标准的，行政机关应当依法办理变更手续；需要重新更换许可证的，应当予以更换。及时的变更不仅有利于维护公民、法人和其他组织的权益，也有利于维护国家和社会的利益。而对于违法或不适当的变更要求，行政许可机关有权予以拒绝。

第五十条　被许可人需要延续依法取得的行政许可的有效期的，应当在该行政许可有效期届满三十日前向作出行政许可决定的行政机关提出申请。但是，法律、法规、规章另有规定的，依照其规定。

行政机关应当根据被许可人的申请，在该行政许可有效期届满前作出是否准予延续的决定；逾期未作决定的，视为准予延续。

【释义】　本条是对行政许可的延续作出的规定。

一、行政许可有效期延伸的一般规定

一般来说，行政许可证件是有期限的，被许可人只能在行政许可的有效期内从事许可活动，行政许可超过有效期的，从事行政许可的有关活动便没有法律依据，是违法的。因此，被许可人需要在有效期届满后继续从事有关活动的，应当在有效期届满前，向行政机关申请延伸行政许可的有效期。根据本法的规定，被许可人需要延伸行政许可有效期的，应当在该行政许可有效期届满30日前向作出准予行政许可决定的行政机关提出申请。例如，《注册建筑师条例》规定："注册建筑师注册的有效期为2年。有效期届满需要继续注册的，应当在期满前30日内办理注册手续。"《矿产资源勘查区块登记管理办法》第十条规定："勘查许可证有效期最长为3年；但是，石油、天然气勘查许可证有效期最长为7年。需要延长勘查工作时间的，探矿权人应当在勘查许可证有效期届满的30日前，到登记管理机关办理延续登记手续，每次延续时间不得超过2年。探矿权人逾期不办理延续登记手续的，勘查许可证自行废止。"

由于行政许可事项涉及的领域很广，对不同事项采取的审查方式不同，对某些事项的审查需要较长时间，因此，本法规定对于法律、法规和规章对提出行政许可延续申请的期限另有规定的，依照其规定。《船舶登记条例》规定："船舶国籍证书有效期届满前1年内，船舶所有人应当持船舶国籍证书和有效船舶技术证书，到船籍港船舶登记机关办理证书换发手续。"《药品管理法实施条例》规定："《药品生产许可证》有效期为5年。有效期届满，需要继续生产药品的，持证企业应当在许可证有效期届满前6个月，按照国务院药品监督管理部门的规定申请换发《药品生产许可证》。"《电信业务经营许可证管理办法》规定："经营许可证有效期届满，需要继续经营的，应当提前90日，向原发证机关提出续办经营许可证的申请。不再继续经营的，应当提前90日向原发证机关报告，并做好善后工作。"本法施行后，上述规定在不与上位法抵触的情况下，对提出行政许可延续申请的期限的规定可以不作修改。

二、延续申请的默视批准

被许可人在行政许可有效期届满30日前向行政许可机关提出延续申请，行政机关应当在该行政许可有效期届满前作出是否准予延续的决定。如果行政机关逾期既没有作出准予延续的决定，也没有作出不予延续的决定，在这种情况下，根据本法，推定为行政机关准予延续。行政机关没有在法定期限内对申请作出答复,可以产生两种法律后果。在行政法理论中,将行政机关沉默推定为批准申请的,称为默视批准;将行政机关沉默推定为不批准申请的,称为默视驳回。何种情形产生默视批准后果,何种情形产生默视驳回后果,需要由法律作出明确规定。从有利于促使行政机关对申请及时作出答复,使申请人的法律地位早日得以确定的意义上来说,默视批准具有积极意义。但另一方面,行政机关没有对当事人的申请进行实体审查就被推定赋予申请人某种资格,在某些情况下不利于公共利益的保护。因此,必须合理界定默视批准的适用范围。根据本法的规定,默视批准只适用于延续申请,不适用于行政许可的初次申请和行政许可的变更。作出这样的规定,主要是考虑到:一是被许可人在从事有关活动时,与其他公民或组织会发生一定的民事权利义务关系。被许可人在有效期届满前提出延续申请,行政机关未作出是否批准的决定,对于行政许可机关的默视如果不作出推定,将会使被许可人的民事权利义务关系处于一种不确定状态,可能会对被许可人、利害关系人的利益产生影响,甚至造成较大的财产损失。二是行政许可的延续,是对行政许可有效期的延长,不涉及对行政许可内容的改变,一般来说,行政机关的对延续申请的审查程序较初次申请的审查程序简单,如果有法律、法规没有修改,或者客观情况没有变化,被许可人又没有违法的情形,行政机关应当予以延续。对于行政许可的初次申请和行政许可的变更,本法没有作默视批准或者默视驳回的规定,行政机关如果逾期没有作出规定的,申请人可以依据有关法律的规定寻求救济。我国行政复议法规定,公民、法人或者其他组织"认为符合法定条件,申请行政机关颁发许可证、执照、资质证或资格证等证书,或者申请行政机关审批、登记有关事项,行政机关没有依法办理的",可以申请行政复议。行政诉讼法规定,公民、法人和其他组织对"认为符合法定条件申请行政机关颁发许可证和执照,行政机关拒绝颁发或者不予答复”不服提起的诉讼,人民法院应当予以受理。

对于一些重大的行政许可事项,如果认为即使默视批准只适用于延续申请,对于公共利益的保护依然存在一定的危险,可以考虑在设定该行政许可时不规定行政许可的延续,而代之以重新申请的办法,即被许可人在行政许可有效期届满后,如需继续从事有关活动,应当向行政许可机关重新申请。例如,枪支管理法规定:“民用枪支制造许可证件、配售许可证件的有效期为三年;有效期届满,需要继续制造、配售民用枪支的,应当重新申请领取许可证件。”

第六节 特别规定

第五十一条 实施行政许可的程序,本节有规定的,适用本节规定;本节没有规定的,适用本章其他有关规定。

【释义】 本条是对本节“特别规定”与本章其他规定适用规则的规定。

本章规定了行政许可的实施程序,其中第一节至第五节规定了行政许可实施的一般程序,本节对于四种行政许可的实施程序的审查方式和其他的程序作出了特别规定。根据法律的适用规则,特别规定优于一般规定。特别规定是根据某种特殊情况和需要规定的调整某种特殊问题的法律规范。一般规定是为调整某类社会关系而制定的法律规范。确立特别规定优于一般规定的规则,是因为特别规定是在考虑具体社会关系的特殊需要的前提下制定的,更符合它所调整的社会关系的特点,因此,具有优先适用的效力。

第五十二条 国务院实施行政许可的程序,适用有关法律、行

政法规的规定。

【释义】 本条是对国务院实施行政许可程序的规定。

行政许可法对行政机关实施行政许可的原则和制度作出了一系列规定，如实施行政许可，应当遵循公开、公平、公正的原则，便民的原则和信赖保护的原则；公民、法人和其他组织对行政机关实施行政许可，享有陈述权、申辩权；以及实施行政许可程序的说明理由制度和听证制度等，都适用于国务院实施行政许可的程序。因此，本法的原则和精神适用于国务院实施行政许可的程序。但由于国务院实施行政许可的一些事项有其特殊性，如涉及国家安全、社会公共利益或者对外经济贸易政策等，国务院实施行政许可的程序，在有关公开原则和时效制度等方面也需要作一些特殊规定。例如，《核出口管制条例》规定，对核出口申请进行初审和复审分别规定了 15 天的期限，同时规定对国家安全、社会公共利益或者外交政策有重要影响的核出口，必要时，应当报国务院审批。报国务院审批的，不受本条例规定的上述期限的限制。又如，招标投标法第四十条规定："国务院对特定招标项目的评标有特别规定的，从其规定。"因此，行政许可法规定，国务院实施行政许可的程序，适用有关法律、行政法规的规定。

第五十三条　实施本法第十二条第二项所列事项的行政许可的，行政机关应当通过招标、拍卖等公平竞争的方式作出决定。但是，法律、行政法规另有规定的，依照其规定。

行政机关通过招标、拍卖等方式作出行政许可决定的具体程序，依照有关法律、行政法规的规定。

行政机关按照招标、拍卖程序确定中标人、买受人后，应当作出准予行政许可的决定，并依法向中标人、买受人颁发行政许可证件。

行政机关违反本条规定，不采用招标、拍卖方式，或者违反招标、拍卖程序，损害申请人合法权益的，申请人可以依法申请行政

复议或者提起行政诉讼。

【释义】 本条是对有限自然资源的开发利用、公共资源的配置以及直接关系公共利益的特定行业的市场准入等赋予特定权利事项的行政许可的实施程序的规定。

一、对有关行政许可事项采取招标、拍卖等公平竞争的方式是维护国家利益、公共利益的需要

有限自然资源的开发利用是指对土地、森林、草原、水流、矿产资源和海域等自然资源的开发利用。公共资源的配置是指公共运输线路和电信资源(包括无线电频率、卫星轨道位置、电信网码号等)等有限公共资源的配置。直接关系公共利益的特定行业的市场准入是指企业进入电力、铁路、民航和通信等行业从事相关经营活动,这些行业一般都是形成自然垄断的公用事业。上述事项的行政许可均属于有数量限制的行政许可。由于自然资源、公共资源具有的有限性和供给的稀缺性,公用事业的市场巨大及国家对市场准入的限制,决定着在这些领域获取行政许可,具有巨大的经济价值,被许可人一旦取得此类行政许可,取得行政许可赋予其的特定权利,将会给其带来经济利益。如果行政许可的实施不规范,由于巨大的利益驱动,搞权钱交易和“暗箱操作”,打招呼、批条子等个人利用行政职权进行干预,从而违背市场规律的现象就难以杜绝。同时,此类行政许可的实施,有些会给自然资源、生态环境带来一定影响,有些则直接对公众的日常生活、国家利益和公共利益造成影响。因此,对于上述行政许可事项,凡许可事项不限于公益性的和非营利的活动,就应当采取招标、拍卖等公平竞争方式,选择最优的申请人从事上述行政许可事项的活动,才能有效地维护公共利益,防止行政许可过程中腐败现象的发生。

目前,我国一些法律、法规和规章,对于实施上述事项的行政许可,规定了采取招标、拍卖等方式,但多数采取“双轨制”,没有

规定作出行政许可决定必须采取招标、拍卖等公平竞争的方式。实践中，采取招标、拍卖的方式作出行政许可决定的比例还不高。例如，分配电信资源，可以采取指配的方式，也可以采用拍卖的方式。土地使用权的出让，既可以采用协议出让，也可以采用招标的方式。为此，行政许可法特别规定，对于实施有限自然资源的开发利用等事项的行政许可时，行政机关应当通过招标、拍卖等公平竞争的方式作出决定。同时，考虑到目前的现实情况，本法规定法律、行政法规对采取何种方式决定行政许可另有规定，依照其规定。本法施行后，在制定、修改有关法律、行政法规时，对这一问题应当按照本法的原则和精神，结合具体的行政许可的特点作出规定。对于地方性法规和规章，在本法施行后，则应当进行清理，不符合本法规定的，应当进行修改；如果规章中的有关规定确须保留的，应当上升为行政法规。

二、通过招标、拍卖等方式作出行政许可决定的具体程序

行政机关通过招标、拍卖等方式作出行政许可决定的具体程序，本法没有作具体规定。实施中，应当按照招标投标法、拍卖法和其他有关的法律、行政法规的规定办理。

招标和拍卖都属于公平竞争的方式，但两者对竞争者的评价方式不同。拍卖是以公开竞价的形式，将特定物品或者财产权利转让给最高应价者的方式。招标对中标人的要求，不仅是出价最高，还有其他综合标准。行政许可机关适用何种方式实施有关的行政许可，需要根据招标和拍卖的不同特点进行选择。例如，1999年国土资源部《关于进一步推行招标拍卖出让国有土地使用权的通知》中规定：商业、旅游、娱乐和豪华住宅等经营性用地，有条件的，都必须招标、拍卖出让国有土地使用权。其中，属于下列情况之一的，必须拍卖出让：（1）以获取最高出让金为主要目标，以出价最高为条件确定受让人的；（2）对土地使用者资格没有特别限

制，一般单位或个人均可能有受让意向；（3）土地用途无特别限制及要求。

（一）通过招标作出行政许可决定的，主要应当包括的具体程序

1. 招标人

招标人是指提出招标项目、进行招标的法人或者其他组织。在行政许可决定通过招标方式作出的行政许可中，招标人一般应为作出行政许可决定的机关。招标人也有权自行选择招标代理机构，委托其办理招标事宜。

招标分为公开招标和邀请招标。公开招标，是指招标人以公告的方式邀请不特定的法人或者其他组织投标。公告应当通过国家指定的报刊、信息网络或者其他媒介发布。招标公告应当载明招标人的名称和地址、招标项目的性质、数量、实施地点和时间以及获取招标文件的办法等事项。邀请招标，是指招标人以投标邀请书的方式邀请特定的法人或者其他组织投标。招标人采用邀请招标方式的，应当向 3 个以上具备承担招标项目的能力、资信良好的特定的法人或者其他组织发出投标邀请书。招标人不得向他人透露已获取招标文件的潜在投标人的名称、数量以及可能影响公平竞争的有关招标投标的其他情况。

行政许可机关应当根据行政许可事项和潜在投标人的情况，确定适当的招标方式。例如，1999 年国土资源部《关于进一步推行招标拍卖出让国有土地使用权的通知》中规定：对不具备拍卖条件，但属于下列情况之一的，必须公开招标出让：（1）除获取较高出让金外，还具有其他综合目标或特定的社会、公益建设条件；（2）土地用途受严格限制，仅少数单位或个人可能有受让意向。对土地使用者有资格限制或特别要求的，可对符合条件的用地申请者进行邀请招标。

2. 投标人和投标

投标人是响应招标、参加投标竞争的法人或者其他组织。应

当按照招标文件的要求编制投标文件,投标文件应当对招标文件提出的实性要求和条件作出响应。投标人应当在招标人规定的提交投标文件的截止时间前,将投标文件送达投标地点。

招标人收到投标文件后,应当签收保存,不得开启。投标人少于3个的,招标人应当依法重新招标。

3. 开标、评标和中标

开标应当在招标文件确定的时间、地点公开进行。开标由招标人主持,邀请所有投标人参加。开标时,由投标人或者其推选的代表检查投标文件的密封情况,当众拆封,宣读投标人名称、投标价格和投标文件的主要内容。

评标由行政许可机关组建的评标委员会负责。评标委员会应当按照招标文件确定的评标标准和方法,对投标文件进行评审。评审时,可以要求投标人对投标文件作出必要的澄清或者说明,但该澄清或者说明不得超出投标文件的范围或者改变投标文件的实质内容。招标人根据评标委员会提出的书面评标报告和推荐的中标候选人确定中标人。招标人也可以授权评标委员会直接确定中标人。

中标人的投标应当符合下列条件之一:(1)能够最大限度地满足招标文件中规定的各项综合评价标准;(2)能够满足招标文件的实质性要求,同时还应符合其他法定条件。

中标人确定后,招标人应当向中标人发出中标通知书,并同时将中标结果通知所有未中标的投标人。

4. 行政许可机关应当根据本法第四十二条规定的期限,按照招标文件和中标人的投标文件签订书面协议,并依法向中标人颁发行政许可证件。

(二)通过拍卖方式作出行政许可决定的具体程序

1. 拍卖人、委托人、竞买人和买受人

拍卖人是指依照拍卖法和公司法设立的从事拍卖活动的企业

法人。委托人是指委托拍卖人拍卖因行政许可产生的财产权利的行政许可机关。竞买人是指参加竞购拍卖标的的公民、法人和其他组织。买受人是指以最高应价购得拍卖标的的竞买人。

2. 拍卖

拍卖人应于拍卖日前的一定期限内发布拍卖公告。拍卖公告应当载明下列事项:(1)拍卖的时间、地点;(2)拍卖标的;(3)拍卖标的的展示时间、地点;(4)参与竞买应当办理的手续等。拍卖公告应当通过报纸或者其他新闻媒介发布。

拍卖会一般依照下列程序进行:(1)拍卖师点算竞买人;(2)拍卖师介绍拍卖标的的简要情况;(3)宣布拍卖规则和注意事项;(4)拍卖师报出起叫价;(5)竞买人应价。

拍卖标的无保留价的,拍卖师应当在拍卖前予以说明。拍卖标的有保留价的,竞买人的最高应价未达到保留价时,该应价不发生效力,拍卖师应当停止拍卖。竞买人的最高应价经拍卖师落槌或者以其他公开表示买定的方式确认,拍卖成交。

3. 行政许可机关应当根据本法规定的期限,作出行政许可决定,并依法向买受人颁发行政许可证件。

三、行政机关违反本条规定,申请人的救济途径

行政许可机关违反本条规定,不采用招标、拍卖方式,或者违反招标、拍卖程序的,构成程序违法,行政许可的申请人可以申请行政复议或者提起行政诉讼。

第五十四条　实施本法第十二条第三项所列事项的行政许可,赋予公民特定资格,依法应当举行国家考试的,行政机关根据考试成绩和其他法定条件作出行政许可决定;赋予法人或者其他组织特定的资格、资质的,行政机关根据申请人的专业人员构成、技术条件、经营业绩和管理水平等的考核结果作出行政许可决定。

但是,法律、行政法规另有规定的,依照其规定。

公民特定资格的考试依法由行政机关或者行业组织实施,公开举行。行政机关或者行业组织应当事先公布资格考试的报名条件、报考办法、考试科目以及考试大纲。但是,不得组织强制性的资格考试的考前培训,不得指定教材或者其他助考材料。

【释义】 本条是对赋予公民或其他组织特定资格、资质的行政许可的具体程序的规定。

一、赋予公民特定资格的行政许可程序的特别规定

1. 公民的资格考试依法由行政机关或者行政组织实施

目前,对于公民的资格考试,有的是由行政机关组织的,有的则是由行业组织实施的。例如,《证券业从业人员资格考试办法(试行)》规定:"中国证券业协会是资格考试的组织机构,负责资格考试工作。"《医师资格考试暂行办法》规定:"卫生部医师资格考试委员会,负责全国医师资格考试工作。""医师资格考试考务管理实行国家医学考试中心、考区和考点三级分别责任制。"《导游人员管理实施办法》规定:"国务院旅游行政管理部门负责制定全国导游人员资格考试的政策、标准和对各地考试工作的监督管理。省级旅游行政管理部门负责组织、实施本行政区域内导游人员资格考试工作。"无论是由行政机关还是由行业组织实施考试,都应当遵循本法的规定。

2. 考试应当公开举行

对于公民的资格考试,应当公开举行。行政机关或者行业组织应当事先公布资格考试的报名条件、报考办法,方便准备参加考试的个人报考;同时还应当公布考试的范围,包括考试科目和考试大纲,使考生的备考有的放矢。例如,《证券业从业人员资格考试办法(试行)》规定:"报名参加资格考试的人员,应当符合下列条件:(一)报名截止日年满 18 周岁;(二)具有高中或国家承认相当

于高中以上文化程度；（三）具有完全民事行为能力。”“资格考试科目由基础科目和专业科目组成。基础科目为必考科目，专业科目由应考人员自选。基础科目为证券基础知识，内容包括：证券基本知识，国家有关证券的法律、法规，证券从业人员职业操守、执业规范等。”“专业科目包括：（一）证券交易；（二）证券发行与承销；（三）证券投资分析；（四）证券投资基金；（五）根据需要设置的其他科目。”

行政机关或者行业组织考试应当根据考试与培训分开的原则，不得组织强制性的资格考试的考前培训，不得指定教材或者其他助考材料。目前，大多数资格考试的内容在大专院校都有相应的课程设置，考试的内容也应包括在大专院校的有关教材和参考资料中，应当说经过在大专院校的学习和一段时间的复习准备，即可参加考试。当然，考前培训可以对考生备考给予辅导，对考生有一定的帮助，但考前培训应当由大专院校或者一些专门的培训机构承担。目前国家的就业形势压力较大，是否通过资格考试，对个人的就业将产生重大影响的情况下，在社会上形成参加资格考试热。在竞争激烈的情况下，考生对考前培训产生较大的需求，有的资格考试的组织者及其工作人员，利用考生的心理，指定教材或者助考材料，利用其考试组织者的特殊地位组织考前培训。这一方面在考前培训活动中构成了不正当竞争，另一方面考试的组织者利用其特殊地位获得大量的经济利益违反国家的有关规定，也是一种腐败。资格考试的组织者，负责考题以及试卷的评审，其职责应当是保证考试的公正性；作为考前培训机构，考生能否顺利通过考试是其最关注的，也影响到其经济利益。行政机关或者行业组织作为考试的组织者从事考前培训活动，在职责上产生冲突，容易使人对考试的公正性产生怀疑。2002 年发布的国务院《关于取消第一批行政审批项目的决定》中，就取消了“造价工程师考前培训单位资格审批”。对此，一些考试的组织在考前培训方面已经对自己的行为作出了规范,如《证券业从业人员资格考试办法(试行)》规定,中国证券业协会不举办、也不指定其他机构举办资格考试应试培训。《注册城市规划师执业资格考试实施办法》规定,考生参加考前培训,坚持自愿原则。当然,对于有的资格考试的内容,大专院校和专业培训机构难以承担,确实需要由考试组织者组织一些考前培训的,也应当遵循自愿的原则,不得组织强制性的培训,将考前培训与能否参加考试挂钩。

二、赋予法人或者其他组织特定资格、资质的行政许可程序的特别规定

赋予法人或者其他组织特定的资格、资质的,行政机关应当根据申请人的专业人员构成、技术条件、经营业绩和管理水平等的考核结果作出行政许可决定。根据本法关于行政机关应当将行政许可的事项、依据和条件等予以公开的规定,对于取得特定资格或资质的条件和标准,也应当予以公开,使企业和其他组织据此作申请的准备。例如,《文物保护工程勘察设计资质管理办法(试行)》规定,文物保护工程勘察设计资质分为综合资质和专项资质。专项资质适用于保护规划以及壁画、石质文物等有特殊专业技术要求的保护工程。综合资质等级分为甲、乙、丙三级和暂定级。专项资质不分级。甲级资质标准是:(1)经主管机关核准登记的企、事业单位,从事文物保护勘察设计业务 10 年以上,独立承担过不少于 10 项、工程等级为一级,或者不少于 15 项、工程等级为二级及以上的文物保护工程项目的勘察设计,其工程已经竣工,质量合格。(2)法定代表人与技术人员均有较强的文物保护意识,单位总体水平在国内同行业领先,有较高的社会信誉,参加过或有能力参加文物保护工程的规范、规程、标准和定额的编制工作。(3)单位中专职固定且取得国家文物保护工程勘察设计职业资格证书的技术人员总数不少于 20 人,其中有相关专业高级技术职称的技术

骨干不少于8人，应聘并固定在该单位的离退休技术人员不超过20%。(4)有健全的技术、管理制度和全面质量管理体系。(5)具有与其资质相适应的专业技术装备。(6)注册资金不少于100万元。

三、赋予资格、资质事项不采取考试、考核方式的，必须有法律、行政法规的明确规定

对于赋予公民或其他组织特定资格、资质的行政许可，应当通过考试和考核的方式。根据本条规定，如果法律、法规另有规定的，公民或者其他组织可以通过其他方式取得有关的资格、资质。例如，律师法规定，在一般情况下，“取得律师资格应当经过国家统一的司法考试。具有高等院校法律专业本科以上学历，或者高等院校其他专业本科以上学历具有法律专业知识的人员，经国家司法考试合格的，取得资格”。但特殊情况下，“具有高等院校法学本科以上学历，从事法律研究、教学等专业工作并具有高级职称或者具有同等专业水平的人员，申请律师执业的，经国务院司法行政部门按照规定的条件考核批准，授予律师资格”。

第五十五条　实施本法第十二条第四项所列事项的行政许可的，应当按照技术标准、技术规范依法进行检验、检测、检疫，行政机关根据检验、检测、检疫的结果作出行政许可决定。

行政机关实施检验、检测、检疫，应当自受理申请之日起五日内指派两名以上工作人员按照技术标准、技术规范进行检验、检测、检疫。不需要对检验、检测、检疫结果作进一步技术分析即可认定设备、设施、产品、物品是否符合技术标准、技术规范的，行政机关应当当场作出行政许可决定。

行政机关根据检验、检测、检疫结果，作出不予行政许可决定的，应当书面说明不予行政许可所依据的技术标准、技术规范。

【释义】 本条是对根据检验、检测、检疫结果作出行政许可决定的具体程序的规定。

根据本条规定,对于直接关系公共安全、人身健康、生命财产安全的重要设备、设施、产品、物品,对其生产、经营设定了行政许可的,行政许可机关应当按照技术标准和技术规范,根据检验、检测、检疫的结果作出行政许可决定。例如,进出口商品检验法规定:“列入《种类表》的进出口商品和其他法律、行政法规规定须经商检机构检验的进出口商品,必须经过商检机构或者国家商检部门、商检机构指定的检验机构检验。”《特种设备安全监察条例》规定:“锅炉、压力容器中的气瓶、氧舱和客运索道、大型游乐设施的设计文件,应当经国务院特种设备安全监督管理部门核准的检验检测机构鉴定,方可用于制造。”国境卫生检疫法规定:“入境、出境的人员、交通工具、运输设备以及可能传播检疫传染病的行李、货物、邮包等物品,都应当接受检疫,经国境卫生检疫机关许可,方准入境或者出境。”

一、检验、检测、检疫的机构

实施本条规定的行政许可,进行检验、检测、检疫的机构包括行政许可机关,也可以是符合法定条件的专业技术组织。例如,药品管理法规定,药品监督管理部门设置或者确定的药品检验机构,承担依法实施药品审批和药品质量监督检查所需的药品检验工作。检验、检测、检疫的机构对其实施的检验、检测、检疫的结果负责。又如,安全生产法规定:“承担安全评价、认证、检测、检验的机构应当具备国家规定的资质条件,并对其作出的安全评价、认证、检测、检验的结果负责。”

二、检验、检测、检疫的标准

实施本条规定的行政许可,应当依照技术标准和技术规范依法进行检验、检测、检疫。例如,进出口商品检验法规定:“商检机构实施进出口商品检验的内容,包括商品的质量、规格、数量、重量、包装以及是否符合安全、卫生要求。”“法律、行政法规规定有强制性标准或者其他必须执行的检验标准的进出口商品,依照法律、行政法规规定的检验标准检验;法律、行政法规未规定有强制性标准或者其他必须执行的检验标准的,依照对外贸易合同约定的检验标准检验。”

三、时限

根据本法的规定,除可以当场决定的外,行政机关应当自受理行政许可申请之日起 20 日内作出是否准予行政许可的决定。行政机关作出行政许可决定,依法需要检验、检测、检疫所需的时间,不计算在行政机关的审查期限内。但行政机关应当将所需时间书面告知申请人。目前,有的法规中对采取检验、检测、检疫方式审查的行政许可的期限作出了规定。例如,《城市房地产开发经营管理条例》规定:“房地产开发项目竣工后,房地产开发企业应当向项目所在地的县级以上地方人民政府房地产开发主管部门提出竣工验收申请。房地产开发主管部门应当自收到竣工验收申请之日起 30 日内,对涉及公共安全的内容,组织工程质量监督、规划、消防、人防等有关部门或者单位进行验收。”《煤矿安全监察条例》规定:“煤矿安全监察机构对煤矿建设工程安全设施和条件进行验收,应当自收到申请验收文件之日起 30 日内验收完毕,签署合格或者不合格的意见,并书面答复。”行政许可法中进一步规定,行政机关实施检验、检测、检疫,应当自受理申请之日起 5 日内指派两名以上工作人员按照技术标准和技术规范进行检验、检测和检疫。这一规定促使行政机关提高行政效率,尽快实施检验、检测和检疫。对于不需要对检验、检测、检疫结果作进一步技术分析即可认定设备、设施、产品、物品是否符合技术标准和技术规范的,行政机关应当当场作出准予行政许可的决定。例如,《进出境动植物检疫法实施条例》规定:“携带植物、动植物产品和其他检疫物进境,经现场检疫合格的,当场放行;需要做实验室检疫或者隔离检疫的,由口岸动植物检疫机关签发截留凭证。”

四、说明理由

行政机关根据检验、检测、检疫的结果,作出不予行政许可决定的,应当书面说明不予行政许可所依据的技术标准和技术规范。(参见第三十八条释义)

第五十六条　实施本法第十二条第五项所列事项的行政许可,申请人提交的申请材料齐全、符合法定形式的,行政机关应当当场予以登记。需要对申请材料的实质内容进行核实的,行政机关依照本法第三十四条第三款的规定办理。

【释义】 本条是对实施企业或者其他组织的设立等需要确定主体资格事项的行政许可的具体程序的规定。

根据本法第十二条实施的企业或者其他组织的设立等需要确定主体资格的事项的行政许可,指企业、公司、事业单位、社会团体的法人登记。以企业登记为例,登记具有以下作用:一是登记机关通过登记赋予申请人企业法人资格,允许其在经营范围内从事经营活动,使其能以自己的名义和财产,独立承担民事责任。在未经登记或尚未领取营业执照前,不具备营业资格和能力。二是记载和公示的作用,登记机关将其法人资格和经营资格状况,登记在册,并通过一定的方式将登记事项予以公示,使公众能够了解企业的营业内容,在与企业进行交易时,有所取舍和注意,以保护交易安全。

对于实施企业或者其他组织的设立等需要确定主体资格事项的行政许可,根据本法的规定,可以实行形式审查,需要实行实质审查的，也可以实行实质审查。形式审查是对申请人提交的文件、证件的完备性、有效性进行的审查。实质审查是对申请人提交的文件、证件和填报的登记注册文件的真实性、合法性所进行的审查。登记机关应以形式审查为一般原则，但仍享有依实际情形自由裁量是否需要启动实质审查的职能。以企业法人登记为例，登记机关一般来说只需对有关文件、证明和材料的是否完备进行审查。如对于有些登记材料，像股东签名、企业印鉴等，靠登记部门是无法辨别真伪的，有关企业开业登记材料所说明的一些条件，要等到企业经营一段时间以后才能真正具备，对于这些事项进行实质审查没有实质意义。对于企业章程的内容是否符合有关法律、行政法规，登记机关虽然可以进行实质审查，但过于费时耗力，而企业章程基本上应属于当事人自治的范畴，对其进行实质审查，成本和收益会不相称。但如果登记机关在审查中，发现企业章程中存在明显的违反法律、行政法规的规定，则可以要求申请人予以修改或者拒绝登记。验资证明是由会计师事务所或者审计事务所及其他具有验资资格的机构出具的证明资金真实性的文件。一般来说，登记机关不须对验资证明的真实性进行审查，这是因为，根据注册会计师法的规定，会计师事务所出具的验资报告，具有法律效力。因验资证明内容不真实所引起的法律责任和后果，应当由验资机构承担。但如果登记机关在审查过程中，对于验资证明的真实性有疑问，也可以进一步调查。（关于当场作出行政许可决定和实地核查，参见第三十四条释义）

第五十七条　有数量限制的行政许可，两个或者两个以上申请人的申请均符合法定条件、标准的，行政机关应当根据受理行政许可申请的先后顺序作出准予行政许可的决定。但是，法律、行政法规另有规定的，依照其规定。

【释义】　本条是对行政机关依据何种顺序对有数量限制的

行政许可作出准予许可决定的规定。

一、有数量限制的行政许可的概念

行政许可从是否有数量限制划分,可以分为有数量限制和无数量限制的行政许可。有数量限制的行政许可是指由于客观条件的限制,一个地区、在一段时期内,对于从事某种活动只能发放一定数量的行政许可。如果许可证申请人取得该项许可后限额即满,那么其他的申请人就不能再申请此项许可,如排污证、电台许可证和出口配额等。我国每年的出口产品有配额限制,出口企业除取得出口产品许可证外,还需获得有关部门确定的出口配额。而是否给予某企业配额,除考虑申请企业的条件外,还要看是否有足够的配额。有数量限制的许可,多涉及对有限自然资源的开发利用、公共资源的配置以及直接关系公共利益的特定行业的市场准入等赋予特定权利的事项。

二、对有数量限制的行政许可作出决定的顺序

对于没有数量限制的许可,任何人都可以申请,只要符合法定条件,即可以获得许可。但对于有数量限制的行政许可,并不是所有的符合条件的申请人都可以获得许可。行政机关需要考虑采取何种方式在符合条件的申请人中确定哪一个或哪几个获得许可。根据行政许可法的规定,一般来说,行政机关应当根据受理行政许可申请的先后顺序作出准予行政许可的决定。行政机关不能以后申请者的条件更优或需要特别照顾为由,收回已发出的许可,以避免造成社会财富的浪费和社会关系的不稳定,除非被许可人有法律、法规规定的应当撤销的情形或者被许可人放弃许可。例如,申请出租车运营许可,在数额未满的情况下,行政机关应当向符合条件的个人或企业颁发许可。后提出申请的,如果数额已满,就无法取得许可,除非现有的被许可人退出或者其许可被撤销。依照法

律、行政法规的规定,行政机关作出准予许可的决定还可以采取以下方式:一是择优原则,由申请人公平竞争,条件最优的获得许可。二是照顾原则,由于行政许可是授益性的行为,申请人获得许可后,在从事特定活动的过程中可以获得经济上的利益。在有的情况下,行政机关可依据法律、法规的规定,对于少数民族、经济欠发达地区的申请人或者残疾人等弱势群体予以扶持,在同等的条件下,将数量有限的许可颁发给他们。根据行政许可法的规定,择优原则和照顾原则只适用于有数量限制的行政许可,不适用于无数量限制的行政许可。对于遵循择优原则和照顾原则作出行政许可决定的,应当有法律或者行政法规的依据。法律或者行政法规规定应当采取招投标或拍卖的方式择优颁发许可的,就不能按照申请时间的优先顺序或者照顾特定人群的原则颁发许可。

第五章 行政许可的费用

收费和税收都属于行政征收,指的是行政机关根据法律、法规的规定,强制、无偿地取得相对人财产所有权的行为。税收属一般征收,用于国家一般支出;收费属于特别征收,用于国家特别支出。由此可以得出结论,一个行政行为是否收费,必须以法律、法规为依据。

一段时间以来,各种形式的行政许可层出不穷,伴随着各种各样的许可和审批的是名目繁多的审批收费、许可收费。有的行政机关明明是履行正常的行政管理职能也要收取费用,有的行政机关利用手中的权力进行“搭车收费”,还有的行政机关越权设定收费项目。在有些情况下,交费甚至成了行政许可实施机关批准许可申请的主要条件。行政机关收取的费用,依法上缴国库,也情有可原,但一些收费被用于本部门、本单位的职工福利;有些流入“小金库”,成为吃喝资金。行政许可收费成为一些行政机关热衷于设定行政许可的重要动因。行政许可乱收费不仅严重损害了行政机关的形象和权威,而且成为腐败的温床。为了从根本上解决这些问题,本法设专章对收费问题作出规定。规定行政许可原则上不得收取费用,收费要有法律、行政法规作为依据,收取的费用要全部上缴财政,实施收支两条线,本级财政要保障行政机关实施行政许可所需的费用等。这为遏制乱收费提供了法律保障。

第五十八条　行政机关实施行政许可和对行政许可事项进行监督检查,不得收取任何费用。但是,法律、行政法规另有规定的,

依照其规定。

行政机关提供行政许可申请书格式文本，不得收费。

行政机关实施行政许可所需经费应当列入本行政机关的预算，由本级财政予以保障，按照批准的预算予以核拨。

【释义】 本条是关于行政机关实施行政许可和对行政许可事项进行监督检查不得收取费用的规定。

一、行政机关实施行政许可，原则上不得收费

行政收费是指一定的行政机关凭借国家行政权所确立的地位，为个人和组织提供一定的公益服务，或授予其国家资源和资金的使用权而收取的费用。目前，我国的行政机关的各种收费主要有公路运输管理费、公路养路费、车辆通行费、港口建设费、排污费、河道工程修建维护管理费和教育附加费等。随着我国费改税工作的推行，其中有些费种将依法转为税，如车辆购置税，原来是一种购置费，后改为一种税；对于养路费，也要改为燃油附加税；农村的税费改革工作也在紧张地进行之中。行政机关无论收取何种费用，都必须严格依法进行，不得自立名目，擅自订立征收标准和范围。我国的行政收费，曾一度相当混乱无序。一些国家机关和垄断行业，利用行政职权和垄断地位，巧立各种名目乱收费。主要表现在：超越权限，擅自审批或自立收费项目、扩大收费范围、提高收费标准；转移行政职能，变无偿服务为有偿服务，从中分利；利用职权，强行服务，强买强卖，把权力商品化；凭借垄断地位，在经营业务中乱收费、乱提价，从中谋利；部门职能交叉，重复收费。这不仅加重了企业和群众的负担，扰乱了经济秩序，而且损害了党和国家的利益，败坏了党风和社会风气。

在行政许可实施过程中，同样也存在滥收费的情况，收费养人，养人收费，收费成为一些行政机关设定和实施行政许可的内在动因。为了从源头上预防和治理腐败，从根本上消除设定行政许

可的经济动因，本法规定实施行政许可和对行政许可事项进行监督检查，原则上不得收取费用。这对于治理滥收费，具有很强的现实意义。

二、行政机关实施行政许可收费，必须有法律、行政法规作依据

行政机关实施行政许可收取费用，必须有法律、行政法规作为依据。以前我国治理滥收费，规定的收费依据为法律、行政法规、国务院有关规定、国务院财政部门与计划部门共同发布的规章或者规定以及省、自治区、直辖市的地方性法规、政府规章或者规定和省、自治区、直辖市人民政府财政部门与计划（物价部门）共同发布的规定。本法则更进了一步，实施行政许可收取费用，必须是法律、行政法规的规定，其他规范性文件的规定，不得作为收费依据。我国现行有关法律、行政法规对实施行政许可收取费用作了规定，如进出口商品检验法第三十条规定，商检机构和其他检验机构依照本法实施检验和办理鉴定业务，依照规定收费。收费办法由国家商检部门会同国务院有关主管部门制定。《计量法实施细则》第四十条规定，建立计量标准申请考核，使用计量器具申请检定，制造计量器具新产品申请定型和样机试验，制造、修理计量器具申请许可证，以及申请计量认证和仲裁检定，应当缴纳费用。

法律、行政法规有权规定实施行政许可可以收取费用，但这种规定也应当合理。一般来说，国家提供普遍的公共行政服务，是不应当收取费用的，如警察维护社会秩序、交通秩序，国家提供的义务教育服务等。因为公民通过纳税，支出了有关费用。但是，国家对特定的个人或组织提供的服务，需要交纳有关费用。因为这种服务只有一部分人享受，不能因一部分人的支出摊入到每个公民的人头上。因此，法律、行政法规规定的收费，应当是少数人申请的行政许可事项。我国现行法律中与许可有关的收费主要有以下

几类:一是排污费,包括超标排污费、倾倒废弃物品费等;二是资源补偿费,包括特许权使用费、临时使用土地补偿费、土地使用权出让费等;三是检验费,包括卫生检疫、检查费等;四是工本费,包括证照工本费等;五是手续费,如申请手续费等。按照许可收费的性质,可以分为两类:一类是对被许可行为的收费,如排污费、资源补偿费;一类是对申请行为的收费,如手续费、工本费。对许可行为和对申请行为的收费具有不同性质,前者是因为申请取得了特定的财产权利,如土地使用权、矿产资源开采权,从某种意义上来说就是国家以特殊的民事主体身份,转让财产权利,这种情况在有限自然资源的开发利用、公共资源的配置等方面表现得比较明显。后者是因为增加了行政机关的管理成本而收费。对于后一种收费,要从严控制,因为国家已为行政机关的运行提供了相关费用。

三、行政机关提供行政许可申请格式文本,不得收费

本法第二十九条第一款规定,"公民、法人或者其他组织从事特定活动,依法需要取得行政许可的,应当向行政机关提出申请。申请书需要采用格式文本的,行政机关应当向申请人提供行政许可申请书格式文本。申请书格式文本中不得包含与申请行政许可事项没有直接关系的内容。"为防止行政机关借提供申请书格式文本之际收取不正当的费用或者变相收费,本条专门规定,提供格式文本不得收取费用。

四、行政机关实施行政许可所需经费,由财政保障,不与收费挂钩

在行政管理实践中,有的行政机关的办公经费严重不足,不得不采取收费的办法弥补经费缺口。解决这一问题:一要严肃财经纪律,节省开支;二要从财政拨款上予以保障。实施行政许可是

国家的一项公共行政管理活动,所需费用,应当列入本机关的预算,由本级财政予以保障。各级财政部门要增加服务观念,提高工作效率,对实施行政许可所需的经费,在预算核定的标准内,及时审核拨付,不得拖延。财政部门不得下达收费指标,也不得把核定预算标准与收费额度相联系。

第五十九条　行政机关实施行政许可,依照法律、行政法规收取费用的,应当按照公布的法定项目和标准收费;所收取的费用必须全部上缴国库,任何机关或者个人不得以任何形式截留、挪用、私分或者变相私分。财政部门不得以任何形式向行政机关返还或者变相返还实施行政许可所收取的费用。

【释义】　本条是关于行政机关实施行政许可,须依法收取和使用费用的规定。

一、按法定项目和标准收费

即使法律、行政法规规定实施行政许可可以收取费用,实施机关也不得自行收取费用,还必须按照法定程序报经有关部门批准,核定收费项目和标准。我国的行政事业性收费项目和标准实行中央和省两级审批。收费项目按隶属关系分别报国务院和省、自治区、直辖市人民政府的财政部门会同计划(物价)部门批准;制定和调整收费标准,也要按隶属关系分别报国务院和省级人民政府计划(物价)部门会同财政部门批准;重要项目及标准分别报国务院和省级人民政府批准。省级人民政府批准的行政事业性收费项目和收费标准报财政部、国家计委备案。省级以下人民政府及其各部门无权审批设立行政事业性收费项目或调整收费标准。面向农民的行政事业性收费,还应当经主管农业的部门审核。中国加入 WTO 工作组报告书曾经对我国服务市场开放中的行政许可收费提出了明确要求:“行政许可中的有关收费应当与处理行政许可申请所需的行政费用相当,除非该费用是通过拍卖或者招投标等竞争性方式确定的。”这可以理解为确定行政许可收费项目和标准的一项原则。一般来说,行政许可收费应当遵循非盈利和节约的原则,其收费计算标准应以实际劳务和消耗支出为准。实际收费中,一些机关把行政许可收费当作是财政创收的一种手段,收费标准远远高于实际成本,这是应当予以控制的。

二、收费要公开

按国家规定程序批准的行政事业性收费,要公开收费项目、范围、标准,建立健全收费许可证、收费票据和年度审验、票据稽查制度。收费单位必须到计划(物价)部门办理收费许可证,坚持持证收费,接受社会和群众监督;必须使用由省、自治区、直辖市以上财政部门统一制发的收费票据或监制的专用票据。没有收费许可证、没有持证收费、没有使用规定票据的,任何单位或个人都可以拒绝交费。任何组织和个人都有权向财政、计划(物价)部门检举违反国家规定的收费行为。

三、收支两条线

过去,一些地方为了缓解财政经费紧缺的情况,采取了行政机关执行法律、法规,履行法定职责时收取的费用,如许可收费、处罚收入等,可以与财政分成的办法。行政机关收取的费用直接与本机关的行政经费、福利待遇相联系,因而出现“收费越多、经费越多、福利越好”的现象。这种办法产生种种弊端,特别是导致一些行政机关一味地追求收费和处罚,而忽视服务和管理。行政处罚法通过后,对罚没收入实行收支两条线管理,即罚没收入全部上缴财政,执法机关所需费用由财政拨款予以保障。这一制度的推行为解决行政机关借处罚牟利的问题发挥了积极的作用。目前,我国现已全面推行“执收”分开的制度,实行“单位开票,银行代收,财政统管”的管理体制,所有行政事业性收费收入都应当及时、足额缴入国库或预算外资金财政专户。行政许可收费,应当贯彻这一原则。所收取的费用应当全部上缴国库,不得截留、挪用、私分或者变相私分。财政部门也不得以任何形式向行政机关返还或者变相返还实施行政许可所收取的费用。

第六章 监督检查

在行政许可的监督检查方面,实践中存在的主要问题有两个方面:一是行政机关重许可,轻监督检查,一些行政机关甚至只许可,不监管。使得行政机关对于行政许可,只有实施许可的权力,却不承担监督检查的责任,实际使行政许可失去了本来意义,直接导致了各种违法现象的发生,引起了市场的混乱。二是行政机关对行政许可的监督检查没有纳入制度化轨道。一些行政机关要么不监督检查,要么就不分情况地搞突击检查、运动检查、重复检查,检查的程序和手段都很不规范,执法扰民的现象比较严重。一些行政机关在监督检查活动中存在吃、拿、卡、要以及乱收费、乱摊派、乱罚款的现象,引起被许可人的不满。一些行政机关及其工作人员在监督检查中发现行政许可实施过程中的违法行为,以及被许可人违法从事行政许可事项活动的违法行为,不及时纠正,甚至滥用职权、徇私舞弊,严重影响了行政机关的正常管理活动,影响了经济、社会生活的稳定,影响了市场经济的健康发展。总之,对行政许可的监督检查没有制度约束,使得一些行政机关的各种检查随意性很大,程序比较乱,效果并不好,甚至滋生了腐败现象。

针对行政许可监督检查中存在的上述问题,本章规定了以下几个方面的具体制度和措施:一是规定了上级行政机关对下级行政机关实施行政许可的监督检查制度;二是规定了行政机关自身建立健全书面检查为主的制度、检查记录归档的制度、通过互联网实施监督检查的制度以及检查结果公开的制度;三是规定了行政机关对被许可人的生产经营等活动实施抽样检查、实地检查的制度;四是规定行政机关监督检查活动中的廉洁制度;五是规定了行政机关之间在监督检查活动中的抄告制度;六是规定了行政机关在监督检查活动中发现各种违法行为的处理制度,等等。本章的这些规定对保障行政机关严格依照法定程序,认真负责地实施监督检查,具有重要意义。

第六十条　上级行政机关应当加强对下级行政机关实施行政许可的监督检查,及时纠正行政许可实施中的违法行为。

【释义】 本条是关于上级行政机关对下级行政机关实施行政许可进行监督检查的规定。

一、上级行政机关实施监督检查的必要性

行政许可是行政机关依法对社会、经济事务实行事前监督管理的一种重要手段,也是行政机关日常行政管理活动中的重要内容。行政机关能否依法实施行政许可,与人民群众的利益密切相关,也直接影响到政府的形象,关系到能否建立一个廉洁、高效和法治的政府。长时期以来,行政机关在实施行政许可中存在的一个主要问题,就是违法实施行政许可,搞暗箱操作,有些行政机关甚至把行政许可作为权力寻租的一种手段,人为地造成个人或者组织在行政许可中的不公平竞争。一些企业和个人为了取得行政许可,还要托关系、给好处,助长了行政许可中腐败现象的蔓延。在一定意义上,可以说行政许可已经成为一个腐败源。行政许可实施中之所以存在腐败现象,从内在原因上看,就是行政机关实施行政许可,只有权力,没有责任,行政许可在一些行政机关及其工作人员心里,只是权力许可,没有成为责任许可。从外在原因上看,就是缺乏一套对行政许可实施机关的健全、完善和有效监督机制。

对行政机关实施行政许可进行监督,主要有以下几种方式:一是权力机关实施监督。但是,权力机关对行政机关实施行政许可

的行为不适宜进行经常性的、具体性的监督检查,否则就有干预行政权力的行使之嫌。二是人民法院的监督。但是,人民法院对行政机关实施行政许可的监督,也只能限于对具体诉讼案件的监督,而不适宜进行经常性的、具体性的监督。三是平行的行政机关相互之间的监督,但平行的行政机关相互之间的监督,范围比较有限,约束力也不够强。四是群众和当事人的监督。但群众和当事人监督对行政机关的约束力也不够强。除了上述监督方式之外,还有一种重要的监督方式,即上级行政机关的监督。与其他几种监督方式相比,上级行政机关对下级行政机关实施行政许可的监督,是更重要、更日常、更具体和更实际有效的监督。上级行政机关监督检查的这一特点是由我国行政机关上下级之间的领导体制决定的,对此下一个问题将述及。

本法第十条规定:“县级以上人民政府应当建立健全对行政机关实施行政许可的监督制度,加强对行政机关实施行政许可的监督检查。”本条规定的目的,旨在进一步强调上级行政机关对下级行政机关实施行政许可行为的监督检查责任。

行政许可法草案在“监督检查”一章中最初只规定了行政机关应当依法对被许可人从事行政许可事项的活动进行监督检查,没有规定上级行政机关对下级行政机关的监督。在草案审议过程中,一些常委会组成人员提出,当前行政机关在实施行政许可的过程中存在两个主要问题,一个是只有权力没有责任,第二个是缺乏公开、系统和有效的监督机制,草案只着重规定行政机关对被许可人的监督检查,而对如何监督行政机关的实施许可行为规定得不够充分,不利于加强对行政机关的监督和约束,不利于解决当前行政许可实施中的一些突出问题。因此,立法机关在吸取各方面意见的基础上,在“监督检查”一章中专设一条,规定上级行政机关应当加强对下级行政机关实施行政许可的监督检查,及时纠正行政许可实施中的违法行为。

二、上级行政机关监督检查的法律依据

规定上级行政机关对下级行政机关实施行政许可的监督检查,这主要是由行政机关上下级之间的领导体制决定的。根据宪法和地方组织法的规定,我国行政机关上下级之间的领导体制主要有以下特点:地方各级人民政府对上一级国家行政机关负责并报告工作;全国地方各级人民政府都是国务院统一领导下的行政机关,都服从国务院;县级以上的地方各级人民政府领导所属各工作部门和下级人民政府的工作,有权改变或者撤销所属各工作部门的命令、指示和下级人民政府的不适当的决定、命令;人民政府的各工作部门受人民政府的统一领导,并依照法律或者行政法规的规定受上级人民政府主管部门的业务指导或者领导。人民政府上下级之间这样一个领导体制,就决定了上级行政机关有权对下级行政机关实施行政许可的行为进行监督和检查。

三、哪些上级行政机关可以成为监督检查主体

从监督检查的主体上说,上级行政机关对下级行政机关实施行政许可行为的监督检查,既包括各级人民政府对其所属各工作部门实施行政许可行为的监督检查,也包括上级人民政府对下级人民政府实施行政许可行为的监督检查,还包括上级人民政府的业务主管部门对下级人民政府相关部门实施行政许可行为的监督检查。

此外,对下级行政许可活动实施监督检查的上级行政机关有以下几种特殊情况:一是依据本法第二十三条的规定,法律、法规授权的具有管理公共事务职能的组织,在法定授权范围内以自己的名义实施行政许可。对这类公共组织实施行政许可的监督检查由其法定的上级行政机关负责。比如,依据证券法规定,国务院证券管理机构是具有管理公共事务职能的事业单位,在法律规定的范围内有权实施行政许可,对其进行监督检查的上级行政机关就

是国务院。二是依据本法第二十四条的规定，行政机关依照法律、法规和规章的规定，可以委托其他行政机关实施行政许可，委托行政机关对受委托行政机关实施行政许可的行为应当负责监督检查，并对该行为的后果承担法律责任。三是依据本法第二十五条的规定，经国务院批准，省级人民政府根据精简、统一、效能的原则，可以决定一个行政机关行使有关行政机关的行政许可权。对于一个行政机关行使有关行政机关的行政许可权的情况，本级人民政府和上级人民政府都有权对该行使行政许可权的行政机关进行监督检查，上级人民政府对原来和现在具有业务主管或者指导关系的部门也有权进行监督检查。

四、监督检查的方式

上级行政机关对下级行政机关实施行政许可监督检查的方式可以灵活多样，不拘一格。既可以进行不定期的抽样检查、抽点检查、抽部门检查，也可以定期检查、定点检查或者定行业、定部门检查。既可以对下级行政机关实施行政许可的具体行为进行监督检查，比如，上级机关可以随时监督检查下级机关实施行政许可的具体过程；也可以对下级行政机关实施行政许可的总体情况进行监督检查，比如，上级机关可以要求下级机关对某一类行政许可的工作情况作书面汇报。

五、监督检查的范围

上级行政机关对下级行政机关实施行政许可的监督检查，主要是指对其实施行政许可行为合法性的监督检查，以保证下级行政机关依法许可、依法行政。对下级行政机关实施行政许可的合法性进行监督检查，主要包括以下两个方面的内容：

一方面，要监督检查实施行政许可的行政主体和权限是否合法。行政许可只能由具有行政许可权的行政机关在法定的范围内实施,法律、法规授权的具有管理公共事务职能的组织,在法定的权限范围内可以以自己的名义实施行政许可,行政机关在其法定职权范围内,依照法律、法规、规章的规定,可以委托其他行政机关实施行政许可。上级行政机关在监督检查下级行政机关实施行政许可行为时,一旦发现行政许可实施的主体和权限不合法,应当及时予以纠正。比如,根据公民出境入境管理法的规定,中国公民因私出境,只能由其户口所在地的公安机关实施行政许可;中国公民因公务出境,只能由外交部或者外交部授权的地方外事部门实施行政许可;海员因执行任务出境,只能由港务监督局或者由港务监督局授权的港务监督实施行政许可。对于因不同事由出境的公民依法实施行政许可的行政机关也不同,如果由公安部门实施中国公民因公务出境的行政许可,或者由外交部门实施海员执行任务出境的行政许可,都属于实施行政许可的主体和权限违法,上级行政机关在监督检查时应当予以纠正。

第二个重要内容是,要监督检查实施行政许可的程序是否合法。没有程序的正义就没有实体的正义。依照法定的程序实施行政许可,是保证行政许可公平、公正,保证申请人合法权益以及保证行政机关依法行政的重要条件。本法第四章根据不同情况,对行政许可实施的一般程序作出了详细规定,其他有关的法律、法规、规章对一些特定行政许可的程序作出了专门规定,这些规定都是行政机关实施行政许可的依据。上级行政机关对下级行政机关实施行政许可的监督检查,一个很重要的内容,就是监督检查下级行政机关在实施行政许可时,是否严格以本法律以及其他有关的法律、法规、规章为依据,特别是要监督检查下级行政机关在实施行政许可过程中,是否认真落实了那些法定的具有关键意义的程序。比如,要根据本法第四章的规定,监督检查下级行政机关是否将有关行政许可的事项、依据、条件、数量、程序、期限以及需要提交的全部材料的目录等在办公场所公示;要监督检查下级行政机关在实施自然资源的开发利用和公共资源的配置以及直接关系公共利益的特定行业的市场准入等事项的行政许可时,是否依法通过招标、拍卖等公平竞争的方式作出决定;要监督检查下级行政机关在实施直接关系申请人和利害关系人之间重大利益的行政许可时,是否严格依法告知了有关当事人具有申请听证的权利,并依照法定程序进行了听证;要监督检查下级行政机关是否在法定的期限内实施了行政许可;要监督检查下级行政机关在作出行政许可决定后,是否将行政许可决定和申请人的有关资料予以公开,允许公众查阅,等等。如果发现下级行政机关在实施行政许可的程序中有违法行为,上级行政机关应当及时采取措施予以纠正。

当前,行政机关在实施行政许可的具体程序中,有两个问题比较严重,一是与被许可人私下接触,甚至向被许可人"吃、拿、卡、要",通过行政许可实行权力寻租;二是在实施行政许可时乱收费、高收费,甚至没有收费就疏于许可、疏于管理。这两种现象大量滋生了腐败现象,损害人民群众的利益,损害了行政机关的形象。为此,本法第二十七条专门规定:"行政机关实施行政许可,不得向申请人提出购买指定商品、接受有偿服务等不正当要求。"第五章专门规定,行政机关实施行政许可和对行政许可事项进行监督检查,不收取任何费用;行政机关提供行政许可申请书格式文本,不收取费用;行政机关实施行政许可,应当依照法定的项目和标准收费,所收取的费用必须全部上缴国库,任何机关或者个人不得以任何形式截留、挪用、私分或者变相私分。因此,上级行政机关在监督检查下级行政机关实施行政许可时,应当将这两个问题作为十分重要的内容予以监督检查,一旦发现有关行政机关及其工作人员的违法现象,要坚决及时地纠正,对行政许可实施中的犯罪行为,要依法移交司法机关追究其刑事责任。

根据本条的规定,各上级行政机关,包括国务院及其部门、县级以上地方各级人民政府及其部门都应当建立健全各项监督制度，加强对下级行政机关实施行政许可的监督检查，及时纠正行政许可实施过程中的违法行为。实践中，一些地方积累了不少成功的经验和做法。比如，有的地方建立起谁审批、谁负责的制度，将责任落实到部门和行政机关的个人。有的地方建立健全社会监督制度、行政机关内部监察制度以及对行政许可的事后跟踪监管制度，从各个方面加强对下级行政机关实施行政许可的监督。

第六十一条　行政机关应当建立健全监督制度，通过核查反映被许可人从事行政许可事项活动情况的有关材料，履行监督责任。

行政机关依法对被许可人从事行政许可事项的活动进行监督检查时，应当将监督检查的情况和处理结果予以记录，由监督检查人员签字后归档。公众有权查阅行政机关监督检查记录。

行政机关应当创造条件，实现与被许可人、其他有关行政机关的计算机档案系统互联，核查被许可人从事行政许可事项活动情况。

【释义】　本条是关于行政机关建立健全监督制度，履行对被许可人监督责任的规定。

一、对被许可人活动从事监督检查的意义

根据本法第十条的规定，行政机关对个人或者组织从事行政许可事项的活动应当实施有效监督，即行政机关实施行政许可应当遵循责任原则，实行责任许可，不仅重视事前许可权力的行使，更要承担起许可后对被许可人从事许可事项活动的监督责任。本条规定就是总则第十条有关许可责任原则的进一步具体化。

行政许可实践中存在的一个重要问题是，重事前许可、轻事后监管，或者只许可、不监管的现象比较普遍。重事前许可、轻事后监管或者只许可、不监管，使行政许可失去了应有意义，增加了市场的混乱和无序，甚至助长了各种违法犯罪现象的产生，因为被许可人就特定的事项取得许可后，在市场活动中如果失去行政机关的必要监督和管理，其追求和选择自身利益的行为就极有可能向任性、无序的方向发展，进而不可避免地与社会的整体利益或者公共利益发生冲突。比如，被许可人在取得经营餐饮业的经营许可证后，如果没有食品卫生部门事后经常性的检查、监督和管理，就很难保证其生产经营的食品符合行政机关实施许可时所要求的卫生标准。所以，行政机关对被许可人的事后监督管理，与事前的实施行政许可具有同等的重要性。在一定意义上甚至可以说，监督比许可更重要，行政机关只有依法加强对被许可人从事行政许可事项活动的监督管理，才能保证被许可人的生产经营等活动切实在行政许可的范围内进行。

二、建立健全对被许可人的监督检查制度

行政机关应当建立健全对被许可人的监督管理制度，将对被许可人从事行政许可事项活动的监督管理制度化、规范化。这个监督管理制度应当包括以下几方面的基本内容：一是要明确行政机关对被许可人的监督管理义务，不承担监督管理义务，就不能行使行政许可权力。二是要明确行政机关对被许可人的各项具体监督管理职责，特别是要明确行政机关对被许可人是否真正享有应予许可的相关权利、是否在行政许可所确定的范围内活动等事项，进行监督管理的具体方式和程序，明确对于被许可人有伪造材料骗取许可、超越许可范围活动、拒不接受行政机关监管等行为的，行政机关可以依法采取的各种措施。三是要明确行政机关中实施行政许可的具体部门和工作人员的责任，特别是要明确不履行监督管理义务、监督管理不力、对被许可人的违法行为不予查处的部门和工作人员的具体责任。

三、建立以书面检查为主的制度

根据本条的规定，行政机关在建立健全监督制度后，主要应当

通过核查反映被许可人从事行政许可事项活动情况的有关书面材料,对被许可人履行各项监督管理责任。实践中,一些行政机关对被许可人的生产经营等活动要么疏于监督检查,要么频繁地实地检查,干扰和妨碍被许可人正常的生产经营活动。实际上,行政机关对多数行政许可的事项都是可以通过核查被许可人的有关书面材料来判断其是否依法从事有关活动的。比如,某药品生产企业取得药品生产许可证后所生产的药品是否符合许可证所要求的质量标准,行政机关就完全可以通过该企业提供的相关生产情况的书面材料以及有关专业技术组织的检验报告予以认定。所以,被许可人从事行政许可事项的相关材料是行政机关对其实施监督管理的基础。根据本条的规定,行政机关对被许可人的生产经营等活动,除非必须通过实地检查的以外,原则上应当都通过书面核查的方式进行监督检查。这个规定的基本初衷是,减少行政执行成本,提高行政管理效率,避免行政机关执法扰民。

四、建立监督检查的记录归档制度

根据本条第二款的规定,行政机关依法对被许可人从事行政许可事项的活动进行监督检查时,应当将监督检查的情况和处理结果予以记录,由监督检查人员签字后归档。作出这一规定有以下几方面的作用:一是做好对被许可人从事许可事项活动进行个别检查监督、具体检查监督的情况记录和归档工作,是将行政许可的事后监督系统化和制度化的重要条件,可以为行政机关全面监督检查被许可人的活动、正确评估该项行政许可的价值提供重要依据。二是有利于加强行政机关及其工作人员进行自我监督,提高其工作的责任心,保证依法行政,因为行政机关对被许可人的监督检查是否勤勉,对被许可人的处理是否合法,在档案上都得到反映。三是有利于增强被许可人的法律意识和道德意识,促使其自觉地依法开展生产经营等活动,因为将对被许可人从事行政许可事项的监督检查情况记录归档，实际上就建立起了被许可人的信用档案。为此，有关行政机关在依法对被许可人从事行政许可事项的活动进行具体的监督检查时，应当将监督检查的情况和处理结果予以认真记录，由监督检查人员签字后归入档案，以保证监督检查情况的真实性和规范性。

五、建立互联网监督检查制度和公众查阅监督检查记录制度

此外，为提高行政机关监督检查的效率和增加监督检查的透明度，本条还规定了以下两项具体制度：一是通过互联网监督检查制度。为充分利用信息化时代高新技术带来的成果，实行信息共享，推行电子政务，本条还规定，行政机关应当创造条件，实现与被许可人、其他有关行政机关的计算机档案系统互联，以便核查被许可人从事行政许可活动的各种情况，提高工作效率。这样，一些被许可人需要向行政机关报送的材料，就可以通过网络或者电文报送，方便了被许可人，也实现了行政机关之间的资料共享。二是公众查阅行政机关监督检查记录制度。行政机关对被许可人的监督管理情况也应当是公开的，只有公开的监督管理才能实现公平、公正的监督管理、认真负责的监督管理。因此，本条专门规定，公众有权查阅行政机关的监督检查记录。公众监督是督促和保证行政机关依法行政的重要力量。公众有权查阅行政机关的监督检查记录，可以有效地监督行政机关对所有被许可人从事行政许可事项的活动，都切实依法进行监督检查，用同样的标准公平、公正地进行监督检查，从而防止监督检查中的各种违法现象。但是，根据本法第五条的规定，公众查阅行政机关的监督检查记录，也有例外情形，即涉及国家秘密、商业秘密或者个人隐私的有关记录，公众不得查阅。

第六十二条　行政机关可以对被许可人生产经营的产品依法

进行抽样检查、检验、检测,对其生产经营场所依法进行实地检查。检查时,行政机关可以依法查阅或者要求被许可人报送有关材料;被许可人应当如实提供有关情况和材料。

行政机关根据法律、行政法规的规定,对直接关系公共安全、人身健康、生命财产安全的重要设备、设施进行定期检验。对检验合格的,行政机关应当发给相应的证明文件。

【释义】 本条是关于行政机关依法对被许可人生产经营的有关产品进行检查、检验和检测的规定。

在日常行政管理工作中,行政机关实施行政许可的领域,很大一部分都属于个人或者企业生产经营的领域,如烟酒服装生产的领域,公交电梯运营的领域,娱乐场所经营的领域和家电销售的领域等等。个人或者企业从行政机关取得生产经营的行政许可后,能否依法在行政许可的范围和条件内从事特定的生产经营活动,直接关系到人民群众的人身健康、生命财产安全、公共安全,关系到社会利益、国家利益以及社会主义市场经济的健康发展,因此,行政机关依法加强对被许可人生产经营产品的监督管理,具有十分重要的意义。本条就对行政机关依法监督管理被许可人生产经营产品的事项作出了专门规定。

一、检查、检验、检测的范围

根据本法前一条的规定,行政机关对被许可人从事行政许可事项的检查,原则上应当通过书面检查的方式进行。但是,在一些特定的领域,仅仅依靠书面检查不能判断被许可人的生产经营等活动是否符合行政许可的要求,行政机关对被许可人的监督检查必须通过实地检查和现场检查的方式进行。根据本条的规定,行政机关对被许可人生产经营的产品可以依法采取检查、检验、检测的方式进行监督检查。检查、检验、检测主要是一种现场检查和实地检查,是行政机关对行政许可实施监督管理的一种重要方式。

这种方式主要在两个领域运用：一是用于对有关日常生产经营的产品的行政许可事项的监督管理。对这类事项，行政机关在实施行政许可后，应当依法检查、检验、检测被实施行政许可的个人或者企业是否按照行政许可所设立的范围和条件从事生产经营活动。比如，行政机关对有关服装加工、木料家具、五金工具等方面产品质量的现场监督检查。二是用于对一些特殊行政许可事项的监督管理，这主要是指用于对直接关系公共安全、人身健康、生命财产安全的重要设备、设施、产品、物品等行政许可事项的监督管理，如交通安全检查、电梯安装检验、生猪屠宰检疫、食品卫生检查、动植物检验检疫、娱乐场所消防验收等。对这类产品进行现场和实地检查、检验、检测，主要是督促和要求被许可人所生产经营的产品必须达到一定的技术标准或者符合一定的技术规范。由于直接关系公共安全、人身健康、生命财产安全的重要设备、设施、产品、物品，必须达到强制性标准和技术规范，一旦出现问题就可能造成严重后果，因此，对它们的检查、检验、检测等方式就有一个重要特点，即这种检查、检验、检测，既是行政许可的前置性条件和行政许可的特殊种类，又是行政许可实施后行政机关对被许可人从事行政许可事项活动进行监督管理的重要方式。根据本法第三十九条的规定，行政机关采取检验、检测、检疫等方式实施许可的，可以在检验、检测、检疫合格的设备、设施、产品、物品上加贴标签或者加盖检验、检测、检疫印章。根据本法第五十五条的规定，行政机关对直接关系公共安全、人身健康、生命财产安全的重要设备、设施、产品、物品，应当根据技术标准和技术规范进行检验、检测、检疫，行政机关根据检验、检测、检疫的结果作出是否准予行政许可的决定。根据本法上述两个条文的规定，检查、检验、检测是实施行政许可的前置性条件，也是行政许可的一个特殊种类。在日常生产生活中，电梯、锅炉、机动车辆、航空器、船舶等与公共安全和人身健康密切相关的设施、设备，在投入生产运营之前都必须经过有关行政机关严格的检查、检验、检测,质量合格后方可由行政机关作出准予行政许可的决定。

而根据本条的规定,检查、检验、检测不仅是行政许可的特殊种类,还是行政机关实施行政许可后,对被许可人从事行政许可事项活动进行事后监督管理的重要方式。这种方式在一些特定的行业和领域都是由法律、法规予以专门规定的。比如,药品管理法第六十八条规定:“药品监督管理部门应当按照规定,依据《药品生产管理规范》、《药品经营质量管理规范》,对经其认证合格的药品生产企业、药品经营企业进行认证后的跟踪检查。”比如,由于食品卫生与人民群众的生命健康和安全密切相关,食品卫生法第十七条强调规定:“各级人民政府的食品生产经营管理部门应当加强食品卫生管理工作,并对执行本法情况进行检查。”这部法律的第三十一条、第三十二条规定,县级以上人民政府的卫生行政部门、铁道和交通行政主管部门设立的食品卫生监督机构,应当履行对食品进行卫生检测、检验的职责。而上述电梯、锅炉、机动车辆、航空器、船舶等与公共安全和人身健康密切相关的设施、设备,在投入生产运营后,有关行政机关则仍然要通过检查、检验、检测的方式定期或者不定期地进行监督检查。

二、检查、检验、检测的手段

根据本条的规定,行政机关可以对被许可人生产经营的产品依法进行检查、检验、检测,有三种重要手段:一是抽样检查、检验、检测。为保证被许可人严格按照行政许可的范围和条件从事生产经营,行政机关对被许可人生产经营的各式各类产品最理想的监督管理方式,就是从数量上进行全部的检查、检验、检测。但是,由于行政机关人力、物力和财力有限,由于行政管理的范围比较广泛,要求行政机关对被许可人生产经营的产品进行全部检查、检验、检测,是不可能的,从提高行政管理效率的角度看,也不必要。

因此，在日常行政管理活动中，行政机关使用较多的方法是进行抽样检查、检验、检测。比如，药品监督管理法第六十五条就规定：“药品监督管理部门根据监督检查的需要，可以对药品质量进行抽样检验。”动物防疫法第四十一条规定：“动物防疫监督机构在执行监测、监督任务时，可以对动物、动物产品采样、留验、抽检”。食品卫生法第三十五条也规定，食品卫生监督员进行食品检查时，有权依照规定无偿采样。二是进入生产经营场所进行实地检查。有些产品其作为成品就能直接反映出自身质量以及生产过程的情况。比如，一件服装的用料及加工生产的精细程度都能直接从成品上反映出来。但是，有些产品特别是食品等日常生活用品，其质量与生产的过程具有密切联系，但生产的成品却不能直接反映生产过程的情况。所以，行政机关在对类似产品进行监督检查时，必须深入到企业的生产经营场所，进行检查、检验、检测。对此，食品卫生法第三十五条就规定，食品卫生监督员可以进入生产经营场所进行检查，生产经营者不得拒绝或者隐瞒。三是依法查阅或者要求被许可人提供必要的资料。被许可人从事的一些特定产品的生产经营活动，通常要按照自制的规划、计划、用料、技术标准、生产流程等文件资料进行，有关指导生产经营的企业内部文件资料在很大程度上反映了产品质量，反映了其生产经营活动与行政许可范围和条件的吻合程度，因此，行政机关检查和掌握被许可人从事生产经营活动的相关文件资料，是进行监督检查的重要方式。因此，本条规定，检查时，行政机关可以依法查阅被许可人的有关资料，也可以要求被许可人报送有关材料；被许可人应当如实提供有关情况和材料。本条规定的这一精神在一些法律、法规中已有专门规定。比如，食品卫生法第三十五条规定，食品卫生监督员在执行任务时，可以向食品生产经营者了解情况，索取必要的资料。水法第六十条规定，县级以上人民政府水行政主管部门、流域管理机构及其水政监督检查人员履行检查监督职责时，有权要求被检查单位提供有关文件、证照、资料。海域使用管理法第三十九条规定，县级以上人民政府海洋行政主管部门履行检查监督职责时，有权要求被检查单位或者个人提供海域使用的有关文件和资料。大气污染防治法第十二条规定："向大气排放污染物的单位，必须按照国务院环境保护行政主管部门的规定向所在地的环境保护行政主管部门申报拥有的污染排放设施、处理设施和正在作业条件下排放污染物的各类、数量、浓度，并提供防治大气污染方面的有关技术资料。"

三、对重要设备、设施检验合格的，行政机关应当发给证明文件

行政机关根据法律、行政法规的规定，对直接关系公共安全、人身健康、生命财产安全的重要设备、设施进行定期检验。对检验合格的，行政机关应当发给相应的证明文件。直接关系公共安全、人身健康、生命财产安全的重要设施、设备，如汽车、船舶、火车、航空器、锅炉、电梯、高空缆车、轨道、消防器材等，其使用寿命有限，必须进行定期检验，才能及时掌握这些设备、设施的安全状况，及时发现隐患，排除故障，更新淘汰，以保障运营活动的安全与稳定。

由于这些重要设施、设备直接关系公共安全、人身健康和生命财产安全，不仅要对它们依法进行定期检验，对检验结果的处理也要十分认真。凡是检验合格的，行政机关都应当对被许可人发给相应的证明文件。由行政机关对检验合格的重要设备、设施发给相应证明文件，有以下好处：一是明确行政机关的责任。行政机关只有确实检验合格后才能发给相应的证明文件，发给了证明文件，行政机关及其具体工作人员就要对证明文件的检验结论负责。二是对从事重要设备、设施运营的被许可人来说，由行政机关发给检验合格的证明文件，是对其运营资格的肯定以及运营资质的确认。被许可人可以凭借行政机关发给的相关证明文件，作为其运营活

动的合法依据以及企业信誉的凭证。三是对消费者及其他社会成员来说，行政机关发给的相关证明文件，既是他们对从事重要设备、设施运营企业取得信任、放心消费的重要条件，也是他们对企业进行监督、加强自我保护的重要条件。四是可以避免行政机关的重复检查。

第六十三条　行政机关实施监督检查，不得妨碍被许可人正常的生产经营活动，不得索取或者收受被许可人的财物，不得谋取其他利益。

【释义】　本条是关于行政机关实施监督检查应当廉洁并不得影响被许可人正常生产经营的规定。

根据本法第二十七条的规定，行政机关实施行政许可，不得向申请人提出购买指定商品、接受有偿服务等不正当要求，行政机关工作人员办理行政许可，不得索取或者收受申请人的财物或者获取其他利益。这一规定是对行政机关在实施行政许可时应当具备的廉洁性提出的要求。但是，仅仅要求行政机关实施行政许可时做到廉洁公正还不够，行政机关对行政许可的管理活动能否依法进行，很重要的一条是，在行政许可的监督检查中还必须保持廉洁，提高行政管理效率。本条规定就是对行政机关在监督检查被许可人从事行政许可事项活动时的廉洁性和效率性提出的要求。

行政机关对被许可人实施监督检查，目的在于监督被许可人严格依照行政许可要求的范围和条件进行生产经营。但由于行政机关的监督检查与行政机关的职责、利益以及被许可人的利益都密切相关，因此，在实践中容易出现两方面的问题：一方面的问题是，行政机关对被许可人的监督检查容易失当，甚至超越权限，干预被许可人正常的生产经营活动。比较典型的是，一些行政机关巧立名目、兴师动众、不分时间和情况、过于频繁地对被许可人的生产经营等活动进行各种检查，在检查过程中经常人为地干扰甚至中断被许可人的生产经营活动，严重降低了行政管理效率。针对这种情况，本条规定，行政机关实施监督检查，不得妨碍被许可人正常的生产经营活动。所谓正常的生产经营活动，就是企业内部日常性的有规律的生产经营活动。行政机关实施监督检查，不得妨碍被许可人正常的生产经营活动，对行政机关的要求主要是：第一，行政机关组织实施监督检查，应当有时间限制，不宜过于频繁地组织监督检查，使得被许可人忙于应付，甚至不堪重负。第二，行政机关组织实施监督检查应当根据具体情况确定人员，以精简人员、轻装简行为原则，不得兴师动众，大造声势。第三，行政机关在实施监督检查时，应当严格依法以实施行政许可时要求的范围和条件为依据，监督检查的范围仅限于被许可人生产经营的范围，不得节外生枝，不得扰乱、妨碍、中断被许可人日常的有规律性的生产经营等活动。另一方面的问题是，行政机关在实施监督检查时，容易有各种不廉洁行为。这些不廉洁行为主要表现为索取或者收受被许可人财物以及其他利益。行政机关及其工作人员实施监督检查时的不廉洁行为，主要是受其自身利益的驱动，其动机是以权谋私，将国家权力化为自身利益。行政机关及其工作人员实施监督检查时的不廉洁行为，导致的直接结果是，失去工作原则，进而作出不公正甚至虚假的检查结论，轻则违纪违法，重则玩忽职守，徇私枉法，实施犯罪。因此，本条专门规定，行政机关在实施检查监督时，不得索取或者收受被许可人的财物或其他利益。

第六十四条　被许可人在作出行政许可决定的行政机关管辖区域外违法从事行政许可事项活动的，违法行为发生地的行政机关应当依法将被许可人的违法事实、处理结果抄告作出行政许可决定的行政机关。

【释义】　本条是关于辖区外行政机关对被许可人违法情况向作出行政许可决定机关实施抄告的规定。

本法第十五条规定，地方性法规和省、自治区、直辖市人民政府的规章因行政管理的需要，具有一定的行政许可设定权，但是，不得设定行政许可限制其他地区的个人或者企业到本地区开展生产经营活动或者限制其他地区的商品进入本地区市场。这个规定旨在打破地区封锁和市场垄断。根据这一规定，个人或者企业在一个行政区域内取得的行政许可，到另一个行政区域内仍然具有法的效力，被许可人有权依据已经取得的行政许可证在该行政区域内从事生产经营活动。

但是，个人或者企业在一个行政区域内取得的行政许可在另一行政区域有效，同时会带来一个问题，即对被许可人从事行政许可事项的生产经营活动的监督检查机关可能并不是行政许可的实施机关。根据宪法和地方组织法的有关规定，行政区划内的行政机关在该行政区划内从事日常的行政管理活动。根据行政处罚法第二十条的规定，除法律、行政法规的特殊规定以外，行政处罚由违法行为发生地的县级以上地方人民政府具有行政处罚权的行政机关管辖。按照对违法行为实行属地管辖的原则，被许可人在作出行政许可决定的行政机关管辖区域以外从事违法生产经营的行为，应当由该行为地的有关行政机关实施行政处罚。

行政处罚法确定的违法行为属地管辖原则固然很重要，但是，对于被许可人的违法行为仅由违法行为地的行政机关实施行政处罚，还不能保证行政管理的连续性、统一性、效率性，因为被许可人在异地受到行政处罚甚至被吊销营业执照，而本行政区域签发营业执照的行政机关并不知晓，因此，实行行政机关之间的抄告制度就很有必要。目前，我国法律体系中对有关行政机关之间抄告制度的规定还不够完备。所谓抄告制度，就是没有隶属关系的国家机构之间互相抄送文件、告知情况的制度。它不同于报告制度，报告制度指的是下级对上级机关的报告制度，或者被管理单位对管理机关的报告制度。比如，药品管理法第七十一条规定：“国家实行药品不良反应报告制度。药品生产企业、药品经营企业和医疗机构必须经常考察本单位所生产、经营、使用的药品质量、疗效和反应。发现可能与用药有关的严重不良反应,必须及时向当地省、自治区、直辖市人民政府药品监督管理部门和卫生行政部门报告。"这就是被管理单位对管理机关的报告制度。抄告制度的特点是,抄告机关之间彼此没有隶属关系,既可以是平级机关之间的抄告,也可以是没有隶属关系的上下级机关之间的抄告;既可以是本行政区划内有关机关之间的抄告,如省级行政区划内有关机关之间的抄告,也可以是跨行政区划机关之间的抄告;既可以是同一职能机关之间的抄告,也可以是不同职能机关之间的抄告。抄告制度的基本特点在于:第一,抄告机关没有上下级之间的隶属关系,因为有隶属关系就直接报告、通知而不需要抄告了。第二,抄告的目的是使不同的机关之间保持工作的连续性、统一性和效率性。第三,抄告的方式是不同的国家机关之间互相抄送文件,告知情况,沟通信息。

本条规定,被许可人在作出行政许可决定的行政机关管辖区域外违法从事行政许可事项活动的,违法行为发生地的行政机关应当依法将被许可人的违法事实、处理结果抄告作出行政许可决定的机关。这一内容是对行政管理活动中的抄告制度作出的重要的具有创新意义的规定。本条规定包含以下几项内容:第一,本条规定的抄告制度主要是跨行政区划的行政机关之间的抄告制度,即不同的行政管辖区之间的抄告制度。第二,本条规定的抄告制度,只适用于不同行政管辖区之间的行政机关,在对被许可人生产经营活动的监督检查中实行的抄告活动。第三,根据本条规定,违法行为发生地的行政机关抄告作出行政许可决定机关的内容,包括被许可人的违法事实和对被许可人作出的处理结果两个方面,以利于作出行政许可决定的机关了解全面情况。在得到抄告后,如果被许可人被行政管辖区域外的行政机关依法吊销从事生产经营活动的许可证，作出行政许可决定的机关就可以依法注销对被许可人作出的行政许可。总之，本条对行政许可监督检查中抄告制度的规定，是行政立法活动以及行政管理活动的重要创新，对促进不同行政管辖区域的行政机关在日常行政许可监督管理中互相沟通信息，保持行政管理工作的连续性、统一性和效率性，都具有重要意义。

第六十五条　个人和组织发现违法从事行政许可事项的活动，有权向行政机关举报，行政机关应当及时核实、处理。

【释义】　本条是关于行政机关依靠社会力量，发现和处理违法从事行政许可活动行为的规定。

对行政机关决定行政许可的事后监督，仅仅靠行政机关自身还不够，还必须广泛依靠社会力量的作用。本条规定旨在借助社会力量，实现行政机关对被许可人从事许可事项活动的有效监督。为什么要借助社会力量对被许可人实施监督呢？第一，行政机关本身的人员和力量有限，行政机关的日常管理活动也比较复杂，而在实施行政许可后，被许可人从事行政许可事项的活动千变万化、丰富复杂，行政机关几乎不可能时时地地去检查被许可人从事许可事项的活动是否违法。第二，从事生产经营等活动的公民、法人或者组织分散在社会和市场的各个领域，其从事许可事项的各项活动也分散在社会和市场的各个方面，渗透于人们日常生活和工作中，特别是个人或者组织生产经营的过程和产品，只有亲自感受、亲自使用和消费才能了解其质量，因此，对个人或者组织从事行政许可事项活动最广泛、最直接的感受者和接触者还是社会、是群众，社会力量是个人或者组织从事行政许可事项活动是否违法的最直接的发现者，是行政机关最好的监督辅助力量。第三，一切国家机关工作的一项重要原则，就是贯彻群众路线，信赖群众，依靠群众，广泛听取群众的意见。行政机关作为国家和社会事务的重要管理机关,在日常的行政管理活动中,必须依靠社会、依靠群众,才能做好各项工作。对行政许可的监督检查是一项深入细致的工作,更需要依靠群众、依靠社会力量才能取得成绩。实践证明,行政机关在对被许可人从事行政许可事项活动的监督管理中,很多问题都是通过社会力量的反映和举报才得以发现并最终得到有效处理的。基于这些原因,本条专门规定,社会力量可以向行政机关反映有关违法从事行政许可事项活动的情况,行政机关对社会力量的反映和举报应当予以重视并认真处理。

根据本条的规定,任何个人或者组织发现违法从事行政许可事项的活动,都有权向行政机关反映和举报。这包括两层含义:一是任何组织或者个人发现被许可人从事行政许可事项活动违法的,即发现被许可人虽然已经取得行政许可,但没有按照行政许可所要求的范围、条件和程序从事生产经营等活动的,都有权向有关行政机关反映和举报。比如,发现被许可人已经取得生产经营食品容器、包装材料的许可证,但却没有按照行政许可所要求的卫生标准去生产经营上述产品,即可以向相关的卫生行政主管部门反映和举报。二是任何组织或者个人发现行为人未取得行政许可而从事应当取得行政许可后方可从事的活动,都可以向行政机关反映和举报。比如,屠宰牲畜、驾驶机动车辆都必须取得相应的行政许可,如果行为人没有取得相应的行政许可却擅自屠宰牲畜、驾驶机动车辆,个人或者组织一旦发现,即可以向有关的行政机关反映和举报。行政机关对行政许可的事后监督检查,不仅包括对被许可人从事行政许可事项活动的监督检查,还包括对那些应当取得行政许可后方可从事生产经营而没有取得行政许可即从事生产经营活动的监督检查。

行政机关根据个人或者组织的反映和举报,应当及时对所反映和举报违法行为的有关情况进行核实和处理。所谓核实,是指核实已经取得行政许可的行为人所从事的生产经营等活动是否符合行政许可所要求的范围、条件和程序，以及核实从事应当取得行政许可方可从事生产经营等活动的行为人是否取得了行政许可。所谓处理，是指对被许可人没有按照行政许可所要求的范围、条件和程序去从事生产经营等活动的行为作出处理，以及行为人对没有取得行政许可却从事应当取得行政许可方能开展生产经营活动的行为作出处理。根据行政处罚法等法律、法规的规定，对应当取得行政许可而没有取得行政许可即从事非法生产经营等活动的，以及虽然取得行政许可但却没有按照行政许可所要求的范围和程序从事生产经营等活动的，行政机关可以依法采取警告、罚款、取缔、没收违法所得和没收非法财物、责令停产停业、暂扣或者吊销许可证和执照、行政拘留等措施。

根据本法第六十一条的规定，行政机关依法对被许可人从事行政许可事项的活动进行监督检查时，应当将监督检查的情况和处理结果予以记录，由监督检查人员签字后归档。公众有权查阅行政机关监督检查记录。对于社会力量反映和举报的违法从事行政许可事项的活动，行政机关在进行检查监督时，也应当将监督检查的情况和对违法行为人的处理结果予以记录，由监督检查人员签字后归档，实行档案管理。对于行政机关的监督检查记录，公众同样有权查阅。

第六十六条　被许可人未依法履行开发利用自然资源义务或者未依法履行利用公共资源义务的，行政机关应当责令限期改正；被许可人在规定期限内不改正的，行政机关应当依照有关法律、行政法规的规定予以处理。

【释义】　本条是关于行政机关对被许可人未依法履行开发利用自然资源或者利用公共资源义务进行处理的规定。

涉及自然资源的开发利用以及公共资源的利用等方面事项的许可，是一种特别许可，即通常所说的特许。由于自然资源以及公共资源两类事项具有数量有限、不可再生或者再生周期很长等特点，因此，有关的法律、行政法规在设定这方面的许可时，有关的行政机关在实施这方面的许可时，经常会要求被许可人在从事这些许可事项的生产经营等活动的同时，要履行相应的义务。有关的行政机关在监督检查被许可人从事这方面行政许可事项的活动时，一项重要的任务就是监督检查被许可人是否依法按照行政许可的要求，履行了相关的法定义务。

被许可人依法取得开发利用自然资源以及利用公共资源的行政许可，所应当履行的义务，有两个方面的含义。

第一个方面的含义是，行政机关在实施许可时，要求被许可人在从事行政许可事项的生产经营活动时，履行相应的附带性义务。比如，根据矿产资源法的规定，国家对矿产资源的开采实行审批制度即行政许可制度。但国家在许可个人或者组织开采矿产资源时，又要求其履行以下相应的法律义务：必须采取合理的开采顺序、开采方法和选矿工艺；在开采主要矿产的同时，对具有工业价值的共生和伴生矿产应当统一规划，综合开采，综合利用，防止浪费；开采矿产资源，必须遵守国家劳动安全卫生规定，具备安全生产的必要条件；开采矿产资源，必须遵守有关环境保护的法律规定，等等。比如，根据森林法的规定，采伐森林和林木必须依法取得采伐许可证。但森林法第三十五条又规定，个人或者组织在采伐森林时应当履行相应的义务，即“采伐林木的单位或者个人，必须按照采伐许可证规定的面积、株数、树种、期限完成更新造林任务，更新造林的面积和株数不得少于采伐的面积和株数”。再比如，根据海域使用管理法的规定，单位和个人可以向县级以上人民政府海洋行政主管部门申请使用海域，但这部法律同时又规定，单位和个人在取得海域使用许可后还必须履行下列义务：海域使用权人有依法保护和合理使用海域的义务；海域使用权人对不妨害其依法使用海域的非排他性用海活动，不得阻挠；海域使用权人在使用海域期间，未经依法批准，不得从事海洋基础测绘；海域使用权人发现所使用海域的自然资源和自然条件发生重大变化时，应当及时报告海洋行政主管部门，等等。上述法律所规定的涉及自然资源的行政许可的附带义务，也即行政许可本身附带的条件，与普通行政许可所要求的条件和义务没有区别，被许可人当然应当依法按照行政许可所要求的条件和义务从事生产经营等活动。

第二个方面的含义是，被许可人依法取得开发利用自然资源以及利用公共资源的行政许可后，有按时、积极地从事行政许可事项的生产经营活动的义务，而不得荒废、闲置有限的资源，不得对已经取得的行政许可弃之不用。本条规定的被许可人的义务主要是指这一意义上的义务。对自然资源的开发利用以及公共资源的利用，应当由国家通过公共权力来承担，但行政机关可以依法代表国家将应当由公共权力承担的任务授予具备特定条件和资质的单位或者个人，所以这方面的行政许可属于特别许可或者特许。特许与普通行政许可相比有一个重要特点，即普通许可所获取的许可对被许可人来说仅仅是一种权利，而特许所取得的许可对被许可人来说，就不仅是一种权利，同时还是一种义务。比如，某人申请到驾驶执照，属于获取普通许可，通过这一许可他取得驾驶机动车辆的权利，但他取得驾驶执照，可以不去驾驶机动车辆，即可以放弃这种权利。而特许则不同，比如，某单位通过投标取得城市地下管线的建设权利，就不仅是一种权利，同时还是一种义务，即在取得行政许可后该单位必须要从事地下管线的建设，而不得以不作为的方式放弃这种权利。为什么说通过特别程序取得的开发利用自然资源和利用公共资源的行政许可，对被许可人来说还是一种义务呢？一方面，因为对这方面事项的行政许可实际是公共权力的转移，即行政机关代表国家将公共权力转移给特定的单位或者个人，要求特定单位或者个人代表公共权力去履行职责。另一方面，就是对开发利用自然资源和利用公共资源行政许可的申请，有很强的竞争性，直接关系到经济和社会发展的需要，关系到人民群众生产生活的需要，个人或者单位通过竞争依法取得行政许可后，却不去及时开发利用有限的自然资源，不去利用有限的公共资源，就会延误对有限资源的充分和及时利用，进而影响经济和社会的发展，影响人民群众的生产生活。比如，某地急需开发旅游资源，需要对森林进行适度采伐，被许可人获得行政许可后却不去采伐森林，就会影响当地旅游业的发展。再比如，某城市为加强市政建设，急需修建城市铁路，某企业通过竞争后取得城市铁路的建设许可，却迟迟不开展建设活动，就会影响市政建设的进程，影响市民的生活。而在实践中，经常遇到的不法现象就是，一些房地产开发商在取得土地开发许可后，不是去积极地从事房地产开发建设，而是恶性循环地从事炒地皮的不法活动，导致地价和房价的不断虚涨，严重影响了城市建设的速度和人民群众生活条件的改善，扰乱了行政机关的土地管理活动和房地产市场的健康发展。因此，强调被许可人依法取得开发利用自然资源或者利用公共资源的行政许可后，依法按时、积极地从事行政许可事项的生产经营活动，就十分必要，本条规定的内容就有这一意义上的针对性。

根据本条的规定，被许可人取得行政许可后，如果没有依法履行开发利用自然资源义务，或者没有依法履行利用公共资源义务的，行政机关在监督检查时，应当作出处理，责令被许可人限期改正，依法履行从事行政许可事项生产经营活动的义务。被许可人在规定期限内不改正的，行政机关应当依照有关法律、行政法规的规定予以处理。这里的处理主要是指行政机关依法撤回对被许可人的行政许可。

被许可人在取得自然资源开发利用以及公共资源利用的行政许可后，如果不依法积极地从事行政许可事项的生产经营活动，一些法律、法规中已经规定了相应的处理措施。比如，土地管理法第三十七条规定："禁止任何单位和个人闲置、荒芜土地。已经办理审批手续的非农业建设占用耕地,一年内不用而又可以耕种并收获的,应当由原耕种该幅耕地的集体或者个人恢复耕种,也可以由用地单位组织耕种;一年以上未动工建设的,应当按照省、自治区、直辖市的规定缴纳闲置费;连续两年未使用的,经原批准机关批准,由县级以上人民政府无偿收回用地单位的土地使用权;该耕地原为农民集体所有的,应当交由原农村集体经济组织恢复耕种。”比如,根据城市房地产管理法的规定,以出让方式取得土地使用权,应当向县级以上地方人民政府土地管理部门申请登记。为防止登记后土地使用权闲置,这部法律在第二十五条专门规定,“以出让方式取得土地使用权进行房地产开发的,必须按照土地使用权出让合同约定的土地用途、动工开发期限开发土地。超过出让合同约定的动工开发日期满一年未动工开发的,可以征收相当于土地使用权出让金百分之二十以下的土地闲置费;满二年未动工开发的,可以无偿收回土地使用权”。再比如,国务院颁布的《基本农田保护条例》规定,禁止任何单位和个人闲置荒芜基本农田,占用基本农田满 1 年不使用的,应当组织耕种;1 年以上未动工建设的,应当按照规定缴纳土地闲置费;连续 2 年未使用的,经国务院批准,无偿收回用地单位土地使用权。

第六十七条　取得直接关系公共利益的特定行业的市场准入行政许可的被许可人,应当按照国家规定的服务标准、资费标准和行政机关依法规定的条件,向用户提供安全、方便、稳定和价格合理的服务,并履行普遍服务的义务;未经作出行政许可决定的行政机关批准,不得擅自停业、歇业。

被许可人不履行前款规定的义务的,行政机关应当责令限期改正,或者依法采取有效措施督促其履行义务。

【释义】　本条是关于行政机关对特定行业的被许可人不依法履行服务义务作出处理的规定。

直接关系公共利益的特定行业即通常所指的垄断性的行业，主要包括银行、金融、保险、铁路、电力、航空、烟草、邮电等行业。这些行业由于与公众的利益密切相关，其生产经营必须具备一些特定的条件和标准，因此，依据本法有关行政许可实施程序的规定，它们的市场准入适用行政许可中的招标、投标等特别程序，即只有通过招标、投标等特殊方式才能获得市场准入。

实践中，有关法律、行政法规等对直接关系公共利益的特定行业的生产经营，都规定了特定的标准和条件，被许可人取得从事这些行业的行政许可后都必须依照法定的条件和标准从事生产经营活动。本条内容，是对取得直接关系公共利益的特定行业的市场准入许可的被许可人，从事行政许可事项的生产经营等活动所应当履行义务的总体性规定。它包括以下几方面的内容：

第一，这些特定的行业应当按照国家规定的服务标准、资费标准和行政机关依法规定的条件，向用户提供服务。比如，根据铁路法的规定，铁路运输企业作为垄断性的特定行业，应当保证旅客和货物运输的安全，做到列车正点到达；铁路运输企业应当对承运的货物、包裹、行李自接受承运时起到交付时止发生的灭失、短少、变质、污染或者损害承担责任。这就是铁路运输企业对用户服务的基本标准。再比如，铁路法在规定国家和地方铁路的旅客、货物运输杂费的收费项目和收费标准，分别由国务院铁路主管部门和地方人民政府物价主管部门制定的同时，还规定，铁路的旅客票价，货物、包裹、行李的运价，旅客和货物运输杂费的收费项目和收费标准，必须公告，未公告的不得实施。这些规定就是铁路运输企业对用户服务的资费标准。再比如，根据国务院颁布的《电信条例》的规定，电信企业作为直接关系公共利益的特定行业，在取得行政许可后的经营过程中，在电信资费、电信服务和电信设施建设等方面都必须遵守该条例所规定的一系列标准和条件。

第二，这些特定的行业应当向用户提供安全、方便、稳定和价格合理的服务。这里有两个内容:一个内容是要求特定的行业向用户提供安全、方便和稳定的服务。比如,民用航空法第一百二十四条规定:“因发生在民用航空器上或者在旅客上、下民用航空器过程中的事件,造成旅客人身伤亡的,承运人应当承担责任。”第一百二十六条规定,“旅客、行李或者货物在航空运输中因延误造成的损失,承运人应当承担责任”。第二个内容是要求特定行业为用户提供价格合理的服务。比如,电力法就用专章对电价与电费作出规定。这部法律第三十六条规定:“制定电价,应当合理补偿成本,合理确定收益,依法计入税金,坚持公平负担,促进电力建设。”第四十三条规定:“任何单位不得超越电价管理权限制定电价。供电企业不得擅自变更电价。”第四十四条规定,“禁止任何单位和个人在电费中加收其他费用”。

第三,这些特定的行业应当向用户履行普遍服务的义务。这是要求特定的行业对用户提供服务,不得歧视不同的用户或者对不同的用户提供不平等服务。比如,电力法第二十六条规定:“供电营业区内的供电营业机构,对本营业区内的用户有按照国家规定供电的义务;不得违反国家规定对其营业区内申请用电的单位和个人拒绝供电。”

第四,未经作出行政许可决定的行政机关批准,不得擅自停业、歇业。比如,根据国务院发布的《广播电视管理条例》规定,广播电台、电视台,须经国务院广播电视行政部门审查批准后方可设立,并应当按照许可证载明的台名、台标、节目设置范围和节目套数等事项制作、播放节目。但广播电台、电视台一经依法许可设立,就应当正常播放。《广播电视管理条例》第十四条规定,“广播电台、电视台因特殊情况需要停止播出的,应当经省级以上人民政府广播电视行政部门同意;未经批准,连续停止播出超过30日的,视为终止”,应当按照有关部门的规定办理收回许可的手续。

第五,被许可人不履行上述义务的,行政机关应当责令限期改正,或者依法采取有效措施督促其履行义务。

第六十八条　对直接关系公共安全、人身健康、生命财产安全的重要设备、设施,行政机关应当督促设计、建造、安装和使用单位建立相应的自检制度。

行政机关在监督检查时,发现直接关系公共安全、人身健康、生命财产安全的重要设备、设施存在安全隐患的,应当责令停止建造、安装和使用,并责令设计、建造、安装和使用单位立即改正。

【释义】　本条是关于行政机关对直接关系公共安全、人身健康、生命财产安全的重要设备、设施进行监督检查的规定。

根据本条的规定,行政机关对直接关系公共安全、人身健康、生命财产安全的重要设备、设施的监督检查,通过两种方式进行:一种方式是督促有关设计、建造、安装和使用的单位进行自我检查;另一种方式是行政机关直接进行监督检查。

直接关系公共安全、人身健康、生命财产安全的重要设备、设施,如锅炉、电梯、压力容器、起重机械、客运索道、大型娱乐设施等,在建造、设计、安装和使用的过程中,情况比较复杂,出现安全隐患的可能性和不可预测性都比较大,因此,仅仅靠行政机关对这些设备、设施实施监督检查还不够。而且,在日常生产经营等活动中最容易发现问题的往往是这些设施、设备的设计、建造、安装和使用单位,在行政机关督促和管理下,由具体的设计、建造、安装和使用单位建立相应的自我检查制度,进行日常性的自我检查,及早发现问题,排除隐患,是实行安全生产的重要保障。由有关单位对重要设备、设施生产经营活动实行自我检查,一些法律、行政法规都有具体规定。比如,安全生产法第十七条规定,生产经营单位的主要负责人有职责督促、检查本单位的安全生产工作,及时消除生产中的安全事故隐患。第二十九条规定:“生产经营单位必须对安全设备进行经常性维护、保养,并定期检测,保证正常运转。维护、保养、检测应当做好记录,并由有关人员签字。”再比如,国务院颁布的《特种设备安全监察条例》第二十七条规定:“特种设备使用单位应当对在用特种设备进行经常性日常维护保养,并定期自行检查。”“特种设备使用单位对在用特种设备应当至少每月进行一次自行检查,并作出记录。特种设备使用单位对在用特种设备进行自行检查和日常维护保养时发现异常情况的,应当及时处理。”“特种设备使用单位应当对在用特种设备的安全附件、安全保护装置、测量调控装置及有关附属仪器仪表进行定期校验、检修,并作出记录。”

行政机关在监督检查时,发现直接关系公共安全、人身健康、生命财产安全的重要设备、设施存在安全隐患的,应当责令停止建造、安装和使用,并责令设计、建造、安装和使用单位立即改正。在日常行政管理活动中,对直接关系公共安全、人身健康、生命财产安全的重要设备、设施进行监督检查,是行政机关的一项重要职责。实践中,安全事故事件经常发生,一些重大安全事故的发生对公共安全,对人民群众的人身健康和生命财产安全,以及国家利益带来很大损失,因此,加强行政机关对重要设备、设施的监督检查,具有重要的现实意义。对于行政机关进行监督检查的这些事项和要求,不少法律和行政法规都有详细规定。比如,安全生产法第五十三条就规定:“县级以上地方各级人民政府应当根据本行政区域内的安全生产状况,组织有关部门按照职责分工,对本行政区域内容易发生重大安全生产事故的生产经营单位进行严格检查;发现事故隐患,应当及时处理。”第五十六条规定,负有安全生产监督管理职责的部门,“对检查中发现的事故隐患,应当责令立即排除;重大事故隐患排除前或者排除过程中无法保证安全的,应当责令从危险区域内撤出作业人员,责令暂时停产停业或者停止使用;重大事故隐患排除后,经审查同意,方可恢复生产经营和使用”。

第六十九条　有下列情形之一的，作出行政许可决定的行政机关或者其上级行政机关，根据利害关系人的请求或者依据职权，可以撤销行政许可：

（一）行政机关工作人员滥用职权、玩忽职守作出准予行政许可决定的；

（二）超越法定职权作出准予行政许可决定的；

（三）违反法定程序作出准予行政许可决定的；

（四）对不具备申请资格或者不符合法定条件的申请人准予行政许可的；

（五）依法可以撤销行政许可的其他情形。

被许可人以欺骗、贿赂等不正当手段取得行政许可的，应当予以撤销。

依照前两款的规定撤销行政许可，可能对公共利益造成重大损害的，不予撤销。

依照本条第一款的规定撤销行政许可，被许可人的合法权益受到损害的，行政机关应当依法给予赔偿。依照本条第二款的规定撤销行政许可的，被许可人基于行政许可取得的利益不受保护。

【释义】　本条是关于行政机关撤销行政许可的情形的规定。

本条内容是行政法学上信赖保护原则的具体化。理解本条规定可以从以下几个方面进行：

一、行政法学上的信赖保护原则

所谓信赖保护原则，是行政机关诚信原则的延伸。行政机关的诚信原则，是指行政机关对公众的行为应当具有稳定性和可预测性，不得变化无常，不得溯及既往，表现在行政许可上，就是行政机关一旦作出行政许可的决定，就不能随意更改或者撤销，并有责任依法采取措施保证被许可人顺利地从事行政许可事项的生产经营等活动。由诚信原则引申而来的一条重要原则就是信赖保护原则,其主要内容包括以下几个方面:一是行政相对人基于对行政机关行政行为合法性与有效性的信赖而与行政机关合作,这种对行政机关的信赖应当受到保护。二是行政相对人因行政机关的行政行为而获得的利益,应当受到保护;行政机关一旦撤销其行为而对行政相对人造成损失,行政机关应当承担责任,否则行政机关将逐渐失去公众的信赖。三是第三人由于不知道行政行为有瑕疵而与行政相对人发生某种法律关系,其由于行政机关对相对人的授益行为而带来的利益也应当受到保护。四是因行政相对人怀有主观恶意从行政机关取得授益行为而获得的利益不受保护,因为相对人的主观恶意不是对行政机关的信赖。这些内容表现在行政许可上,就是行政机关作出的行政许可决定给被许可人带来利益,行政机关不得随意撤销该项行政许可,如果遇有必须撤销行政许可的情形,行政机关在撤销许可时,也必须对被许可人以及利害关系人受到的损失承担相应的责任。但是,被许可人由于怀有主观恶意而从行政机关取得的行政许可,一旦被撤销,其所获得的利益则不受保护。具体到本条内容,就是被许可人如果有本条第二款规定情形的,其基于行政许可取得的利益不受保护,即被许可人以欺骗、贿赂等不正当手段获得的行政许可,其基于行政许可所取得的利益不受保护。

二、撤销行政许可的机关

所谓撤销行政许可即取消行政许可。本条中的撤销行政许可,是指由行政机关撤销有瑕疵的行政许可。这些行政许可在实施过程中就存在违法因素,属于无效行政许可。根据本条的规定,有权撤销对被许可人的行政许可的机关是作出行政许可决定的行政机关或者作出行政许可决定的行政机关的上级行政机关。为什么说作出行政许可决定的行政机关有权撤销对被许可人的行政许可呢？因为第一，作出行政许可决定的行政机关是行政许可的实施机关，经过对申请人各项条件的审查，如果认为申请人符合条件，它就有权决定准予对申请人的行政许可，如果认为申请人不符合条件，它就有权作出不予行政许可的决定。第二，行政机关对个人或者组织从事行政许可事项的生产经营等活动的管理过程，是一个完整的、连续的过程，既包括对申请人提出申请的审查和许可，也包括对申请人取得行政许可后从事行政许可事项生产经营等活动的监督检查。作出行政许可决定的机关，不仅是行政许可的实施机关，也是被许可人从事行政许可事项活动的监督检查机关，在监督检查过程中，如果遇有法定的撤销行政许可的情形，作出行政许可决定的行政机关当然有权作出撤销行政许可的决定。

为什么说作出行政许可的上级行政机关有权撤销行政许可呢？因为上级行政机关是作出行政许可决定的行政机关的领导机关，在日常工作中行使对作出行政许可的行政机关的管理和监督职权，这个管理和监督职权就包括对下级行政机关作出行政许可是否合法的管理监督职权，因此，它有权撤销下级行政机关作出的行政许可决定。这里的上级行政机关是相对于权力机关和审判机关、检察机关而言的，权力机关对行政机关的监督是总体上的监督，而不是具体管理活动上的监督，不宜直接干预行政机关对行政许可的监督管理，因此，不宜由它来撤销行政机关的具体行政许可。审判机关对行政机关的监督主要是通过审判工作进行的，它要撤销行政机关作出的行政许可，也要通过审判活动得出的结果作出，而不能直接撤销行政许可。检察机关行使的是法律监督权，对行政机关作出的行政许可的监督也只能通过法律监督的方式进行，而不能直接撤销行政许可。这里的上级行政机关既包括一级人民政府的上级人民政府，比如，市级人民政府有权撤销所辖县级人民政府的行政许可；也包括某一部门的同级人民政府，比如，县级人民政府有权撤销人民政府下属各行政部门准予的行政许可；

还包括上级人民政府具有工作领导关系的部门，比如，市级人民政府工商行政管理部门有权撤销下辖县级人民政府工商行政管理部门的行政许可，等等。

三、撤销行政许可的提起

作出行政许可决定的行政机关或者其上级行政机关，撤销行政许可有两个方面的提起途径：一是根据利害关系人的请求。被许可人在从事行政许可事项的生产经营等活动时，其利害关系人通常是其行政许可本身是否合法，以及其从事行政许可事项的生产经营等活动是否符合行政许可的范围、条件等要求的直接发现者，因此，由利害关系人提起撤销行政许可的申请，是一条好的途径，也是通过社会力量监督行政机关管理行政许可活动的重要方式。二是行政机关依据自己的职权撤销行政许可。行政机关实施行政许可后，其重要的职权就是监督检查行政许可的实施是否合法，行政许可所要求的范围和条件是否发生变化，以及被许可人是否按照行政许可所要求的范围和条件从事行政许可事项的生产经营等活动。在对行政许可的监督检查中，一旦发现特定的情形，行政机关即有权提起撤销行政许可的程序，并依法审查决定是否撤销行政许可。

四、可以撤销行政许可的法定情形

在行政许可领域，信赖保护原则在一定程度上要优位于法律优先的原则。根据行政机关在管理活动中贯彻信赖保护原则的要求，对于因行政机关有违法因素应当撤销的行政许可，从保护行政相对人利益的角度出发，原则上应当不予撤销，只有在特殊情形下，行政机关经过科学的权衡后，才可以撤销违法的行政许可。根据本条的规定，作出行政许可决定的行政机关或者其上级行政机关，根据利害关系人的申请或者依据职权，经审查发现具有下列情

形之一的,可以撤销行政许可:

一是行政机关工作人员滥用职权、玩忽职守作出准予行政许可决定的。所谓滥用职权,是指国家工作人员故意滥用手中的职权或者超越自己的职权,致使公共财产、国家和人民利益遭受损失的行为。所谓玩忽职守是指国家工作人员不履行或者不正确地履行其职责,致使公共财产、国家和人民利益遭受损失的行为。在行政许可的实施过程中,一些行政机关的工作人员存在滥用职权、玩忽职守作出准予行政许可决定的情形,轻则违法,重则构成犯罪。这些行为损害了国家和人民的利益,损害了行政机关的正常行政管理活动,也损害了行政机关的形象。行政机关的工作人员滥用职权、玩忽职守作出的准予行政许可决定,不受法律保护,可以由作出行政许可决定的行政机关或者其上级行政机关予以撤销。

二是超越法定职权作出行政许可决定的。行政机关必须在法定的职权范围内实施行政许可。超越法定职权实施的行政许可无效。根据本法第三章的规定,行政机关在法定的职权范围内实施行政许可包括以下内容:第一,行政许可由具有行政许可权的行政机关在法定职权范围内实施,行政机关如果没有某项法定的职权却对申请人实施行政许可,即属于超越法定职权。比如,集会游行示威法第六条规定:"集会、游行、示威的主管机关,是集会、游行、示威举行地的市、县公安局、城市公安分局;游行、示威路线经过两个以上区、县的,主管机关为所经过区、县的公安机关的共同上一级公安机关。"第七条规定:"举行集会、游行、示威,必须依照本法规定向主管机关提出申请并获得许可。"根据这些规定,在市、县行政区域内举行集会、游行、示威的,只能由市、县公安局、城市公安分局实施行政许可,其他公安部门实施行政许可即属于超越法定职权;游行、示威路线经过两个以上区、县的,只能由所经过的区、县的共同上一级公安机关实施行政许可,区、县的公安机关或者其他公安机关实施行政许可,即属于超越法定职权。第二,法律、法规授权的具有管理公共事务职能的组织，只能在法定的授权范围内，以自己的名义实施行政许可。比如，证券法第七条规定，“国务院证券监督管理机构依法对全国证券市场实行集中统一监督管理”。根据这一规定，作为法律授权的具有公共事务管理职能的组织，国务院证券监督管理委员会只能在证券法等法律、法规规定的职权范围内行使证券监督管理方面的行政许可权，实施其他方面的行政许可即属于超越法定职权。第三，行政机关在其法定职权范围内，依照法律、法规和规章的规定，可以委托其他行政机关实施行政许可。受委托行政机关只能在委托范围内，以委托行政机关的名义实施行政许可，并不得再委托其他组织或者个人实施行政许可。比如，森林法第三十二条规定：“农村居民采伐自留山和个人承包集体的林木，由县级林业主管部门或者其委托的乡、镇人民政府依照有关规定审核发放采伐许可证。”再比如，国务院颁布的《野生动物保护实施条例》第二十二条规定：“国务院林业行政主管部门和省、自治区、直辖市人民政府林业行政主管部门可以根据实际情况和工作需要，委托同级有关部门审批或者核发国家重点保护野生动物驯养繁殖许可证。动物园驯养国家重点保护野生动物的，林业行政主管部门可以委托同级建设行政主管部门核发驯养繁殖许可证。驯养繁殖许可证由国务院林业行政主管部门印制。”根据上述法律、行政法规的规定，如果受委托行政机关超越委托范围，或者没有以委托行政机关的名义实施行政许可，即属于超越法定职权实施行政许可，如果再委托其他组织或者个人实施行政许可，那么，其他组织或者个人实施的行政许可也属于超越法定职权实施行政许可。

对于上述超越法定职权作出准予行政许可决定的，作出准予行政许可决定的行政机关及其上级行政机关都可以依法撤销行政许可。当然，根据本法第二十五条的规定，经国务院批准，省、自治区、直辖市人民政府根据精简、统一、效能的原则，可以决定一个行政机关行使有关行政机关的行政许可权，在此情况下，一个行政机关行使有关行政机关的行政许可权，不属于超越法定职权。根据本法第二十六条的规定，行政许可依法需要由行政机关内设的多个机构办理的，应当确定一个机构统一受理行政许可申请，统一送达行政许可决定；依法应当由地方人民政府两个以上部门分别实施的行政许可，本级人民政府可以确定由一个部门受理行政许可申请并转告有关部门分别提出意见后统一办理。在这些情形下行政机关办理行政许可的活动即不属于超越法定职权。

三是违反法定程序作出准予行政许可决定的。行政管理活动中程序的公正是保证实体公正的重要前提，没有程序的合法就很难保证实体的合法。在行政许可实施过程中，行政机关如果不能严格依照法定的程序开展工作，就很难保证行政许可决定的正确性。本法在总则中就规定，实施行政许可应当遵守法定的程序，将遵循法定程序作为实施行政许可的一项重要原则。依据这一原则，本法对普通行政许可实施中的申请与受理、审查与决定、期限、听证、变更与延续程序，对行政许可特别程序中的适用规则、特许程序、认可程序、核准程序、登记程序以及相关的特别规定等，都作出了一系列详细规定。其他的有关法律、行政法规对一些专门行业的行政许可程序也作出了专门规定。这些程序方面的规定都是保证行政机关最后正确作出行政许可决定的重要条件，是行政机关及其工作人员具体实施行政许可时的工作依据。行政机关实施行政许可时违反法定程序，违反法定程序作出准予行政许可的决定，其正确性就很有可能受到影响。比如，依据本法的有关规定，建设行政主管部门或者环境保护行政主管部门等行政机关在对申请人的大型建筑物建设申请实施行政许可时，应当告知与建筑物的建设有重大利益关系的利害关系人具有要求听证的权利，如果行政机关没有告知利害关系人具有这一权利，在作出准予行政许可决定时，就有可能忽视和损害建筑物周围利害关系人的权利，从而影响建筑许可决定的正确性。因此,作出行政许可决定的机关,违反法定程序,影响到行政许可正确性的,该行政机关或者其上级行政机关可以撤销行政许可。实践中,如果行政机关在实施行政许可的过程中,违反了法定程序但没有影响到行政许可正确性的,一般说来则不必撤销。这主要是考虑到提高行政管理效率和保护被许可人合法权益的需要。比如,在上述建筑许可的申请中,行政机关没有告知利害关系人有要求听证的权利,也没有举行听证,但在作出准予建筑许可决定时充分考虑了利害关系人的利益,没有影响到行政许可的正确性,所以就不必撤销该行政许可。行政机关作出行政许可决定违反法定程序固然有责任,应当撤销行政许可,但基于提高行政管理效率和保护被许可人合法权益的需要,只要没有影响到行政许可决定的正确性,还是不予撤销为宜。

四是对不具备申请资格或者不符合法定条件的申请人予以行政许可的。不同的行政许可需要不同的资格或者条件,行政机关根据个人或者组织的申请,并对其申请进行审查后,只有在申请人具备从事行政许可事项的资格或者条件的情况下,才可以作出准予行政许可的决定。比如,根据律师法第五条的规定,律师执业,应当取得律师资格和执业证书。个人没有取得律师资格和执业证书,即不具备申请从事律师执业的资格,司法行政部门如果作出准予其执业的行政许可,该行政许可即为无效,应予撤销。再比如,根据建筑法第八条的规定,个人或者组织申请建筑工程施工许可,应当具备下列条件:一是已经办理建筑工程用地批准手续;二是在城市规划区的建筑工程,已经取得规划许可证;三是需要拆迁的,其拆迁进度符合施工要求;四是已经确定建筑施工企业;五是有满足施工需要的施工图纸及技术资料;六是有保证工程质量和安全的具体措施;七是建设资金已经落实;八是法律、行政法规规定的其他条件。如果个人或者组织申请建筑工程施工许可,没有具备上述条件,建设行政主管部门就作出准予其从事建筑工程施工的行政许可决定,那么,该行政许可即为无效,应予撤销。

五是依法可以撤销行政许可的其他情形。这是一项兜底性规定,即除了上述四种情形以外,遇有其他由于存在违法因素而导致行政许可无效的情形,作出行政许可决定的行政机关及其上级行政机关,可以依法撤销行政许可。

但是,根据本条第二款的规定,被许可人以欺骗、贿赂等不正当手段取得行政许可的,应当予以撤销。以欺骗、贿赂等不正当手段取得行政许可的,其获得的利益不是基于对行政机关的信任而来的,相反,它是对行政机关怀有主观恶意,这种对行政机关的主观恶意不属于行政机关予以保护的范围。本条第二款规定的含义是指申请人本来不具备取得行政许可的条件或者资格、资质,却以欺骗、贿赂等不正当手段取得了行政许可。申请人已经具备行政许可的条件或者资格、资质,就不存在采取欺骗、贿赂等不正当手段取得行政许可的问题。在此情况下,即使申请人给予行政机关及其工作人员以钱物或者其他利益,也不能称为贿赂,因为贿赂行为的目的在于谋取不正当利益,而在符合条件的情形下申请人所申请的行政许可属于其正当利益。所谓欺骗手段,是指被申请人明知自己的申请不符合行政许可的条件,故意采取弄虚作假的方法,造成行政机关在审查过程中的错觉,骗取行政机关作出准予行政许可的决定。以欺骗方式取得的行政许可,属于无效行政许可,应予撤销。所谓贿赂手段,是指申请人的申请不符合行政许可的资格或者条件,却通过向行政机关及其工作人员行贿金钱、财物等的方式,取得行政机关作出准予行政许可的决定的行为。以贿赂手段取得的行政许可也属于无效行政许可,应予撤销。实践中,以欺骗、贿赂等不正当手段取得行政许可的现象为数不少,对于以这类手段取得行政许可的行为,不少法律都规定了相应的法律责任。比如,执业医师法第三十六条规定:“以不正当手段取得医师执业证书的，由发给证书的卫生行政部门予以吊销；对负有直接责任的主管人员和其他直接责任人员，依法给予行政处分。”再比如，建筑法第十三条规定：“从事建筑活动的建筑施工企业、勘察单位、设计单位和工程监理单位，按照其拥有的注册资本、专业技术人员、技术装备和已完成的建筑工程业绩等资质条件，划分为不同的资质等级，经资质审查合格，取得相应等级的资质证书后，方可在其资质等级许可的范围内从事建筑活动。”第六十五条则规定：“以欺骗手段取得资质证书的，吊销资质证书，处以罚款；构成犯罪的，依法追究刑事责任。”

五、不应当撤销行政许可的情形

对于具有违法因素的行政许可，作出行政许可决定的行政机关或者其上级行政机关可以撤销，但是，在一些特殊情形下，行政许可即使具有违法的因素，也不应当撤销。

第一，撤销行政许可可能对公共利益造成重大损害的，应当不予撤销。撤销行政许可，就意味着被许可人从事许可事项的生产经营等活动应当随之停止，否则，其行为即构成违法。通常说来，对于有违法情形的行政许可，行政机关应当予以撤销，并责令被许可人立即停止从事行政许可事项的生产经营等活动，这既是保证行政机关依法行政的需要，也是让有违法行为的被许可人承担法律责任的需要。但是，有些行政许可的事项比如大型的道路建设、桥梁建设等，与公共利益密切相关。对于这些行政许可事项，行政机关作出行政许可的决定后，被许可人可能很快就开始了生产经营等活动，而行政机关一旦发现行政许可中的违法情形，即可以对行政许可予以撤销。但行政许可一旦被撤销，就意味着被许可人从事行政许可事项的生产经营等活动应当立即停止，就有可能导致公共利益的重大损失。在此情况下，行政许可即使有违法的情况，上级行政机关也不应当撤销。上级行政机关不予撤销行政许可,但可以要求被许可人补齐相关的许可手续,特别是要加强对其生产建设等活动质量的监督检查,并对有违法行为的作出行政许可决定的行政机关及其工作人员作出相应的处分。

这里需要注意的是,虽然本条第二款规定,被许可人以欺骗、贿赂等不正当手段取得行政许可的,应当予以撤销其行政许可,但是,根据本条第三款的规定,即使遇到被许可人以欺骗、贿赂等不正当手段取得行政许可,应当撤销其行政许可的情形,如果撤销行政许可可能对公共利益造成重大损害的,也不应当予以撤销。

第二,行政许可虽然具有违法因素,但是,被许可人没有本条第二款所列情形,即没有采取欺骗、贿赂等不正当手段取得行政许可的行为,并且其基于行政许可所取得的利益明显大于撤销行政许可所要维护的公共利益,行政机关就不应当撤销行政许可。这是贯彻行政管理活动中比例原则的要求。

第三,行政许可虽然具有违法的因素,但是,作出行政许可决定的行政机关或者其上级行政机关,应当在知道撤销的情形之后一定的期限内撤销行政许可,超过了这期限就不应当再予以撤销。这是保持行政法律关系相对稳定以及保护行政相对人权利的需要。

六、撤销行政许可要妥善处理的两个问题

本条第一款的规定表明,对于有违法情形的行政许可应当予以撤销,是行政许可监督检查的一项重要原则。但是,针对行政许可的实施和监督中情况十分复杂的实际,在撤销违法行政许可的同时,还应当慎重和妥善处理以下两个方面的情况:

第一,对撤销的行政许可,行政机关根据被许可人的申请,可以重新作出准予行政许可的决定。撤销对被许可人的行政许可,不是一种永久性处罚,在撤销行政许可后,被许可人仍然有权利就同一行政许可事项再向行政机关提出许可申请,行政机关对被许

可人的申请，经审查，可以重新作出准予行政许可或者不予行政许可的决定。符合条件的，即应当予以许可，不符合条件的则不予许可。行政机关重新审查申请人的行政许可申请和作出是否准予申请人行政许可决定的程序，仍然依照本法实施行政许可的程序的有关规定进行。但是，本法第七十九条规定，被许可人以欺骗、贿赂等不正当手段取得行政许可的，行政机关应当给予行政处罚；直接关系公共安全、人身健康、生命财产安全事项的，申请人在 3 年内不得再申请该行政许可。据此，被许可人如果有该条规定的情形，则在 3 年内不得再提起行政许可的申请。

第二，行政机关依照本条第一款的规定撤销行政许可，被许可人的合法权益受到损害的，行政机关应当依法给予赔偿。但是，被许可人取得行政许可，有本条第二款规定情形的，其基于行政许可取得的利益不受保护。本条规定的行政许可实施过程的违法情形，除第二款属于被许可人的违法以外，其他的情形如超越法定权限作出行政许可决定的情形，行政机关工作人员滥用职权、玩忽职守作出行政许可决定的情形，违反法定程序的情形等，实际都是行政机关及其工作人员的违法情形。行政机关及其工作人员违法作出的行政许可决定，属于违法的行政许可决定，应当予以撤销。但是，行政许可的撤销带来的直接后果就是影响被许可人的合法权益，而由于行政机关及其工作人员违法行为给被许可人合法权益造成的损害，由被许可人承担，是不公平的，有悖于行政权力属于人民并服务于人民的基本原则。按照上述行政法学上的信赖保护原则，由于行政机关的过错而对被许可人造成损失的，行政机关应当给予赔偿。

根据本条的规定，行政机关由于自己的违法行为而导致行政许可无效并应予撤销，给被许可人带来的损失，应当由行政机关依法给予赔偿，即实行国家赔偿。本法第七条规定，公民、法人或者其他组织的合法权益因行政机关违法实施行政许可受到损害的，有权依法要求赔偿。本条规定的国家赔偿就是这一内容的具体化。行政机关对被许可人的赔偿责任与对被许可人的补偿责任有区别。根据本法第八条的规定，所谓补偿责任是指行政许可决定所依据的法律、法规、规章修改或者废止，或者颁发许可证的情况发生了重大变化的，为了公共利益的需要，行政机关依法变更或者撤回已经生效的行政许可决定，而给公民、法人或者其他组织造成财产损失的，行政机关应当依法给予补偿。总之，补偿是适用于行政许可行为合法而因情势变化和公共利益需要，所应当撤回或者变更的情形。而赔偿责任是指行政机关及其工作人员违法实施的行政许可应予撤销而给公民、法人或者组织带来的损失，应当由行政机关承担责任，它的一个重要特点是，行政机关的行政许可行为是违法而应予撤销的。

本条规定的行政机关对违法实施行政许可的赔偿责任，其构成要件包括：(1)侵权行为主体是行政机关及其工作人员，这里的“行政机关”所指的是本法第三章所规定的所有有权依法实施行政许可的行政机关或者其他组织。(2)行政机关实施行政许可的行为存在违法的因素，如超越法定权限、违反法定程序等。(3)行政机关撤销违法的行政许可给被许可人造成了实际损害，这种损害应当是实际的、已经发生的、可以计算的。(4)行政机关违法实施行政许可的行为与被许可人受到的损害结果之间有因果关系，即被许可人的损害是由行政机关的违法行为造成的。被许可人由于行政机关违法实施行政许可导致该行政许可撤销进而带来的损害的赔偿，按照国家赔偿法、行政诉讼法、行政复议法等法律的规定取得。

第七十条　有下列情形之一的，行政机关应当依法办理有关行政许可的注销手续：

（一）行政许可有效期届满未延续的；

（二）赋予公民特定资格的行政许可，该公民死亡或者丧失行为能力的；

（三）法人或者其他组织依法终止的；

（四）行政许可依法被撤销、撤回，或者行政许可证件依法被吊销的；

（五）因不可抗力导致行政许可事项无法实施的；

（六）法律、法规规定的应当注销行政许可的其他情形。

【释义】　本条是关于行政机关办理行政许可注销手续的规定。

在行政许可的实施和监督管理活动中，注销、撤销和撤回是三个容易混淆的概念。所谓注销是指行政机关注明取消行政许可，是行政许可结束后由行政机关办理的手续。它与撤销的区别在于，撤销一般需要由行政机关作出决定，撤销的事由通常是行政许可的实施过程中有违法因素，即违法导致行政许可的撤销。而注销的事由不仅包括行政许可实施中具有违法因素，还包括其他使得被许可人从事行政许可事项的生产经营等活动终止的情形，即只要被许可人终止从事行政许可事项的生产经营等活动，行政机关即对该项行政许可予以注销。所谓撤回既包括申请人在申请过程对其行政许可申请的撤回，也包括行政机关因为行政许可所依据的客观情形发生重大变化而对其行政许可决定的撤回。对于行政机关来说，撤回主要是指行政许可的实施以及被许可人从事许可事项的活动本身并不违法，但客观情况发生了变化，行政机关对行政许可的撤回。行政机关在撤回行政许可后，也要履行注销行政许可的手续。

根据本条的规定，行政机关依法注销行政许可的情形主要有六类：一是行政许可有效期届满，被许可人未延续行政许可的。根据本法的有关规定，行政许可有效期届满，被许可人在法定期限内可以申请延续行政许可，如果被许可人未申请延续或者申请延续但未获行政机关批准的,行政机关即可依法注销其行政许可。二是行政机关赋予公民特定资格的许可,该公民死亡或者丧失行为能力的。行政机关赋予公民特定资格的行政许可,是属于人身权性质的行政许可,不可委托也不可以替代,而该公民一旦死亡或者丧失行为能力,即意味着特定资格的行政许可已没有意义。比如,司法行政主管部门赋予公民律师资格,这一资格只能由该公民本人享有,但如果该公民死亡或者丧失行为能力,即意味着其律师资格没有意义,所以,应予注销。这里的公民死亡指的是公民实际死亡,而不包括宣告死亡或者宣告失踪。因为宣告死亡或者宣告失踪的情况比较复杂,公民在被宣告死亡或者宣告失踪后还有可能重新出现,如果一概注销其行政许可,就不适当。三是法人或者其他组织依法终止的。法人或者其他组织依法终止或者被撤销后,即失去行为能力,因此,其已有的行政许可应予注销。四是行政许可证件依法被吊销、撤销、撤回的。行政许可证件依法被行政机关吊销、撤销或者撤回,都意味着该项行政许可已经结束,所以,应予注销。五是因不可抗力导致行政许可事项无法实施的。比如,由于发生地震等自然灾害导致行政许可事项无法实施的情形,行政机关就应当依法注销行政许可。六是法律、法规规定的应当注销行政许可的其他情形。

第七章 法律责任

长期以来,行政许可活动中的法律责任没有引起应有的重视,主要表现为法律责任的不明确或者缺位。使行政机关及其工作人员在行政许可的设定、实施和监督检查活动中,以及被许可人在从事行政许可事项的活动中,出现了不少问题。在行政机关及其工作人员方面,其问题主要是:一些行政机关及其内设机构大量设定行政许可,使行政许可有泛滥之势;一些行政机关及其工作人员在实施行政许可的活动中,违反法定程序,官僚主义作风严重;一些行政机关及其工作人员在实施行政许可过程中,擅自收费或者不按照法定项目和标准收费,甚至出现截留、挪用、私分或者变相私分实施行政许可依法收取的费用;一些行政机关及其工作人员在办理行政许可或者实施监督检查中索取或者收受他人财物,存在各种腐败现象;一些行政机关及其工作人员对被许可人的违法活动,不依法履行监督检查职责或者监督检查不力,造成严重后果;一些行政机关违法实施行政许可,给当事人的合法权益造成损害的,不依照国家的有关法律予以救济,等等。

在被许可人方面,其主要问题是:一些行政许可申请人在申请行政许可时隐瞒有关情况或者提供虚假材料;一些被许可人在取得行政许可后涂改、倒卖、出租或者以其他非法方式转让许可证,或者超越行政许可的范围从事违法活动;一些被许可人以隐瞒有关情况、提供虚假材料或者拒绝提供反映其活动情况的真实材料等方式,逃避行政机关的监督检查;一些公民、法人或者其他组织未取得行政许可而擅自从事依法应当取得行政许可的活动等。

为了保证行政许可的设定、实施和监督检查活动都在法律规定的范围内进行，保证公民、法人或者其他组织依法从事行政许可事项的活动，必须对行政机关及其工作人员，以及有关的公民、法人或者其他组织规定相应的法律责任。本章的内容就是针对上述具体情况作出的规定。

第七十一条　违反本法第十七条规定设定的行政许可，有关机关应当责令设定该行政许可的机关改正，或者依法予以撤销。

【释义】　本条是关于改正或者撤销违法设定的行政许可的规定。

行政许可的设定权是一项十分重要的国家权力，谁有权设定行政许可，有权在什么样的范围内设定行政许可，直接关系到对公民、法人和其他组织权利的保护，关系到国家法制的统一，关系到行政管理效率的提高。长期以来，在行政许可设定权的行使方面，存在不少问题，特别是行政机关中乱设行政许可的现象比较严重。为了从源头上解决行政许可领域的诸多问题，推进行政管理体制的改革，本法第二章对行政许可的设定范围和种类，以及行政许可的具体设定机关都作出了详细规定。

本法第十七条规定，除本法第十四条、第十五条的规定外，其他规范性文件一律不得设定行政许可。根据本法第十四条的规定，法律可以对本法第十二条所列的各类事项设定行政许可，尚未制定法律的，可以由行政法规设定行政许可。必要时，国务院可以采用发布决定的方式设定行政许可，但实施后，除临时性行政许可事项外，国务院应当及时提请全国人大及其常委会制定法律，或者自行制定行政法规。根据本法第十五条的规定，本法第十二条所列事项，尚未制定法律、行政法规的，地方性法规可以设定行政许可；尚未制定法律、行政法规和地方性法规的，因行政管理的需要，确需立即实施行政许可的，省、自治区、直辖市人民政府规章可以设定临时性的行政许可。

本法的上述规定表明，在我国，有权设定行政许可的机关只有制定法律的全国人大及其常委会，制定行政法规的国务院，有地方性法规制定权的地方人大及其常委会，省、自治区、直辖市人民政府。国务院的部委办局，除省级人民政府以外的其他地方各级人民政府及其工作部门，以及没有地方性法规制定权的地方各级人大及其常委会，都无权通过制定规范性文件设定行政许可。无权设定行政许可的各级各类机关如果擅自制定规范性文件设定行政许可，即属于违法行为，其设定的行政许可无效。

根据本条的规定，对于无行政许可设定权的国家机关违法设定的行政许可，有关机关应当责令设定该行政许可的机关改正或者予以撤销。违法设定行政许可的机关既可能是行政机关，也可能是权力机关。有权责令改正或者撤销违法行政许可的机关也主要包括两类机关：一类是违法设定行政许可的行政机关的上级行政机关。比如，上级人民政府可以责令下级人民政府改正或者撤销违法设定的行政许可，同级人民政府可以责令其所属各工作部门改正或者撤销违法设定的行政许可。在行政管理活动中，上级行政机关的日常工作之一就是对下级行政机关实行领导和监督，所以，对违法设定行政许可的情况进行监督检查，主要是靠上级行政机关。上级行政机关在监督检查中，一旦发现违法设定行政许可的情况，随时予以纠正。第二类是对违法设定行政许可的机关行使监督权的权力机关。比如，人大及其常委会发现同级人民政府有违法设定行政许可的情况，即可依法行使监督职权，要求该人民政府改正或者撤销违法的行政许可。又如，人民代表大会可以要求同级人大常委会改正或者撤销其违法设定的行政许可，上级人大及其常委会可以要求下级人大及其常委会撤销其违法设定的行政许可。

有关机关在责令违法设定行政许可的机关改正或者撤销违法

设定的行政许可的同时，对于违法设定行政许可的负有直接责任的人员可以依法追究其责任。

第七十二条　行政机关及其工作人员违反本法的规定，有下列情形之一的，由其上级行政机关或者监察机关责令改正；情节严重的，对直接负责的主管人员和其他直接责任人员依法给予行政处分：

（一）对符合法定条件的行政许可申请不予受理的；

（二）不在办公场所公示依法应当公示的材料的；

（三）在受理、审查、决定行政许可过程中，未向申请人、利害关系人履行法定告知义务的；

（四）申请人提交的申请材料不齐全、不符合法定形式，不一次告知申请人必须补正的全部内容的；

（五）未依法说明不受理行政许可申请或者不予行政许可的理由的；

（六）依法应当举行听证而不举行听证的。

【释义】　本条是对行政机关及其工作人员违反法定程序实施行政许可的处理的规定。

行政机关实施行政许可过程中存在的一个重要问题，就是程序不健全，或者即使有法定程序，一些行政机关及其工作人员也不按照法定程序为申请人办理许可申请。程序不健全，或者有程序却不按照程序办事产生的直接后果就是：官僚主义作风盛行；个人或者组织在申请办理行政许可的过程中会“门难进、脸难看、事难办”，其合法权益得不到保障；行政管理效率降低；行政许可中的腐败现象随之产生，等等。针对行政许可实施过程中的这些问题，本法专门对行政许可实施的一般程序以及一些特殊行政许可实施的程序作出详细规定。其他的法律、法规对一些具体行政许可的实施程序也作出了详细规定。行政机关及其工作人员在行政许可的实施过程中，必须严格按照法定程序办事，违反了法定程序就要承担相应的责任。本条内容就是对违反法定程序的责任作出的具体规定。

一、违反法定程序的各类情形

根据本条的规定，行政机关及其工作人员在实施行政许可的过程中，有下列情形之一的，就应当承担相应的法律责任：一是对于符合法定条件的行政许可申请不予受理的。在行政许可实施中，收到申请人符合条件的许可申请却久拖不办的现象比较普遍，个别行政机关及其工作人员甚至借实施行政许可对申请人“吃、拿、卡、要”。根据本法第三十二条的规定，行政机关对于申请人的申请事项属于本机关职责范围，申请材料齐全、符合法定形式的，行政机关应当受理行政许可，否则即属于违法。二是不在办公场所公示依法应当公示的材料的。根据本法第三十条的规定，行政机关应当将有关法律、法规、规章规定的有关行政许可的事项、依据、条件、数量、程序、期限以及需要提交的全部材料的目录和申请书示范文本等在办公场所公示。如果行政机关不依法在办公场所公示有关材料的即属于违法。三是在受理、审查、决定行政许可过程中，未向申请人、利害关系人履行法定告知义务的。根据本法第三十六条的规定，行政机关对行政许可申请进行初步审查后，发现行政许可事项直接关系其他人重大利益的，应当告知该利害关系人。根据本法第四十二条的规定，行政机关对于延长作出行政许可决定期限的，应当将延长期限的理由告知申请人。根据本法第四十七条的规定，行政许可直接涉及申请人与他人之间重大利益关系的，行政机关在作出行政许可决定前，应当告知申请人、利害关系人有要求听证的权利。行政机关在实施行政许可的过程中，应当认真履行上述告知义务，否则即属于违法。四是申请人提交的申请材料不齐全、不符合法定形式，不一次告知申请人必须补正的全部内容的。根据本法第三十二条的规定,申请人的申请材料不齐全或者不符合法定形式的,行政机关应当一次告知申请人需要补正的全部内容。实践中,个别行政机关及其工作人员对于申请人申请材料不齐全或者不符合法定形式的,故意不一次告知申请人应当补正的全部内容,增加申请人的负担。五是未依法说明不受理行政许可申请或者不予行政许可的理由的。根据本法第三十二条的规定,行政机关对申请人的行政许可申请,应当根据不同情况作出处理,对于不受理行政许可申请的,应当说明理由和依据。根据本法第三十八条的规定,行政机关依法作出不予行政许可的书面决定的,应当说明不予行政许可的理由,否则即属于违法。六是依法应当举行听证而不举行听证的。根据本法第四十六条的规定,法律、法规、规章规定实施行政许可应当听证的事项,或者行政机关认为需要听证的其他涉及公共利益的重大行政许可事项,行政机关应当向社会公告,并举行听证,否则即属于违法。行政机关及其工作人员在实施行政许可的过程中,有上述违法行为之一的,即应当依据本条规定承担相应的法律责任。

二、对违法行为的处理

根据本条的规定,行政机关及其工作人员对其实施行政许可过程中的上述违法行为,承担的是行政法律责任。追究这一行政法律责任的机关有两个:一是上级行政机关。上级行政机关对下级行政机关的日常工作负有领导和监督责任,下级行政机关及其工作人员实施行政许可的活动当然也是其领导和监督的重要内容,一旦发现有违法行为,上级行政机关即有权予以处理。二是监察机关。监察机关是人民政府行使监察职能的机关,依法对行政机关、国家公务员和行政机关任命的其他人员实施监察。根据行政监察法的有关规定,监察机关有权依法检查行政机关及其工作人员遵守和执行法律、法规和人民政府的决定和命令中的问题,并有权根据检查、调查结果，作出监察决定或者对行政机关提出监察建议。据此，对行政机关及其工作人员是否严格依法实施行政许可，就是监察机关行使监察权的重要内容。如果发现行政机关及其工作人员有上述违法情形之一的，监察机关即可予以处理。

上级行政机关或者监察机关对行政机关及其工作人员实施行政许可中的上述违法行为，依法处理的方式是责令改正；情节严重的，对直接负责的主管人员和其他直接责任人员依法给予行政处分。责令改正是指责令有违法行为的行政机关及其工作人员改正其违法行为。行政处分是对违反行政纪律的人员给予的处分。根据《国家公务员暂行条例》第三十三条的规定，行政处分分为警告、记过、记大过、降级、撤职、开除六种。对行政机关及其工作人员在实施行政许可过程中的上述违法行为，情节严重的，监察机关或者上级行政机关可以对直接负责的主管人员和其他直接责任人员依法根据不同情况作出警告、记过、记大过、降级、撤职、开除等不同处分。

第七十三条　行政机关工作人员办理行政许可、实施监督检查，索取或者收受他人财物或者谋取其他利益，构成犯罪的，依法追究刑事责任；尚不构成犯罪的，依法给予行政处分。

【释义】　本条是关于追究行政机关工作人员违法行为法律责任的规定。

一项具体的行政许可从行政机关的实施到行政机关的监督检查，都与被许可人的利益密切相关。作为被许可人，为实现其自身利益，既有可能被迫采取正当的或者不正当的手段，给行政机关及其工作人员各种利益，也有可能主动采取弄虚作假或者行贿等不正当手段，以取得或者保护其在行政许可中的利益。而行政机关对行政许可的实施和监督检查，需要依靠其各个部门的工作人员来开展工作，因此，行政机关有的工作人员在行政许可的实施和监督检查中，违背职责，利用职务上的便利，实施违法行为。在行政许可的实施和监督检查中，行政机关工作人员的职务犯罪是比较严重的，甚至一些高级干部都因为在行政许可实施中的违法行为而堕落为犯罪分子。因此，本条专门规定了对行政机关工作人员违法犯罪行为的处罚。行政机关工作人员，既包括行政机关中的国家公务员，也包括依据授权实施行政许可的具有管理公共事务职能的组织的工作人员。在行政许可的实施和监督检查中，行政机关工作人员最典型、最普遍的违法犯罪行为，就是索取或者收受他人财物或者谋取其他利益。

根据本条的规定，行政机关工作人员在办理行政许可或者对行政许可实施监督检查的过程中，索取或者收受他人财物或者谋取其他利益，构成犯罪的，依法追究刑事责任；尚不够刑事处罚的，依法给予相应的行政处分。索取或者收受他人财物或者其他利益，构成犯罪的，主要是指刑法中的受贿罪。根据刑法第三百八十五条的规定，国家工作人员利用职务上的便利，索取他人财物的，或者非法收受他人财物，为他人谋利益的，是受贿罪。刑法第三百八十三条、第三百八十六条对受贿罪的刑事责任作出了具体的规定。根据这些规定，行政机关工作人员在办理行政许可或者监督检查行政许可过程中，索取或者收受他人财物或者其他利益，构成犯罪的，将根据不同情况承担以下刑事责任：一是个人受贿数额在10 万元以上的，处 10 年以上有期徒刑或者无期徒刑，可以并处没收财产；情节特别严重的，处死刑，并处没收财产。二是个人受贿数额在 5 万元以上不满 10 万元的，处 5 年以上有期徒刑，可以并处没收财产；情节特别严重的，处无期徒刑，并处没收财产。三是个人受贿数额在 5000 元以上不满 5 万元的，处 1 年以上 7 年以下有期徒刑；情节严重的，处 7 年以上 10 年以下有期徒刑。个人受贿数额在 5000 元以上不满 1 万元，犯罪后有悔改表现、积极退赃的，可以减轻处罚或者免予刑事处罚，由其所在单位或者上级主管机关给予行政处分。四是个人受贿数额不满 5000 元，情节较重的，处 2 年以下有期徒刑或者拘役；情节较轻的，由其所在单位或者上级主管机关酌情给予行政处分。对行政机关工作人员的上述犯罪行为，依法由司法机关予以追究其刑事责任。

根据本条的规定，行政机关工作人员在办理行政许可或者监督检查行政许可的过程中，有索取或者收受他人财物或者谋取其他利益，没有被追究刑事责任的，需要对其实施行政处分。从总体上说，对违法实施行政许可的行政机关工作人员应当根据其违法的情节实施行政处分，但由于行政机关工作人员在行政许可工作中，索取或者收受他人财物或者谋取其他利益的现象，影响很坏，特别是在当前反腐败形势相当严峻的情况下，给予行政处分时，应当加大力度，从重处分，如多采用降级、撤职和开除等处分。行政处分依法由该工作人员所在的行政机关或者有关监察机关或者该工作人员所在行政机关的上级行政机关作出。

第七十四条　行政机关实施行政许可，有下列情形之一的，由其上级行政机关或者监察机关责令改正，对直接负责的主管人员和其他直接责任人员依法给予行政处分；构成犯罪的，依法追究刑事责任：

（一）对不符合法定条件的申请人准予行政许可或者超越法定职权作出准予行政许可决定的；

（二）对符合法定条件的申请人不予行政许可或者不在法定期限内作出准予行政许可决定的；

（三）依法应当根据招标、拍卖结果或者考试成绩择优作出准予行政许可决定，未经招标、拍卖或者考试，或者不根据招标、拍卖结果或者考试成绩择优作出准予行政许可决定的。

【释义】　本条是关于实施行政许可中行政机关及其直接责任人员严重违法行为法律责任的规定。

本条规定与本法第七十二条的规定有所区别。第七十二条规定的行政机关及其工作人员在实施行政许可过程中的违法行为，在实践中主要是官僚主义作风引起的违法行为，违法行为的主观恶意和违法行为带来的实际后果都相对较轻。因此，对这些违法行为给予的处分基本限于行政处分的范围，违法的行政机关及其工作人员所承担的是行政法律责任。而本条规定的行政机关及其工作人员实施行政许可过程中的违法行为，是比较严重的违法行为甚至构成犯罪，对行为人责任的追究不仅包括行政处分，还包括刑事处罚。

本条规定与本法第七十三条的规定也有所区别。第七十三条规定的是行政机关实施行政许可或者监督检查行政许可的具体工作人员对其违法犯罪行为所应当承担的法律责任。比如，对工商行政管理部门的一名科员在办理申请人的企业登记行政许可申请中的违法犯罪行为的处理，就适用该条的规定。而本条规定的违法犯罪行为的主体，是行政机关以及直接负责行政许可的主管人员和其他的直接责任人员。比如，环境保护行政主管部门许可不符合条件的申请人在国家一级自然保护区违法修建水库，造成自然环境的严重破坏，该环境保护行政主管部门以及该部门中直接负责许可违法行政许可的主管人员（比如司长、处长）和其他的直接责任人员（比如具体的经办人员），都应当依法承担法律责任。

根据本条的规定，行政机关在实施行政许可中比较严重的违法行为主要有以下三类：

一是对不符合法定条件的申请人准予行政许可或者超越职权作出准予行政许可决定的。行政机关在受理申请人的行政许可申请后，应当进行认真审查，符合法律、法规、规章规定的条件的，行政机关应当作出准予行政许可的决定，如果不符合条件，行政机关应当作出不予许可的决定，并说明不予许可的理由和依据。行政机关还必须在自己的职权范围内实施行政许可，对于不属于自己职权范围内的事项，不得实施行政许可。本条第一项所列的两种违法实施行政许可的行为都容易导致严重后果，甚至给公共财产、国家和人民利益造成重大损失。比如，建设行政主管部门对不符合施工条件的建筑企业颁发建筑工程施工许可证，导致“豆腐渣”工程的出现。再如，根据国务院颁布的《船舶和海上设施检验条例》的有关规定，只有国家船舶检验局及其委托、指定或者认可的检验机构，以及省级人民政府交通主管部门设置的地方船舶检验机构才有权实施船舶检验，但某县级人民政府交通行政主管部门即超越权限，擅自对大型船舶进行检验，对质量严重不合格的船舶也作出检验合格结论，最后导致海上交通事故的发生。

二是对符合法定条件的申请人不予行政许可或者不在法定期限内作出行政许可决定的。根据本法的有关规定，行政机关在经过审查后，对于符合条件的申请人不仅应当准予行政许可，还应当在法定的期限内作出准予行政许可的决定。除可以当场作出行政许可决定的情形外，行政机关应当自受理行政许可申请之日起 20 日内作出行政许可的决定。如果 20 日内不能作出决定，经本行政机关负责人批准，可以延长 10 日，并应当将延长期限的理由告知申请人。行政许可采取统一办理或者联合办理、集中办理的，办理的时间不得超过 45 日；45 日内不能办结的，经本级人民政府负责人批准，可以延长 15 日，并应当将延长期限的理由告知申请人。行政机关作出准予行政许可决定的，应当自作出决定之日起 10 日内向申请人颁发、送达行政许可证件。

本条第二项所列的两种现象既与行政机关及其工作人员的官僚主义作风有关，也与其他的一些因素有关。比如，个别地方的行政机关在实施行政许可中搞地方保护和地区封锁，不允许外地的药品进入本地市场，不允许外地的个人或者企业进入本地进行项目投标等。对符合条件的申请人不予行政许可或者不在法定期限内作出行政许可，是长期行政许可实施中一个比较突出的问题，它直接损害了申请人的合法权益,降低了行政管理效率,损害了行政机关在人民群众心目中的形象。

三是在招标、拍卖和考试等特殊行政许可领域的违法行为。根据本法的有关规定,对涉及自然资源的开发利用和公共资源的利用以及直接关系公共利益的特定行业的市场准入等赋予特定权利事项的行政许可,行政机关应当通过招标、拍卖等公平竞争的方式作出决定。比如,对于交通航线、海域使用、无线电频率、市政设施建设、出租车经营、电信经营、金融保险经营等事项的行政许可,都应当通过招标、拍卖的方式进行。根据本法的有关规定,对提供公众服务并且直接关系公共利益的职业、行业,需要确定具备特殊信誉、特殊条件或者特殊技能等资格、资质的事项,行政机关应当依法举行国家的考试,并根据考试成绩和其他法定条件作出行政许可决定。实践中,这方面的违法情形比较严重。比如,在建筑施工方面,一些行政机关对应当实施招标、投标的工程项目,不实施招标、投标,或者将招标、投标作为走过场的形式,作出行政许可决定时并不以招标、投标的结果为依据。再如,不少涉及在举行国家的公民资格许可的考试,一些行政机关并不以考试成绩择优作出行政许可决定。行政机关在招标、投标和考试等行政许可活动中的不公平行为,一个重要的原因就是其中存在腐败现象。

根据本条的规定,对于上述行政机关实施行政许可中的严重违法现象,分两类情况予以处理。一是由实施违法行政许可的行政机关的上级行政机关或者监察机关责令改正,对直接负责的主管人员和其他直接责任人员依法给予行政处分。行政处分的种类包括警告、记过、记大过、降级、撤职、开除。二是违法实施行政许可的行为构成犯罪的,依法追究刑事责任。所谓构成犯罪的,通常是指行政机关中实施行政许可的直接负责的主管人员和其他直接责任人员,违法实施行政许可导致公共财产、国家和人民利益遭受重大损失的行为。构成犯罪的,由司法机关对直接负责的主管人员和其他直接责任人员依法追究刑事责任。这方面的犯罪主要有滥用职权罪、玩忽职守罪等。根据刑法的规定，滥用职权罪，是指国家工作人员违反职责要求，任意行使或者超越权限行使职权，致使公共财产、国家和人民利益遭受重大损失的行为。玩忽职守罪，是指国家机关工作人员严重不负责任，不履行职责或者不正确履行职责，致使公共财产、国家和人民利益遭受重大损失的行为。滥用职权罪、玩忽职守罪等罪的法律责任在刑法和其他法律中都规定得很具体、很明确。比如，建筑法第七十七条规定："对不具备相应资质等条件的单位颁发该等级资质证书的，由其上级机关责令收回所发的资质证书，对直接负责的主管人员和其他直接责任人员给予行政处分；构成犯罪的，依法追究刑事责任。"再如，招标投标法第五十二条规定：依法必须进行招标的项目的招标人向他人透露已获取招标文件的潜在投标人的名称、数量或者可能影响公平竞争的有关招标投标的其他情况的，或者泄露标底的，给予警告，可以并处 1 万元以上 10 万元以下的罚款；对单位直接负责的主管人员和其他直接责任人员依法给予处分；构成犯罪的，依法追究刑事责任。

第七十五条　行政机关实施行政许可，擅自收费或者不按照法定项目和标准收费的，由其上级行政机关或者监察机关责令退还非法收取的费用；对直接负责的主管人员和其他直接责任人员依法给予行政处分。

截留、挪用、私分或者变相私分实施行政许可依法收取的费用的，予以追缴；对直接负责的主管人员和其他直接责任人员依法给予行政处分；构成犯罪的，依法追究刑事责任。

【释义】　本条是关于行政机关在实施行政许可中违法收费的法律责任的规定。

本条的规定是针对行政机关实施行政许可中乱收费的现象作

出的。在行政机关实施行政许可的活动中,不按法定项目和标准收费、乱收费的情况比较严重,个别行政机关甚至只对收费的行政许可、收费高的行政许可感兴趣,对不收费的行政许可或者收费低的行政许可疏于认真实施,甚至不予实施。重收费、不重许可的根本原因是部门利益、小集团利益在作祟。对于行政许可中的收费问题一些法律、法规都有明确规定。有的明确规定不许收取费用。比如,动物防疫法第四十三条规定:“动物防疫监督机构及其人员进行动物防疫监督检查,不得收取费用。”有的规定只能收取工本费。比如,种子法第五十八条规定:“农业、林业行政主管部门在依照本法实施有关证照的核发工作中,除收取所发证照的工本费外,不得收取其他费用。”有的规定必须按照国家的规定收取费用。比如,建筑法第八十二条规定:“建设行政主管部门和其他有关部门在对建筑活动实施监督管理中,除按照国务院有关规定收取费用外,不得收取其他费用。”再如,国务院颁布的《船舶和海上设施检验条例》第二十二条规定:“船舶检验机构实施检验,按照规定收取费用。收费办法由国务院交通主管部门会同国务院物价主管部门、国务院财政主管部门制定。”有的法律则明确规定了违法收取费用的法律责任。比如,药品管理法第九十六条规定:“药品监督管理部门或者其设置、确定的药品检验机构在药品监督检验中违法收取检验费用的,由政府有关部门责令退还,对直接负责的主管人员和其他直接责任人员依法给予行政处分。对违法收取检验费用的情节严重的药品检验机构,撤销其检验资格。”法律、行政法规的这些规定都是行政机关在实施行政许可时收费的依据。

本法对行政机关实施行政许可时的收费事项也作出了专门规定。根据本法的有关规定,除法律、行政法规另有规定的情况外,行政机关实施行政许可不得收取任何费用;行政机关提供实施行政许可申请书格式文本,不得收费;行政机关实施行政许可,依照法律、行政法规收取费用的,应当按照法定的项目和标准收费;所收取的费用必须全部上缴国库,任何机关或者个人不得以任何形式截留、挪用、私分或者变相私分。与上述本法有关这些行政许可收费的规定相联系,本条专门规定了违法收费的法律责任。根据本条的规定,行政机关实施行政许可,擅自收费或者不按照法定项目和标准收费的,有以下三种处理方式:

一是由其上级行政机关或者监察机关责令退还非法收取的费用。根据行政监察法第二十四条的规定,监察机关根据检查、调查结果,可以作出监察决定或者提出监察建议,对违反行政纪律取得的财物予以没收、追缴或者责令退还。

二是对直接负责的主管人员和其他直接责任人员,依法给予行政处分。行政机关在实施行政许可过程中违法收取费用的,其直接负责的主管人员和其他直接责任人员将要承担法律责任,只有让他们承担起法律责任,才能有效地扼制行政许可实施过程中的违法收费现象。针对当前实施行政许可中乱收费现象比较严重的实际情况,对直接负责的主管人员和其他直接责任人员在适用行政处分时应当加大力度,从严处分。国务院 2002 年颁布的《违反行政事业性收费和罚没收入收支两条线管理规定行政处分暂行规定》对有关行政许可中违法收费的行为规定了比较严厉的行政处分。比如,该规定第七条规定:“对行政事业性收费项目审批机关已经明令取消或者降低收费标准的收费项目,仍按原定项目或者标准收费的,对直接负责的主管人员和其他直接责任人员给予记大过处分;情节严重的,给予降级或者撤职处分。”

三是对直接负责的主管人员和其他直接责任人员依法追究刑事责任。根据本条的规定,截留、挪用、私分或者变相私分实施行政许可依法收取的费用的,不仅对被截留、挪用、私分或者变相私分的款项予以追缴,对直接负责的主管人员和其他直接责任人员依法给予行政处分,而且,对构成犯罪的,要依法追究刑事责任。

截留、挪用、私分或者变相私分实施行政许可依法收取的费用，构成犯罪的，可以分别依照刑法规定的贪污罪、挪用公款罪、私分国有资产罪等予以处罚。根据刑法第三百八十二条、第三百八十三条的规定，国家工作人员利用职务上的便利，侵吞、窃取或者以其他手段非法占有公有财物的，是贪污罪；受国家机关委托管理、经营国有财产的人员，利用职务上的便利，侵吞、窃取或者以其他手段非法占有国有财物的，以贪污论。根据刑法第三百八十四条的规定，国家工作人员利用职务上的便利，挪用公款归个人使用，进行非法活动，或者挪用公款数额较大、进行营利活动，或者挪用公款数额较大、超过3个月未还的，是挪用公款罪。刑法的前述有关规定还规定了贪污罪、挪用公款罪的相应刑罚。根据刑法第三百九十六条的规定，国家机关、国有公司、企业事业单位，违反国家规定，以单位名义将国有资产集体分给个人，数额较大的，对其直接负责的主管人员和其他直接责任人员，处3年以下有期徒刑或者拘役，并处或者单处罚金；数额巨大的，处3年以上7年以下有期徒刑，并处罚金。

第七十六条　行政机关违法实施行政许可，给当事人的合法权益造成损害的，应当依照国家赔偿法的规定给予赔偿。

【释义】　本条是关于行政机关违法实施行政许可应当承担赔偿责任的规定。

行政机关及其工作人员实施行政许可，有可能侵犯公民、法人或者其他组织的合法权益。根据本条的规定，行政机关对其在实施行政许可过程中的违法行为，给当事人的合法权益造成损害的，应当承担赔偿责任。行政机关违法实施行政许可，当事人的合法权益造成损失，有两种情况：一是行政机关违法实施行政许可，自行政许可依法生效至当事人从事行政许可事项的生产经营等活动结束，行政许可都没有被撤销。在此情况下行政许可给当事人的合法权益造成损害的，行政机关应当承担赔偿责任，因为当事人合法权益的损害是由行政机关违法实施行政许可的行为引起和造成的。比如，申请人不具备从事爆炸物等危险物品的生产条件和能力，行政机关却违法实施行政许可，导致申请人在生产过程中因不符合许可条件而发生严重事故。再如，申请人不符合排污许可所应当具备的法定条件，行政机关却违法向其发放排污许可证，导致申请人周围的利害关系人受到严重污染损害。在这些情况下，行政机关都应当对其违法实施行政许可的行为承担赔偿责任。二是行政机关因违法实施行政许可，而导致该行政许可被依法撤销。行政许可由于被撤销而给被许可人和利害关系人的合法权益造成损害的，行政机关应当承担赔偿责任。对这类情况本法第六十九条已经作出规定。根据本法第六十九条的规定，除了被许可人采取欺骗、贿赂等不正当手段取得行政许可的情形以外，行政许可因行政机关违法实施而被撤销，而使被许可人的合法权益受到损害的，行政机关应当依照国家赔偿法的有关规定给予赔偿。

本条规定的当事人主要是指行政许可的申请人，在某些特定情况下还包括有关的利害关系人。行政机关违法实施行政许可，给申请人的合法权益造成损害的，由行政机关依照国家赔偿法的有关规定给予赔偿。但是，利害关系人的情况比较复杂，利害关系人包括直接的利害关系人和间接的利害关系人，直接利害关系人与行政机关之间存在行政法律关系，同时与申请人之间还可能存在民事上的法律关系，因为行政机关违法实施行政许可而受到的损失，应当由行政机关依照国家赔偿法的有关规定予以赔偿。间接的利害关系人不直接与行政机关存在行政法律关系，对于行政机关违法实施行政许可，给该利害关系人的合法权益造成损害的，应当根据具体情况，依照其他有关法律、法规的规定予以处理。

第七十七条　行政机关不依法履行监督职责或者监督不力，

造成严重后果的，由其上级行政机关或者监察机关责令改正，对直接负责的主管人员和其他直接责任人员依法给予行政处分；构成犯罪的，依法追究刑事责任。

【释义】 本条是关于行政机关对行政许可事项不依法履行监督职责应当承担法律责任的规定。

行政机关在行政许可的管理活动中所做的主要是两方面的工作：一是实施行政许可；二是对被许可人从事行政许可事项的生产经营等活动进行监督检查。在这两方面的工作中，行政机关都可能出现违法行为。对于行政机关在实施行政许可中违法行为的法律责任，前面的条文已经作出规定，本条规定的是行政机关在监督检查被许可人从事行政许可事项的生产经营等活动中出现违法行为所应当承担的法律责任。

根据本法的有关规定，行政机关应当加强对被许可人从事行政许可事项活动的监督检查。行政机关在对行政许可的监督检查中负有重要责任，比如，应当建立健全监督制度；对被许可人从事行政许可事项的活动进行监督检查时，应当将监督检查的情况和处理结果予以记录；应当依法对被许可人生产经营的产品依法进行抽样检查、检验、检测，对其生产经营场所依法实施检查；实施监督检查时，不得妨碍被许可人正常的生产经营活动，不得接受被许可人的宴请、财物或者获取其他利益，等等。对于行政机关监督检查行政许可事项的责任，不少法律、行政法规都有专门规定。

在对行政许可事项的监督检查中存在的主要问题是，行政机关重许可，轻监督检查。这主要表现在两个方面：一是不依法履行监督责任。比如，根据计量法的规定，县级以上人民政府计量行政部门对本行政区域的计量工作负有监督管理的职责，计量法第十二条规定，“制造、修理计量器具的企业、事业单位，必须具备与所制造、修理的计量器具相适应的设施、人员和检定仪器设备，经县级以上人民政府计量行政部门考核合格，取得《制造计量器具许可证》或者《修理计量器具许可证》”，但个别政府的计量行政部门却疏于监督管理，不依法检查制造、修理计量器具的企业、事业单位，是否具备与所制造、修理的计量器具相适应的设施、人员和检定仪器设备，是否经县级以上人民政府计量行政部门考核合格，并取得《制造计量器具许可证》或者《修理计量器具许可证》，从而使本行政区域内的计量器具市场混乱，假冒伪劣计量器具充斥，严重影响了人民群众的正常生活。二是履行监督责任，但监督检查不力。比如，根据土地管理法第六十七条的规定，县级以上人民政府土地行政主管部门履行监督检查职责时，有权要求被检查的单位或者个人提供有关土地权利的文件和资料；有权要求被检查的单位或者个人就有关土地权利的问题作出说明；有权进入被检查的单位或者个人非法占用的土地现场进行勘测；有权责令非法占用土地的单位或者个人停止违反土地管理法律、法规的行为。但是，对于某单位大量非法占用土地实施违法开垦和建筑，某县级人民政府土地行政主管部门接到举报后，虽然也去现场实施监督检查，但没有依据土地管理法的有关规定采取严厉措施及时制止违法开垦和建筑的行为，最终导致土地的破坏和国家财产的重大损失。

根据本条的规定，行政机关对于被许可人从事行政许可事项的生产经营等活动，不依法履行监督责任或者监督不力，造成严重后果的，有两种处理方式：一是由其上级行政机关或者监察机关责令改正，加强监督检查，并对直接负责的主管人员和其他直接责任人员依法给予行政处分，使他们承担行政法律责任。二是由于行政机关不依法实施监督检查或者监督检查不力，构成犯罪的，对其直接负责的主管人员和其他直接责任人员，应当由司法机关依法追究刑事责任。根据刑法的有关规定，行政机关的有关主管人员和其他直接责任人员不依法实施监督检查或者监督检查不力，构成犯罪的罪名主要包括滥用职权罪、玩忽职守罪、环境监管失职罪、放纵制售伪劣商品罪、商检徇私舞弊罪、商检失职罪等。比如，根据刑法第四百零八条的规定，负有环境保护监督管理职责的国家机关工作人员严重不负责任，导致发生重大环境污染事故，致使公私财产遭受重大损失或者造成人身伤亡的严重后果的，处 3 年以下有期徒刑或者拘役。根据刑法第四百一十二条的规定，国家商检部门、商检机构的工作人员徇私舞弊，伪造检验结果的，处 5 年以下有期徒刑或者拘役；造成严重后果的，处 5 年以上 10 年以下有期徒刑。上述人员严重不负责任，对应当检验的物品不检验，或者延误检验出证、错误出证，致使国家利益遭受重大损失的，处 3 年以下有期徒刑或者拘役。根据刑法第四百一十四条的规定，对生产、销售伪劣商品犯罪行为负有追究责任的国家机关工作人员，徇私舞弊，不履行法律规定的追究职责，情节严重的，处 5 年以下有期徒刑或者拘役。

第七十八条　行政许可申请人隐瞒有关情况或者提供虚假材料申请行政许可的，行政机关不予受理或者不予行政许可，并给予警告；行政许可申请属于直接关系公共安全、人身健康、生命财产安全事项的，申请人在一年内不得再次申请该行政许可。

【释义】 本条是关于行政许可申请人隐瞒情况或者故意提供虚假材料申请许可的法律后果的规定。

本章此前的条文所规定的是行政机关及其工作人员在实施行政许可或者监督检查行政许可中违法行为法律责任的规定，从本条开始规定的是，行政相对人即行政许可的申请人或者被许可人违法申请行政许可或者违法从事行政许可事项活动所应当承担的法律责任。

本条规定的是行政许可申请人违法申请行政许可的两类情形所应当承担的法律责任。这两类情形中，一类是隐瞒情况。行政许可是行政机关根据公民、法人或者组织的申请，并对其申请进行审查，准予其从事特定活动的行为。这个行为的基本要求就是行政机关必须严格以法定的条件和标准为依据，对申请人的许可申请进行审查，符合条件的即依法准予许可，不符合条件的即依法不予许可；同时，申请人也必须向行政机关如实提供自己的情况，相信行政机关会公正、公平地对自己实施行政许可。而明知自己不符合行政许可所要求的特定条件、隐瞒情况的行为，就会导致行政机关作出错误的行政许可决定，进而会造成危害社会利益和公共利益的后果。比如，申请人要向行政机关申请从事食品生产经营方面的行政许可，但从事食品生产经营的活动，有一个基本的要求即不得有严重传染性疾病，而申请人自身患有严重的传染性疾病，却向行政机关隐瞒这一情况，在获取许可后从事食品的生产经营，就会给公众的人身健康带来威胁。所以，行政许可申请人对于申请许可时隐瞒情况的行为，必须承担法律后果。另一类是提供虚假材料。行政机关对很多行政许可申请的审查，经常都是依据申请人提供的各类证明许可条件的材料实行书面审查，所以一旦申请人提供虚假材料，就可能扰乱行政机关正常的审查活动，甚至会导致行政机关作出错误的许可决定，并进而危害社会利益和公共利益。比如，一建筑企业并不具备其从事申请等级的建筑资质的条件，却故意提供虚假材料，骗取行政机关的资质许可决定，然后从事大型建筑物的建筑活动，最后导致建筑物质量存在严重缺陷及公共财产的重大损失。所以，行政许可申请人对于其故意提供虚假材料的行为应当承担法律责任。

根据本条的规定，行政许可申请人隐瞒有关情况或者故意提供虚假材料申请行政许可，所承担的法律责任是：第一，行政机关对申请人的申请不予受理，或者受理了但是不予许可，并给予申请人警告，要求其诚实申请，不得再有类似行为。第二，对于直接关系公共安全、人身健康、生命财产安全事项的行政许可申请，如果申请人隐瞒情况或者故意提供虚假材料，申请人在 1 年内不得再次申请该行政许可。申请人申请直接关系公共安全、人身健康、生命财产安全事项的行政许可，如果有隐瞒情况或者提供虚假材料的行为，即属于情节严重，其骗取行政许可一旦成功，就可能造成重大危害，所以，本条规定的一个有效措施，就是让申请人在1年内不得再次申请该行政许可，这是对其申请资格的限制。这一限制对各类行政许可的申请人来说都是有力的约束。为什么要规定具备特殊的违法情形申请人在1年内不得再次申请同一事项的行政许可呢？基本的初衷是增加申请人的违法成本，促使行政相对人树立诚信观念，逐步建立起社会信用体系。

第七十九条　被许可人以欺骗、贿赂等不正当手段取得行政许可的，行政机关应当依法给予行政处罚；取得的行政许可属于直接关系公共安全、人身健康、生命财产安全事项的，申请人在三年内不得再次申请该行政许可；构成犯罪的，依法追究刑事责任。

【释义】　本条是关于被许可人以不正当手段取得行政许可后所承担法律责任的规定。

本条规定与前一条规定的区别在于，前一条规定的是申请人在行政机关作出行政许可决定之前使用隐瞒情况或者故意提供虚假材料的手段申请行政许可所应当承担的法律责任。这一条的规定有一层含义，即申请人隐瞒情况或者故意提供虚假材料的手段在行政机关作出行政许可决定前就被发现，属于“未遂”的情况。而本条规定的重点是在被许可人已经获取行政许可之后的情况，即被许可人使用欺骗、贿赂等不正当手段已经取得行政机关的行政许可，属于“既遂”的情况，强调的是被许可人以不正当手段取得行政许可后的法律责任。

实践中，被许可人对于不符合条件的行政许可申请，最常用的不正当手段就是欺骗和贿赂。前条所规定的隐瞒情况、故意提供虚假材料，就属于欺骗的手段。常见的行贿行为即属于贿赂手段。被许可人以欺骗、贿赂等不正当手段取得的行政许可，属于无效行政许可，不受法律保护，而且被许可人对于自己的违法行为需要承担相应的法律责任。根据本条的规定，被许可人通过不正当手段取得行政许可后的法律责任有四类：一是由有关的行政机关依法撤销其已经取得的行政许可。二是接受行政处罚。根据行政处罚法的规定，行政处罚的种类主要有警告；罚款；没收违法所得、没收非法财物；责令停产企业；暂扣或者吊销许可证、暂扣或者吊销执照；行政拘留。行政机关对于被许可人有本条规定的违法行为的，可以根据情况实施上述行政处罚。三是对直接关系公共安全、人身健康、生命财产安全事项的行政许可，申请人有本条规定的违法行为的，在3年内不得再次申请该行政许可。与前条规定相比，对这类情况本条所以规定申请人在3年而不是1年内不得再次申请该项行政许可，主要是考虑到申请人通过不正当手段已经取得行政许可，属于“既遂”的情况，后果更为严重，所以处罚也应当相应加重。四是构成犯罪的，依法追究刑事责任。比如，构成伪造公文、印章罪或者行贿罪等罪名的，就由司法机关按照刑法的有关规定予以处理。在行政许可实施过程中，被许可人常见的犯罪行为是行贿。根据刑法第三百九十条的规定，在行政许可实施中，被许可人犯行贿罪的，处5年以下有期徒刑或者拘役；情节严重，使国家利益遭受重大损失的，处5年以上10年以下有期徒刑；情节特别严重的，处10年以上有期徒刑或者无期徒刑，可以并处没收财产；行贿人在被追诉前主动交代行贿行为的，可以减轻处罚或者免除处罚。

本条规定的申请人以及本法第七十八条规定的申请人，包括自然人，也包括法人或者其他组织。以欺骗、贿赂等不正当手段取得的行政许可属于直接关系公共安全、人身健康、生命财产安全事项的，自然人在3年内不仅不能在本行政区域申请该项行政许可，到其他行政区域也不得申请该行政许可；法人或者其他组织在3年内不仅不能以原有的名称申请该项行政许可，更换名称后，也不得在本行政区域或者其他行政区域申请该项行政许可。随着电子政务的逐步推广,行政机关将逐步实现信息共享,自然人在异地申请该项行政许可,或者法人或者其他组织变更名称后继续申请该项行政许可,在互联网上都会被发现。

第八十条　被许可人有下列行为之一的,行政机关应当依法给予行政处罚;构成犯罪的,依法追究刑事责任:

(一)涂改、倒卖、出租、出借行政许可证件,或者以其他形式非法转让行政许可的;

(二)超越行政许可范围进行活动的;

(三)向负责监督检查的行政机关隐瞒有关情况、提供虚假材料或者拒绝提供反映其活动情况的真实材料的;

(四)法律、法规、规章规定的其他违法行为。

【释义】　本条是关于被许可人取得行政许可后从事与行政许可相关的违法活动所应承担法律责任的规定。

被许可人在申请行政许可时都符合许可的各项条件,行政机关对行政许可的决定也并不违法,其得到的行政许可应当受到法律保护,并可依法从事行政许可事项的生产经营等活动。但是,被许可人在合法地取得行政许可后,所从事的与行政许可相关的活动却可能产生违法的情况,如果出现这些违法的情况,被许可人则应当承担相应的法律责任。本条内容就是针对这些情况作出规定的。

根据本条的规定,被许可人在合法取得行政许可后,在从事与行政许可相关的活动中有下列违法行为的,需要依法承担有关行政或者刑事的法律责任:

一是涂改、倒卖、出租、出借行政许可证件的,或者以其他形式非法转让行政许可的。涂改是指故意涂去许可证原有的文字、图形或者其他标志,并加上新的标志。倒卖是指以营利为目的,将许可证卖给不具备条件或者资格或者虽然具备条件或者资格但没有向行政机关提出许可申请的个人或者组织。出租是指以非法手段以许可证的使用权来换取他人租金的行为。出借是指将行政许可证件借给他人使用的行为。本法第九条规定,依法取得的行政许可,除法律、法规规定依照法定条件和程序可以转让的以外,不得转让。行政许可依法取得后,一般不得转让,要转让也必须依照法定的条件和程序。比如,依照宪法和土地管理法的有关规定,任何组织或者个人都不侵占、买卖或者以其他形式非法转让土地,但是,土地可以依照法律的规定转让。行政许可是行政机关赋予特定的行政相对人的,如果该相对人涂改许可证,或者出借、出租、倒卖许可证,或者以其他形式非法转让行政许可,就背离了行政机关实施行政许可的初衷,使行政许可方面的生产经营等活动失去行政机关的监督管理,各种违法犯罪行为就可能发生。实践中,被许可人涂改许可证,主要目的是超越许可的条件和范围从事非法生产经营等活动。出租、出借、倒卖许可证,主要目的是通过不法手段从中牟利。被许可人对这些不法行为都应当承担法律责任。比如,渔业法第四十三条规定:涂改、买卖、出租或者以其他形式转让捕捞许可证的,没收违法所得,吊销捕捞许可证,可以并处 1 万元以下的罚款。

二是超越行政许可范围进行活动的。行政许可是根据被许可人的能力或者资格授予的,被许可人如果超过了行政许可的范围或者条件从事生产经营等活动,则有可能侵害他人或者社会利益,严重的则会危及公共安全,以及人民群众的生命健康和财产安全。比如,按照律师法的规定,司法行政主管部门许可律师执业的范围只能是一个律师事务所,但某律师同时在两个律师事务所以上执业,其行为即属于违法。又如,林业行政主管部门依据森林法的有关规定,所发放的森林采伐许可证都对采伐的范围有明确的要求,但有关个人或者单位却超越森林采伐证许可的范围采伐林木,其行为即构成违法。再如,根据建筑法的规定,建筑施工企业、勘察单位、设计单位和工种监理单位，按照其拥有的注册资本、专业技术人员和建筑业绩等，划分为不同的资质等级，经行政机关审查合格后，发给不同的资质证书。不同资质等级的建筑企业只能在其资质等级许可的范围内从事建筑活动，如果超过了其资质许可的范围从事建筑活动，就可能造成建筑工程质量安全隐患，进而对公共安全、公民的人身安全和财产安全构成威胁。

三是向监督检查的行政机关隐瞒有关情况、提供虚假材料或者拒绝提供反映其活动情况的真实材料的。这是向行政机关隐瞒实情、逃避监督检查的行为，在实践中经常发生。比如，根据药品管理法的规定，药品监督管理机构有权要求药品生产单位提供相关的文件和资料，而药品生产单位却提供虚假材料或者拒绝提供反映其生产活动情况的真实材料。被许可人对其在行政机关监督检查中发生的这类行为，都应当承担法律责任。

四是法律、法规、规章规定的其他违法行为。

第八十一条　公民、法人或者其他组织未经行政许可，擅自从事依法应当取得行政许可的活动的，行政机关应当依法采取措施予以制止，并依法给予行政处罚；构成犯罪的，依法追究刑事责任。

【释义】　本条是关于擅自从事依法应当取得行政许可的活动所承担的法律责任的规定。

行政许可是一种授益性行政行为，但这种授益性行政行为也是对行政相对人行使权利和自由的必要的限制。这种必要的限制设定和实施行政许可的目的，是保障公民、法人或者其他组织所从事的活动不损害公共利益和社会利益。公民、法人或者其他组织从事的生产经营等活动，有两种情形：一种情形是，不需要行政机关的介入和干预，对公共利益和社会利益不会造成危害。对于这种情形，就不需要通过行政许可的方式予以管理；另一种情形是，如果不通过行政机关实施行政许可以及监督检查，就有可能危害公共利益和社会利益。对于这种情形,行政机关就应当通过行政许可的方式予以管理。当然,这种管理的方式必须依法进行。本条所说的依法是指依据法律、行政法规(包括必要时国务院发布的有关行政许可的决定)、地方性法规或者省级人民政府的规章。如果法律、行政法规(包括必要时国务院发布的有关行政许可的决定)、地方性法规或者省人民政府规章对有关事项的生产经营等活动设定了行政许可,公民、法人或者其他组织没有取得行政机关的相关许可即从事该事项的生产经营等活动,即属于违法。比如,依照有关法律、法规的规定,从事捕捞、森林采伐、探矿和采矿等活动,都必须取得有关行政主管部门的行政许可,如果公民、法人或者其他组织未取得许可即擅自从事生产经营等活动,即属于违法。对于这些违法行为,行政机关应当依法采取措施予以制止,并依法给予警告、罚款、责令停产停业、没收违法所得直至行政拘留等行政处罚。如果行为人的活动构成犯罪的,则应当由司法机关依法追究其刑事责任。

根据刑法的规定,本条规定中涉及追究刑事责任的主要有以下罪名:

(1)擅自设立金融机构罪。擅自设立金融机构罪,是指未经中国人民银行等主管部门批准,擅自设立商业银行、证券、期货、保险机构以及其他金融机构的行为。根据刑法第一百七十四条的规定,未经中国人民银行批准,擅自设立商业银行或者其他金融机构的,处3年以下有期徒刑或者拘役,并处或者单处2万元以上20万元以下罚金;情节严重的,处3年以上10年以下有期徒刑,并处5万元以上50万元以下罚金。

(2)擅自发行股票、公司、企业债券罪。擅自发行股票、公司、企业债券罪,是指未经国家有关主管部门批准,擅自发行股票、公司、企业债券,发行数额在50万元以上,或者擅自发行股票、公司、企业债券,不能及时清偿或者清退的,或者擅自发行股票、公司、企业债券造成恶劣影响的行为。根据刑法第一百七十九条的规定，擅自发行股票或者公司、企业债券，数额巨大、后果严重或者有其他严重情节的，处5年以下有期徒刑或者拘役，并处或者单处非法募集资金金额1%以上5%以下罚金。单位犯前款罪的，对单位判处罚金，并对直接负责的主管人员和其他直接责任人员处5年以下有期徒刑或者拘役。

（3）非法行医罪和非法进行节育手术罪。根据刑法第三百三十六条的规定，未取得医生执业资格的人非法行医，情节严重的，处3年以下有期徒刑、拘役或者管制，并处或者单处罚金；严重损害就诊人身体健康的，处3年以上10年以下有期徒刑，并处罚金；造成就诊人死亡的，处10年以上有期徒刑，并处罚金。未取得医生执业资格的人擅自为他人进行节育复通手术、假节育手术、终止妊娠手术或者摘取宫内节育器，情节严重的，处3年以下有期徒刑、拘役或者管制，并处或者单处罚金；严重损害就诊人身体健康的，处3年以上10年以下有期徒刑，并处罚金；造成就诊人死亡的，处10年以上有期徒刑，并处罚金。

（4）非法采矿罪。根据刑法第三百四十三条的规定，违反矿产资源法的规定，未取得采矿许可证擅自采矿的，擅自进入国家规划矿区、对国民经济具有重要价值的矿区和他人矿区范围开采的，擅自开采国家规定实行保护性开采的特定矿种，经责令停止开采后拒不停止开采，造成矿产资源破坏的，处3年以下有期徒刑、拘役或者管制，并处或者单处罚金；造成矿产资源严重破坏的，处3年以上7年以下有期徒刑，并处罚金。刑法第三百四十六条还对单位非法采矿方面的犯罪作出了规定。

此外，根据森林法、野生动物保护法、渔业法、有关环境保护方面的法律和刑法的规定，公民、法人或者其他组织未取得许可证，非法采伐林木、非法猎捕或杀害国家野生动物、非法捕捞、非法倾倒污染废弃物的，都应当依法追究刑事责任。

第八章　附　　则

所谓附则，一般是法律文本的附属部分，主要对实施日期、有关专门术语以及与过去相关法律的关系等内容作出规定，一般不对实质性内容作出规定，即不对权利与义务作出规定。本章共两条，主要对许可期限和实施时间作出规定。

第八十二条　本法规定的行政机关实施行政许可的期限以工作日计算，不含法定节假日。

【释义】　本条是关于行政许可期限不含法定节假日的规定。

行政许可的期限包括行政许可的审查期限和有效期限。行政许可的有效期限是指行政许可在多长的时间内具有法律效力，超过这一期限，行政许可就失去效力，要么行政许可被注销，要么被许可人向行政机关申请延续行政许可。行政许可的审查期限是指行政机关自受理申请人的行政许可申请后，依照法律规定必须在多长时间内办理完毕申请人提出的行政许可申请事项，它主要包括行政机关作出行政许可决定的期限，行政机关作出行政许可决定后向申请人颁发、送达行政许可证件的期限，以及在行政许可实施过程中遇到的一些特殊情况所适用的期限等。本法第四章第三节对有关行政机关实施行政许可的期限作出了专门规定。

行政机关在日常的实施行政许可工作中，会遇到节假日的问题。通常说来，除特殊情况外，国家机关的工作日不包括法定节假日在内。根据本条的规定，行政机关实施行政许可的期间，所指的就是行政机关工作日的期间，而不包括法定节假日。根据国务院的有关规定，我国的法定节假日除每周的周六、周日两个双休日外，还包括“五一”国际劳动节、“十一”国庆节、元旦和春节。这样，行政机关在实施行政许可过程中，如遇有法定节假日，其实施行政许可的实际时间要比工作日长。比如，根据本法第四章的有关规定，行政机关应当自受理行政许可申请之日起20日内作出行政许可决定，如果在这20日内遇到3个星期的双休日，则意味着行政机关可以自受理行政许可申请之日起26日内作出行政许可决定，如果遇到2个星期的双休日，又加上国庆节7天的法定假日，则意味着行政机关可以自受理行政许可申请之日起31日内作出行政许可决定。

第八十三条　本法自2004年7月1日起施行。

本法施行前有关行政许可的规定，制定机关应当依照本法规定予以清理；不符合本法规定的，自本法施行之日起停止执行。

【释义】　本条是关于本法实施日期以及有关机关在本法实施前进行行政许可清理的规定。

一、本法的施行时间

所谓法律的施行时间即法律的生效时间。根据本条的规定，本法自2004年7月1日起施行。法律的公布和实施是不同的概念。法律的公布是指由特定机关将通过的法律向全社会予以公告，法律的施行是指法律开始生效。有的法律在公布的同时即予施行，即自公布之日起就正式施行，发生法律效力。有的法律在公布的同时或者过一段时间起试行或者暂行。有的法律自公布之日起一段时间后再正式施行，本法的施行就属于这一类型。行政许可法为什么要在公布后自2004年7月1日起施行呢？主要有两个方面的原因：一是实践中行政许可的设定、实施和监督管理情况比较复杂，特别是行政许可的设定情况比较混乱，在这部法律的正式施行前，有关机关对自身设定行政许可的情况需要进行清理，使之与本法的有关规定一致起来，这个清理需要较长的一段时间。二是行政许可法是一部十分重要的法律，关系到行政审批制度改革的方向和行政机关管理职能的转换，关系公民、法人或者其他组织的权利保护，而这部法律又规定了很多具有创新意义和开拓意义的内容，对于行政机关和公民、法人或者其他组织来说，都需要一个学习和领会的过程。因此，在法律公布后的一段时间内再正式施行，可以有比较充分的时间让有关方面来大力宣传这部法律，让各级行政机关和广大公民、法人或者其他组织来深入学习和掌握这部法律中的一系列规定，为今后很好地贯彻实施这部法律打下扎实的基础。

二、清理有关行政许可

本条规定的内容涉及一个规范性文件的清理问题。所谓规范性文件的清理，是指制定规范性文件的有关国家机关，在自己的职权范围内，按照一定的方法和原则，对自身制定的规范性文件进行审查，以解决这些规范性文件是否继续适用或者是否需要加以变动等问题的专门活动。行政许可法颁布后施行前，有关机关对行政许可方面的规范性文件的清理任务相当繁重。因为长期以来，行政许可存在过多过滥的现象，设定行政许可的机关和部门相当多，而行政许可法对行政许可活动的各类事项作出的许多规定，是改革性的，与行政管理活动中的已有做法存在很大不同，虽然行政审批制度的改革仍然在进行中，并已经取得明显成效，但要使得行政许可实践中的各种做法与本法的规定一致起来，还有很多工作要做，需要一段时间来开展这方面的清理工作。

根据本条的规定，在本法施行前有关行政许可的规定，制定机关应当依照本法的规定予以清理，即以本法为依据，是各制定机关清理其制定行政许可事项的基本原则。各行政许可的制定机关以

本法为依据清理行政许可,包括以下几方面的内容:

第一,依据本法总则中规定的设定、实施行政许可的原则,以及行政许可的监督检查和法律责任方面的原则,清理已经制定的行政许可事项。主要需要遵循的原则有依法原则,公开、公平、公正原则,便民原则和效率原则以及信赖保护原则。这些原则是设定和实施行政许可的行为准则,也是指导日常行政许可相关行为的重要原则。

第二,依据本法有关行政许可设定权限的规定,清理各类行政许可事项。

这包括了三个方面的要求:一是行政许可的设定权要符合法律的规定。本法为了从源头上治理行政许可过多过滥的问题,减少了行政许可的设定主体。特别是取消了设定过大量行政许可的部委规章的行政许可设定权;对地方政府规章的行政许可设定权也作出了严格限制。行政许可的设定权只能由全国人大,国务院,有权制定地方性法规的省、市人大及其常委会,有权制定地方政府规章的省级人民政府行使。二是有权设定行政许可的机关,应当按照立法法规定的权限和本法的规定设定行政许可。我国立法法规定了全国人大及其常委会的专属立法权,规定了行政法规和地方性法规以及规章的权限范围,行政法规、地方性法规和规章在设定行政许可时,应当遵守上述权限范围的规定,不得越权设定行政许可。同时还应当遵守本法的有关规定,对于本法规定可以设定行政许可的事项,应当是在上位法没有规定行政许可的情况下,下位法才可以设定行政许可;上位法已经设定了行政许可的,下位法只能对实施该行政许可作具体规定。三是没有行政许可设定权的机关和组织,一律不得设定行政许可。根据本法的规定,只有法律、行政法规、国务院的有关决定、地方性法规、省级人民政府规章才有权设定行政许可,其他的一切规范性文件都无权设定。这样,国务院的各部门、较大市以下的各级人民政府及其部门以及没有地方性法规制定权的各级人大及其常委会在本法施行前所设定的一切行政许可，本机关及有关部门都应当予以废止。

第三，依据本法有关行政许可设定范围的规定，清理各类行政许可事项。本法对可以设定行政许可的事项，规定了五个大的方面，主要是国家安全、公共安全、人身健康、生命财产安全，自然资源的开发利用和公共资源的配置及特定行业的市场准入，公民、法人或者其他组织的资格资质，确立企业或者其他组织的主体资格等方面的事项。并且即使在本法规定的可以设定行政许可的事项范围内，如果能够通过市场竞争机制调节、行业组织和中介机构自律性管理或者采用事后监督方式，能够予以规范和约束的，可以不设定行政许可。有权设定行政许可的机关对已经设定的各类行政许可，要严格依据本法有关行政许可设定范围的规定予以清理，对超过范围的行政许可一律予以废止。

第四，依据法律有关行政许可实施条件的规定，清理各类行政许可事项。对于行政许可颁发的条件，我国的单行法律、法规通常都有具体的规定。如煤炭法第四十七条规定，设立煤炭经营企业，应当具备下列条件：(1)有与其经营规模相适应的注册资金；(2)有固定的经营场所；(3)有必要的设施和储存煤炭的场地；(4)有符合标准的计量和质量检验设备；(5)符合国家对煤炭经营企业合理布局的要求；(6)法律、行政法规规定的其他条件。对行政管理相对人提出的申请，决定是否准予许可，应当按照法律、法规规定的条件。行政许可的条件应当符合行政许可法的要求，既不能故意提高标准，也不能放宽标准，应当严格依照法定条件，对不符合法律、法规规定的要加以清理废止。

第五，依据本法有关行政许可实施程序的规定，清理各类行政许可事项。本法第四章对行政许可的实施程序，包括申请与受理、审查与决定、期限、听证、变更与延续等作出了规定，有关行政许可的制定机关应当以本法的这些规定为依据，健全和完善已经制定的各类行政许可的实施程序。

第六,以本法有关行政许可的监督检查和法律责任以及收费要求等的规定为依据,清理已经制定的各类行政许可。

三、停止执行不符合本法规定的行政许可

根据本条的规定,凡是不符合本法规定的行政许可,自本法施行之日起停止执行。也就是说,不符合本法规定的行政许可,在本法颁布之后到本法施行之日前,仍然可以执行。这主要是考虑到,在日常行政管理活动中,行政许可的情况比较复杂,从法律公布后到实施前这一阶段,允许以前的不符合本法规定的行政许可继续执行,有利于保持行政管理工作的稳定性和连续性,维护市场的稳定,有利于行政机关妥善地处理行政许可活动中的遗留问题。但是,在本法施行后,不符合本法规定的各类行政许可就要一律停止执行。

第二部分 附 录

中华人民共和国行政许可法

（2003 年 8 月 27 日第十届全国人民代表大会
常务委员会第四次会议通过 2003 年 8 月 27 日
中华人民共和国主席令第七号公布
自 2004 年 7 月 1 日起施行）

目 录

第一章 总 则

第一条 为了规范行政许可的设定和实施，保护公民、法人和其他组织的合法权益，维护公共利益和社会秩序，保障和监督行政机关有效实施行政管理，根据宪法，制定本法。

第二条 本法所称行政许可，是指行政机关根据公民、法人或者其他组织的申请，经依法审查，准予其从事特定活动的行为。

第三条 行政许可的设定和实施，适用本法。

有关行政机关对其他机关或者对其直接管理的事业单位的人事、财务、外事等事项的审批，不适用本法。

第四条 设定和实施行政许可，应当依照法定的权限、范围、条件和程序。

第五条 设定和实施行政许可，应当遵循公开、公平、公正的原则。

有关行政许可的规定应当公布；未经公布的，不得作为实施行政许可的依据。行政许可的实施和结果，除涉及国家秘密、商业秘密或者个人隐私的外，应当公开。

符合法定条件、标准的，申请人有依法取得行政许可的平等权利，行政机关不得歧视。

第六条 实施行政许可，应当遵循便民的原则，提高办事效率，提供优质服务。

第七条 公民、法人或者其他组织对行政机关实施行政许可，享有陈述权、申辩权；有权依法申请行政复议或者提起行政诉讼；其合法权益因行政机关违法实施行政许可受到损害的，有权依法要求赔偿。

第八条 公民、法人或者其他组织依法取得的行政许可受法律保护，行政机关不得擅自改变已经生效的行政许可。

行政许可所依据的法律、法规、规章修改或者废止，或者准予行政许可所依据的客观情况发生重大变化的，为了公共利益的需要，行政机关可以依法变更或者撤回已经生效的行政许可。由此给公民、法人或者其他组织造成财产损失的，行政机关应当依法给予补偿。

第九条 依法取得的行政许可，除法律、法规规定依照法定条件和程序可以转让的外，不得转让。

第十条 县级以上人民政府应当建立健全对行政机关实施行政许可的监督制度，加强对行政机关实施行政许可的监督检查。

行政机关应当对公民、法人或者其他组织从事行政许可事项的活动实施有效监督。

第二章 行政许可的设定

第十一条 设定行政许可，应当遵循经济和社会发展规律，有利于发挥公民、法人或者其他组织的积极性、主动性，维护公共利益和社会秩序，促进经济、社会和生态环境协调发展。

第十二条 下列事项可以设定行政许可：

（一）直接涉及国家安全、公共安全、经济宏观调控、生态环境保护以及直接关系人身健康、生命财产安全等特定活动，需要按照法定条件予以批准的事项；

（二）有限自然资源开发利用、公共资源配置以及直接关系公共利益的特定行业的市场准入等，需要赋予特定权利的事项；

（三）提供公众服务并且直接关系公共利益的职业、行业，需要确定具备特殊信誉、特殊条件或者特殊技能等资格、资质的事项；

（四）直接关系公共安全、人身健康、生命财产安全的重要设备、设施、产品、物品，需要按照技术标准、技术规范，通过检验、检测、检疫等方式进行审定的事项；

（五）企业或者其他组织的设立等，需要确定主体资格的事项；

（六）法律、行政法规规定可以设定行政许可的其他事项。

第十三条 本法第十二条所列事项，通过下列方式能够予以规范的，可以不设行政许可：

（一）公民、法人或者其他组织能够自主决定的；

（二）市场竞争机制能够有效调节的；

（三）行业组织或者中介机构能够自律管理的；

（四）行政机关采用事后监督等其他行政管理方式能够解决的。

第十四条 本法第十二条所列事项，法律可以设定行政许可。尚未制定法律的，行政法规可以设定行政许可。

必要时，国务院可以采用发布决定的方式设定行政许可。实施后，除临时性行政许可事项外，国务院应当及时提请全国人民代表大会及其常务委员会制定法律，或者自行制定行政法规。

第十五条 本法第十二条所列事项，尚未制定法律、行政法规的，地方性法规可以设定行政许可；尚未制定法律、行政法规和地方性法规的，因行政管理的需要，确需立即实施行政许可的，省、自治区、直辖市人民政府规章可以设定临时性的行政许可。临时性的行政许可实施满一年需要继续实施的，应当提请本级人民代表大会及其常务委员会制定地方性法规。

地方性法规和省、自治区、直辖市人民政府规章，不得设定应当由国家统一确定的公民、法人或者其他组织的资格、资质的行政许可；不得设定企业或者其他组织的设立登记及其前置性行政许可。其设定的行政许可，不得限制其他地区的个人或者企业到本地区从事生产经营和提供服务，不得限制其他地区的商品进入本地区市场。

第十六条 行政法规可以在法律设定的行政许可事项范围内，对实施该行政许可作出具体规定。

地方性法规可以在法律、行政法规设定的行政许可事项范围内，对实施该行政许可作出具体规定。

规章可以在上位法设定的行政许可事项范围内，对实施该行政许可作出具体规定。

法规、规章对实施上位法设定的行政许可作出的具体规定，不得增设行政许可；对行政许可条件作出的具体规定，不得增设违反上位法的其他条件。

第十七条　除本法第十四条、第十五条规定的外，其他规范性文件一律不得设定行政许可。

第十八条　设定行政许可，应当规定行政许可的实施机关、条件、程序、期限。

第十九条　起草法律草案、法规草案和省、自治区、直辖市人民政府规章草案，拟设定行政许可的，起草单位应当采取听证会、论证会等形式听取意见，并向制定机关说明设定该行政许可的必要性、对经济和社会可能产生的影响以及听取和采纳意见的情况。

第二十条　行政许可的设定机关应当定期对其设定的行政许可进行评价；对已设定的行政许可，认为通过本法第十三条所列方式能够解决的，应当对设定该行政许可的规定及时予以修改或者废止。

行政许可的实施机关可以对已设定的行政许可的实施情况及存在的必要性适时进行评价，并将意见报告该行政许可的设定机关。

公民、法人或者其他组织可以向行政许可的设定机关和实施机关就行政许可的设定和实施提出意见和建议。

第二十一条　省、自治区、直辖市人民政府对行政法规设定的有关经济事务的行政许可，根据本行政区域经济和社会发展情况，认为通过本法第十三条所列方式能够解决的，报国务院批准后，可以在本行政区域内停止实施该行政许可。

第三章　行政许可的实施机关

第二十二条　行政许可由具有行政许可权的行政机关在其法定职权范围内实施。

第二十三条 法律、法规授权的具有管理公共事务职能的组织，在法定授权范围内，以自己的名义实施行政许可。被授权的组织适用本法有关行政机关的规定。

第二十四条 行政机关在其法定职权范围内，依照法律、法规、规章的规定，可以委托其他行政机关实施行政许可。委托机关应当将受委托行政机关和受委托实施行政许可的内容予以公告。

委托行政机关对受委托行政机关实施行政许可的行为应当负责监督，并对该行为的后果承担法律责任。

受委托行政机关在委托范围内，以委托行政机关名义实施行政许可；不得再委托其他组织或者个人实施行政许可。

第二十五条 经国务院批准，省、自治区、直辖市人民政府根据精简、统一、效能的原则，可以决定一个行政机关行使有关行政机关的行政许可权。

第二十六条 行政许可需要行政机关内设的多个机构办理的，该行政机关应当确定一个机构统一受理行政许可申请，统一送达行政许可决定。

行政许可依法由地方人民政府两个以上部门分别实施的，本级人民政府可以确定一个部门受理行政许可申请并转告有关部门分别提出意见后统一办理，或者组织有关部门联合办理、集中办理。

第二十七条 行政机关实施行政许可，不得向申请人提出购买指定商品、接受有偿服务等不正当要求。

行政机关工作人员办理行政许可，不得索取或者收受申请人的财物，不得谋取其他利益。

第二十八条 对直接关系公共安全、人身健康、生命财产安全的设备、设施、产品、物品的检验、检测、检疫，除法律、行政法规规定由行政机关实施的外，应当逐步由符合法定条件的专业技术组织实施。专业技术组织及其有关人员对所实施的检验、检测、检疫结论承担法律责任。

第四章　行政许可的实施程序

第一节　申请与受理

第二十九条　公民、法人或者其他组织从事特定活动，依法需要取得行政许可的，应当向行政机关提出申请。申请书需要采用格式文本的，行政机关应当向申请人提供行政许可申请书格式文本。申请书格式文本中不得包含与申请行政许可事项没有直接关系的内容。

申请人可以委托代理人提出行政许可申请。但是，依法应当由申请人到行政机关办公场所提出行政许可申请的除外。

行政许可申请可以通过信函、电报、电传、传真、电子数据交换和电子邮件等方式提出。

第三十条　行政机关应当将法律、法规、规章规定的有关行政许可的事项、依据、条件、数量、程序、期限以及需要提交的全部材料的目录和申请书示范文本等在办公场所公示。

申请人要求行政机关对公示内容予以说明、解释的，行政机关应当说明、解释，提供准确、可靠的信息。

第三十一条　申请人申请行政许可，应当如实向行政机关提交有关材料和反映真实情况，并对其申请材料实质内容的真实性负责。行政机关不得要求申请人提交与其申请的行政许可事项无关的技术资料和其他材料。

第三十二条　行政机关对申请人提出的行政许可申请，应当根据下列情况分别作出处理：

（一）申请事项依法不需要取得行政许可的，应当即时告知申请人不受理；

（二）申请事项依法不属于本行政机关职权范围的，应当即时作出不予受理的决定，并告知申请人向有关行政机关申请；

（三）申请材料存在可以当场更正的错误的，应当允许申请人当场更正；

（四）申请材料不齐全或者不符合法定形式的，应当当场或者在五日内一次告知申请人需要补正的全部内容，逾期不告知的，自收到申请材料之日起即为受理；

（五）申请事项属于本行政机关职权范围，申请材料齐全、符合法定形式，或者申请人按照本行政机关的要求提交全部补正申请材料的，应当受理行政许可申请。

行政机关受理或者不予受理行政许可申请，应当出具加盖本行政机关专用印章和注明日期的书面凭证。

第三十三条 行政机关应当建立和完善有关制度，推行电子政务，在行政机关的网站上公布行政许可事项，方便申请人采取数据电文等方式提出行政许可申请；应当与其他行政机关共享有关行政许可信息，提高办事效率。

第二节 审查与决定

第三十四条 行政机关应当对申请人提交的申请材料进行审查。

申请人提交的申请材料齐全、符合法定形式，行政机关能够当场作出决定的，应当当场作出书面的行政许可决定。

根据法定条件和程序，需要对申请材料的实质内容进行核实的，行政机关应当指派两名以上工作人员进行核查。

第三十五条 依法应当先经下级行政机关审查后报上级行政机关决定的行政许可，下级行政机关应当在法定期限内将初步审查意见和全部申请材料直接报送上级行政机关。上级行政机关不得要求申请人重复提供申请材料。

第三十六条 行政机关对行政许可申请进行审查时，发现行政许可事项直接关系他人重大利益的，应当告知该利害关系人。申请人、利害关系人有权进行陈述和申辩。行政机关应当听取申请人、利害关系人的意见。

第三十七条　行政机关对行政许可申请进行审查后，除当场作出行政许可决定的外，应当在法定期限内按照规定程序作出行政许可决定。

第三十八条　申请人的申请符合法定条件、标准的，行政机关应当依法作出准予行政许可的书面决定。

行政机关依法作出不予行政许可的书面决定的，应当说明理由，并告知申请人享有依法申请行政复议或者提起行政诉讼的权利。

第三十九条　行政机关作出准予行政许可的决定，需要颁发行政许可证件的，应当向申请人颁发加盖本行政机关印章的下列行政许可证件：

（一）许可证、执照或者其他许可证书；

（二）资格证、资质证或者其他合格证书；

（三）行政机关的批准文件或者证明文件；

（四）法律、法规规定的其他行政许可证件。

行政机关实施检验、检测、检疫的，可以在检验、检测、检疫合格的设备、设施、产品、物品上加贴标签或者加盖检验、检测、检疫印章。

第四十条　行政机关作出的准予行政许可决定，应当予以公开，公众有权查阅。

第四十一条　法律、行政法规设定的行政许可，其适用范围没有地域限制的，申请人取得的行政许可在全国范围内有效。

第三节　期　　限

第四十二条　除可以当场作出行政许可决定的外，行政机关应当自受理行政许可申请之日起二十日内作出行政许可决定。二十日内不能作出决定的，经本行政机关负责人批准，可以延长十日，并应当将延长期限的理由告知申请人。但是，法律、法规另有规定的，依照其规定。

依照本法第二十六条的规定，行政许可采取统一办理或者联合办理、集中办理的，办理的时间不得超过四十五日；四十五日内不能办结的，经本级人民政府负责人批准，可以延长十五日，并应当将延长期限的理由告知申请人。

第四十三条 依法应当先经下级行政机关审查后报上级行政机关决定的行政许可，下级行政机关应当自其受理行政许可申请之日起二十日内审查完毕。但是，法律、法规另有规定的，依照其规定。

第四十四条 行政机关作出准予行政许可的决定，应当自作出决定之日起十日内向申请人颁发、送达行政许可证件，或者加贴标签、加盖检验、检测、检疫印章。

第四十五条 行政机关作出行政许可决定，依法需要听证、招标、拍卖、检验、检测、检疫、鉴定和专家评审的，所需时间不计算在本节规定的期限内。行政机关应当将所需时间书面告知申请人。

第四节 听 证

第四十六条 法律、法规、规章规定实施行政许可应当听证的事项，或者行政机关认为需要听证的其他涉及公共利益的重大行政许可事项，行政机关应当向社会公告，并举行听证。

第四十七条 行政许可直接涉及申请人与他人之间重大利益关系的，行政机关在作出行政许可决定前，应当告知申请人、利害关系人享有要求听证的权利；申请人、利害关系人在被告知听证权利之日起五日内提出听证申请的，行政机关应当在二十日内组织听证。

申请人、利害关系人不承担行政机关组织听证的费用。

第四十八条 听证按照下列程序进行：

（一）行政机关应当于举行听证的七日前将举行听证的时间、地点通知申请人、利害关系人，必要时予以公告；

（二）听证应当公开举行；

（三）行政机关应当指定审查该行政许可申请的工作人员以外的人员为听证主持人，申请人、利害关系人认为主持人与该行政许可事项有直接利害关系的，有权申请回避；

（四）举行听证时，审查该行政许可申请的工作人员应当提供审查意见的证据、理由，申请人、利害关系人可以提出证据，并进行申辩和质证；

（五）听证应当制作笔录，听证笔录应当交听证参加人确认无误后签字或者盖章。

行政机关应当根据听证笔录，作出行政许可决定。

第五节　变更与延续

第四十九条　被许可人要求变更行政许可事项的，应当向作出行政许可决定的行政机关提出申请；符合法定条件、标准的，行政机关应当依法办理变更手续。

第五十条　被许可人需要延续依法取得的行政许可的有效期的，应当在该行政许可有效期届满三十日前向作出行政许可决定的行政机关提出申请。但是，法律、法规、规章另有规定的，依照其规定。

行政机关应当根据被许可人的申请，在该行政许可有效期届满前作出是否准予延续的决定；逾期未作决定的，视为准予延续。

第六节　特别规定

第五十一条　实施行政许可的程序，本节有规定的，适用本节规定；本节没有规定的，适用本章其他有关规定。

第五十二条　国务院实施行政许可的程序，适用有关法律、行政法规的规定。

第五十三条　实施本法第十二条第二项所列事项的行政许可

的，行政机关应当通过招标、拍卖等公平竞争的方式作出决定。但是，法律、行政法规另有规定的，依照其规定。

行政机关通过招标、拍卖等方式作出行政许可决定的具体程序，依照有关法律、行政法规的规定。

行政机关按照招标、拍卖程序确定中标人、买受人后，应当作出准予行政许可的决定，并依法向中标人、买受人颁发行政许可证件。

行政机关违反本条规定，不采用招标、拍卖方式，或者违反招标、拍卖程序，损害申请人合法权益的，申请人可以依法申请行政复议或者提起行政诉讼。

第五十四条 实施本法第十二条第三项所列事项的行政许可，赋予公民特定资格，依法应当举行国家考试的，行政机关根据考试成绩和其他法定条件作出行政许可决定；赋予法人或者其他组织特定的资格、资质的，行政机关根据申请人的专业人员构成、技术条件、经营业绩和管理水平等的考核结果作出行政许可决定。但是，法律、行政法规另有规定的，依照其规定。

公民特定资格的考试依法由行政机关或者行业组织实施，公开举行。行政机关或者行业组织应当事先公布资格考试的报名条件、报考办法、考试科目以及考试大纲。但是，不得组织强制性的资格考试的考前培训，不得指定教材或者其他助考材料。

第五十五条 实施本法第十二条第四项所列事项的行政许可的，应当按照技术标准、技术规范依法进行检验、检测、检疫，行政机关根据检验、检测、检疫的结果作出行政许可决定。

行政机关实施检验、检测、检疫，应当自受理申请之日起五日内指派两名以上工作人员按照技术标准、技术规范进行检验、检测、检疫。不需要对检验、检测、检疫结果作进一步技术分析即可认定设备、设施、产品、物品是否符合技术标准、技术规范的，行政机关应当当场作出行政许可决定。

行政机关根据检验、检测、检疫结果，作出不予行政许可决定的，应当书面说明不予行政许可所依据的技术标准、技术规范。

第五十六条 实施本法第十二条第五项所列事项的行政许可，申请人提交的申请材料齐全、符合法定形式的，行政机关应当当场予以登记。需要对申请材料的实质内容进行核实的，行政机关依照本法第三十四条第三款的规定办理。

第五十七条 有数量限制的行政许可，两个或者两个以上申请人的申请均符合法定条件、标准的，行政机关应当根据受理行政许可申请的先后顺序作出准予行政许可的决定。但是，法律、行政法规另有规定的，依照其规定。

第五章 行政许可的费用

第五十八条 行政机关实施行政许可和对行政许可事项进行监督检查，不得收取任何费用。但是，法律、行政法规另有规定的，依照其规定。

行政机关提供行政许可申请书格式文本，不得收费。

行政机关实施行政许可所需经费应当列入本行政机关的预算，由本级财政予以保障，按照批准的预算予以核拨。

第五十九条 行政机关实施行政许可，依照法律、行政法规收取费用的，应当按照公布的法定项目和标准收费；所收取的费用必须全部上缴国库，任何机关或者个人不得以任何形式截留、挪用、私分或者变相私分。财政部门不得以任何形式向行政机关返还或者变相返还实施行政许可所收取的费用。

第六章 监督检查

第六十条 上级行政机关应当加强对下级行政机关实施行政许可的监督检查，及时纠正行政许可实施中的违法行为。

第六十一条 行政机关应当建立健全监督制度，通过核查反映被许可人从事行政许可事项活动情况的有关材料，履行监督责任。

行政机关依法对被许可人从事行政许可事项的活动进行监督检查时,应当将监督检查的情况和处理结果予以记录,由监督检查人员签字后归档。公众有权查阅行政机关监督检查记录。

行政机关应当创造条件,实现与被许可人、其他有关行政机关的计算机档案系统互联,核查被许可人从事行政许可事项活动情况。

第六十二条 行政机关可以对被许可人生产经营的产品依法进行抽样检查、检验、检测,对其生产经营场所依法进行实地检查。检查时,行政机关可以依法查阅或者要求被许可人报送有关材料;被许可人应当如实提供有关情况和材料。

行政机关根据法律、行政法规的规定,对直接关系公共安全、人身健康、生命财产安全的重要设备、设施进行定期检验。对检验合格的,行政机关应当发给相应的证明文件。

第六十三条 行政机关实施监督检查,不得妨碍被许可人正常的生产经营活动,不得索取或者收受被许可人的财物,不得谋取其他利益。

第六十四条 被许可人在作出行政许可决定的行政机关管辖区域外违法从事行政许可事项活动的,违法行为发生地的行政机关应当依法将被许可人的违法事实、处理结果抄告作出行政许可决定的行政机关。

第六十五条 个人和组织发现违法从事行政许可事项的活动,有权向行政机关举报,行政机关应当及时核实、处理。

第六十六条 被许可人未依法履行开发利用自然资源义务或者未依法履行利用公共资源义务的,行政机关应当责令限期改正;被许可人在规定期限内不改正的,行政机关应当依照有关法律、行政法规的规定予以处理。

第六十七条 取得直接关系公共利益的特定行业的市场准入行政许可的被许可人,应当按照国家规定的服务标准、资费标准和行政机关依法规定的条件,向用户提供安全、方便、稳定和价格合理的服务,并履行普遍服务的义务;未经作出行政许可决定的行政机关批准，不得擅自停业、歇业。

被许可人不履行前款规定的义务的，行政机关应当责令限期改正，或者依法采取有效措施督促其履行义务。

第六十八条　对直接关系公共安全、人身健康、生命财产安全的重要设备、设施，行政机关应当督促设计、建造、安装和使用单位建立相应的自检制度。

行政机关在监督检查时，发现直接关系公共安全、人身健康、生命财产安全的重要设备、设施存在安全隐患的，应当责令停止建造、安装和使用，并责令设计、建造、安装和使用单位立即改正。

第六十九条　有下列情形之一的，作出行政许可决定的行政机关或者其上级行政机关，根据利害关系人的请求或者依据职权，可以撤销行政许可：

（一）行政机关工作人员滥用职权、玩忽职守作出准予行政许可决定的；

（二）超越法定职权作出准予行政许可决定的；

（三）违反法定程序作出准予行政许可决定的；

（四）对不具备申请资格或者不符合法定条件的申请人准予行政许可的；

（五）依法可以撤销行政许可的其他情形。

被许可人以欺骗、贿赂等不正当手段取得行政许可的，应当予以撤销。

依照前两款的规定撤销行政许可，可能对公共利益造成重大损害的，不予撤销。

依照本条第一款的规定撤销行政许可，被许可人的合法权益受到损害的，行政机关应当依法给予赔偿。依照本条第二款的规定撤销行政许可的，被许可人基于行政许可取得的利益不受保护。

第七十条　有下列情形之一的，行政机关应当依法办理有关行政许可的注销手续：

（一）行政许可有效期届满未延续的；

（二）赋予公民特定资格的行政许可，该公民死亡或者丧失行为能力的；

（三）法人或者其他组织依法终止的；

（四）行政许可依法被撤销、撤回，或者行政许可证件依法被吊销的；

（五）因不可抗力导致行政许可事项无法实施的；

（六）法律、法规规定的应当注销行政许可的其他情形。

第七章　法 律 责 任

第七十一条　违反本法第十七条规定设定的行政许可，有关机关应当责令设定该行政许可的机关改正，或者依法予以撤销。

第七十二条　行政机关及其工作人员违反本法的规定，有下列情形之一的，由其上级行政机关或者监察机关责令改正；情节严重的，对直接负责的主管人员和其他直接责任人员依法给予行政处分：

（一）对符合法定条件的行政许可申请不予受理的；

（二）不在办公场所公示依法应当公示的材料的；

（三）在受理、审查、决定行政许可过程中，未向申请人、利害关系人履行法定告知义务的；

（四）申请人提交的申请材料不齐全、不符合法定形式，不一次告知申请人必须补正的全部内容的；

（五）未依法说明不受理行政许可申请或者不予行政许可的理由的；

（六）依法应当举行听证而不举行听证的。

第七十三条　行政机关工作人员办理行政许可、实施监督检查，索取或者收受他人财物或者谋取其他利益，构成犯罪的，依法追究刑事责任；尚不构成犯罪的，依法给予行政处分。

第七十四条　行政机关实施行政许可，有下列情形之一的，由其上级行政机关或者监察机关责令改正，对直接负责的主管人员和其

他直接责任人员依法给予行政处分;构成犯罪的,依法追究刑事责任:

(一)对不符合法定条件的申请人准予行政许可或者超越法定职权作出准予行政许可决定的;

(二)对符合法定条件的申请人不予行政许可或者不在法定期限内作出准予行政许可决定的;

(三)依法应当根据招标、拍卖结果或者考试成绩择优作出准予行政许可决定,未经招标、拍卖或者考试,或者不根据招标、拍卖结果或者考试成绩择优作出准予行政许可决定的。

第七十五条 行政机关实施行政许可,擅自收费或者不按照法定项目和标准收费的,由其上级行政机关或者监察机关责令退还非法收取的费用;对直接负责的主管人员和其他直接责任人员依法给予行政处分。

截留、挪用、私分或者变相私分实施行政许可依法收取的费用的,予以追缴;对直接负责的主管人员和其他直接责任人员依法给予行政处分;构成犯罪的,依法追究刑事责任。

第七十六条 行政机关违法实施行政许可,给当事人的合法权益造成损害的,应当依照国家赔偿法的规定给予赔偿。

第七十七条 行政机关不依法履行监督职责或者监督不力,造成严重后果的,由其上级行政机关或者监察机关责令改正,对直接负责的主管人员和其他直接责任人员依法给予行政处分;构成犯罪的,依法追究刑事责任。

第七十八条 行政许可申请人隐瞒有关情况或者提供虚假材料申请行政许可的,行政机关不予受理或者不予行政许可,并给予警告;行政许可申请属于直接关系公共安全、人身健康、生命财产安全事项的,申请人在一年内不得再次申请该行政许可。

第七十九条 被许可人以欺骗、贿赂等不正当手段取得行政许可的,行政机关应当依法给予行政处罚;取得的行政许可属于直接关系公共安全、人身健康、生命财产安全事项的,申请人在三年内不得再次申请该行政许可;构成犯罪的,依法追究刑事责任。

第八十条 被许可人有下列行为之一的,行政机关应当依法给予行政处罚;构成犯罪的,依法追究刑事责任:

(一)涂改、倒卖、出租、出借行政许可证件,或者以其他形式非法转让行政许可的;

(二)超越行政许可范围进行活动的;

(三)向负责监督检查的行政机关隐瞒有关情况、提供虚假材料或者拒绝提供反映其活动情况的真实材料的;

(四)法律、法规、规章规定的其他违法行为。

第八十一条 公民、法人或者其他组织未经行政许可,擅自从事依法应当取得行政许可的活动的,行政机关应当依法采取措施予以制止,并依法给予行政处罚;构成犯罪的,依法追究刑事责任。

第八章 附 则

第八十二条 本法规定的行政机关实施行政许可的期限以工作日计算,不含法定节假日。

第八十三条 本法自 2004 年 7 月 1 日起施行。

本法施行前有关行政许可的规定,制定机关应当依照本法规定予以清理;不符合本法规定的,自本法施行之日起停止执行。

国务院关于提请审议《中华人民共和国行政许可法(草案)》的议案

全国人民代表大会常务委员会：

为了规范行政许可的设定和实施，保障和监督行政机关有效实施行政管理，维护公共利益和社会秩序，保护自然人、法人和其他组织的合法权益，国务院法制办公室在广泛征求意见、总结实践经验、认真调查研究并借鉴国外好的做法的基础上，拟订了《中华人民共和国行政许可法(草案)》。这个草案已经国务院常务会议讨论通过，现提请审议。

国务院总理 **朱镕基**

2002年7月5日

关于《中华人民共和国行政许可法(草案)》的说明

——2002年8月23日在第九届全国人民代表大会常务委员会第二十九次会议上

国务院法制办公室主任　杨景宇

委员长、各位副委员长、秘书长、各位委员：

我受国务院的委托，现对《中华人民共和国行政许可法(草案)》作说明。

行政许可(也就是通常所说的“行政审批”)，是行政机关依法对社会、经济事务实行事前监督管理的一种重要手段，是不可缺少的，多年来实际上也起了重要的作用。问题是行政许可过多、过滥，究其主要原因：一是，行政许可设定权不明确，有些乡政府、县政府在设，有些行政机关内设机构也在设。二是，设定行政许可的事项不规范，一讲行政管理，就要审批。三是，实施行政许可环节过多、手续繁琐、时限过长、“暗箱操作”，老百姓办事很难。四是，重许可、轻监管或者只许可、不监管的现象比较普遍，市场进入很难，而一旦进入却又缺乏监管。五是，有些行政机关把行政许可作为权力“寻租”的一个手段。不少企业、个人为了取得行政许可，还要给好处、托关系，助长了腐败现象的蔓延。在一定意义上，可以说行政许可已经成为一个腐败源。六是,行政机关实施行政许可,往往只有权力、没有责任,缺乏公开、有效的监督制约机制。现行行政许可制度在一定程度上已经成为转变政府职能的一个障碍。按照党中央、国务院的部署,各地方先后开展了行政审批制度改革,取消了一批行政审批项目,规范了行政审批程序,取得了初步的成效,积累了一定的经验;国务院部门行政审批制度改革正在抓紧进行。按照世贸组织协定和我国对外承诺,行政许可应当以透明和规范的方式实施,行政许可条件和程序对贸易的限制不能超过必要的限度,中国工作组报告书并对服务贸易的行政许可程序提出了9条明确要求。因此,制定行政许可法,对于巩固行政审批制度改革成果,履行我国对外承诺,进一步推进行政管理体制改革,从源头上预防和治理腐败,都有重要意义。

全国人大常委会法工委从1996年着手行政许可法的调研、起草工作,形成了《行政许可法(征求意见稿)》。九届全国人大常委会将行政许可法列入立法规划,确定由国务院提出法律草案。据此,国务院法制办以征求意见稿为基础,结合清理国务院部门行政审批事项,从2000年初开始行政许可法的起草、调研、论证,就起草这部法律涉及的主要问题,征求了地方人民政府、国务院部门、专家学者的意见。在此基础上,起草了《行政许可法(初稿)》,于2001年7月印发国务院各部门、省级人民政府及较大的市人民政府的法制工作机构和全国人大常委会法工委等单位以及专家学者征求意见;召开3个座谈会,听取国务院部分部门、一些地方人民政府和专家学者的意见;几次召开国内外专家参加的论证会,研究了美国、德国、日本等国的行政许可制度;还请南京、宁波、济南、成都等4个地方人民政府有关部门专门对草案有关行政许可程序的规定提出意见,经反复研究、修改,形成了《中华人民共和国行政许可法(草案)》(以下简称草案)。草案已经2002年6月19日国务院第60次常务会议讨论通过。草案共10章100条。按照各方面达成的共识,草案确立的行政许可制度体现了合法与合理、效能与便民、监督与责任的原则。现就草案几个重要问题说明如下:

一、关于本法的调整范围

按照草案规定,本法所要规范的行政许可,是指行政机关根据自然人、法人或者其他组织提出的申请,经依法审查,准予其从事特定活动、认可其资格资质或者确立其特定主体资格、特定身份的行为(第二条)。有关行政机关对其他机关或者机关内部人事、财务、外事等事项的审批(属于行政机关内部行为)以及经登记确认特定民事权利义务关系、特定事实,分别依照有关法律、法规的规定办理,不适用本法(第三条)。

对适用本法的行政许可,草案针对行政许可在设定和实施方面存在的突出问题,从行政许可设定权、设定行政许可的事项以及实施行政许可的程序、监督、责任等方面作了明确、具体的规定。

二、关于行政许可的设定权

行政许可是一项重要的行政权力。设定行政许可属于立法行为,应当符合立法法确定的立法体制和依法行政的要求,做到相对集中。从权限讲,原则上只有全国人大及其常委会、国务院可以设定行政许可,省、自治区、直辖市和较大的市的人大及其常委会、人民政府可以依据法定条件设定行政许可,国务院各部门和其他国家机关一律不得设定行政许可。从形式讲,设定行政许可的法律文件必须是公开的、规范的,有关行政许可实施机关、条件、程序和期限的规定应当明确、具体。总的来说,只有法律、行政法规和国务院有普遍约束力的决定可以设定行政许可,地方性法规和地方政府规章可以依据法定条件设定行政许可,其他规范性文件一律不得设定行政许可。据此,针对目前设定行政许可比较混乱的问题,草案按照合法的原则,对行政许可设定权从严作了规定:

一是,法律可以对本法规定可以设定行政许可的各类事项设定行政许可。本法规定可以设定行政许可的事项,尚未制定法律的,行政法规、国务院有普遍约束力的决定可以设定行政许可。需要全国统一制度和中央统一管理的事项，只能由法律、行政法规设定行政许可（第二十二条）。

二是，除只能由法律、行政法规设定行政许可的事项外，依法可以设定行政许可的事项，尚未制定法律、行政法规、国务院有普遍约束力的决定的，地方性法规、地方政府规章可以设定行政许可（第二十四条）。

三是，法律、法规、地方政府规章之间，法律设定行政许可的，行政法规、国务院有普遍约束力的决定、地方性法规、地方政府规章不得与之相抵触；行政法规、国务院有普遍约束力的决定设定行政许可的，地方性法规、地方政府规章不得与之相抵触；地方性法规设定行政许可的，地方政府规章不得与之相抵触（第二十三条、第二十四条、第二十五条）。

四是，除法律、行政法规、国务院有普遍约束力的决定、地方性法规、地方政府规章外，国务院部门规章以及依法不享有规章制定权的地方人民政府和其他机关制定的规范性文件不得设定行政许可（第二十七条）。

三、关于设定行政许可的事项

在现实生活中存在一种倾向，一讲行政管理，就要审批。于是，什么事情都要设定行政许可。针对这个问题，在征求意见过程中，普遍认为：草案对哪些事项可以设定行政许可，哪些事项不能设定行政许可，需要作出明确规定。考虑到我国经济体制还处于转轨时期，政府职能转变还没有完全到位，为了对下一步改革留有余地，这个问题不宜规定过于具体，以免挂一漏万。据此，草案对可以设定行政许可的事项作了原则规定，主要是：直接关系国家安全、经济安全、公共利益以及人身健康、生命财产安全的事项，有限自然资源的开发利用、有限公共资源的配置的事项，通过事后补救难以消除影响或者造成难以挽回的重大损害的其他事项；除这些事项和中国政府缔结或者参加的国际条约要求设立行政许可的事项外，其他事项不得设定行政许可(第十三条)。同时,设定行政许可还要坚持合理的原则,可以设定行政许可的事项,也并不是都要设定行政许可。据此,草案规定:凡是通过市场机制能够解决的问题,应当由市场机制去解决;通过市场机制难以解决,但通过规范、公正的中介机构自律能够解决的问题,应当通过中介机构自律去解决;即使是市场机制、中介机构自律解决不了,需要政府加以管理的问题,也要首先考虑通过事后监督去解决(第十四条)。

四、关于行政许可的分类

现行法律、法规规定的行政许可包括审批、审核、批准、认可、同意、登记等不同形式,涉及不同部门、不同行政管理事项。经分析,不同种类的行政许可,其性质、功能、适用条件和程序是有很大差别的。比如,有关国有土地的出让审批,应当实行招标、拍卖;工商登记就无法招标、拍卖。再如,取得律师资格,需要考试;集会游行示威许可就不能通过考试取得。因此,为了对行政许可加以规范,强化对实施行政许可的监督,草案借鉴国外通行做法,根据性质、功能、适用事项的不同,将行政许可分为以下五类:

一是普通许可。普通许可是由行政机关确认自然人、法人或者其他组织是否具备从事特定活动的条件。它是运用最广泛的一种行政许可,适用于直接关系国家安全、经济安全、公共利益、人身健康、生命财产安全的事项(第十七条)。普通许可的功能主要是防止危险、保障安全,一般没有数量控制。

二是特许。特许是由行政机关代表国家向被许可人授予某种权利,主要适用于有限自然资源的开发利用、有限公共资源的配置、直接关系公共利益的垄断性企业的市场准入等(第十八条)。海域使用许可、无线电频率许可是典型的特许。特许的功能主要是分配稀缺资源,一般有数量控制。

三是认可。认可是由行政机关对申请人是否具备特定技能的认定,主要适用于为公众提供服务、直接关系公共利益并且要求具备特殊信誉、特殊条件或者特殊技能的资格、资质（第十九条）。认可的主要功能是提高从业水平或者某种技能、信誉，没有数量限制。

四是核准。核准是由行政机关对某些事项是否达到特定技术标准、经济技术规范的判断、确定，主要适用于直接关系公共安全、人身健康、生命财产安全的重要设备设施的设计、建造、安装和使用，直接关系人身健康、生命财产安全的特定产品、物品的检验、检疫（第二十条）。核准的功能也是为了防止危险、保障安全，没有数量控制。

五是登记。登记是由行政机关确立个人、企业或者其他组织的特定主体资格（第二十一条）。登记的功能主要是确立申请人的市场主体资格，没有数量控制。

五、关于行政许可程序

行政许可程序是规范行政许可行为，防止滥用权力、保证正确行使权力的重要环节，需要作出具体规定。

按照效能与便民的原则，草案总结成功实践经验，借鉴国外通行做法，从行政机关和老百姓两个方面对实施行政许可的一般程序作了规定：(1)省级人民政府经国务院批准，可以将几个行政机关行使的行政许可权相对集中（第三十四条）。(2)一个行政机关实施行政许可涉及机关内部几道环节的，应当“一个窗口”对外（第三十五条）。(3)依法需要几个部门几道许可的，可以由一个部门牵头征求其他有关部门意见后统一办理，或者实行联合办理、集中办理，尽量减少“多头审批”（第三十六条）。(4)行政机关应当将有关行政许可事项的规定在办公场所公示，以防止“暗箱操作”（第三十八条）。(5)作出行政许可决定前，行政机关应当听取意见；不予行政许可的，要说明理由（第四十六条、第四十八条）。

为了方便老百姓，草案总结实践经验，规定：行政许可申请可以通过邮寄、传真等书面方式提出，也可以委托代理人提出，不必都亲自到行政机关去办（第三十九条）；行政许可决定尽量做到当场受理、当场决定，不能当场决定的，要出具受理凭证，并且原则上应当在30

日内作出决定(第四十九条)。

草案还针对各类行政许可的特点规定了不同的特别程序,主要是:(1)普通许可事项,行政机关对申请人申请材料的实体内容要进行审查,有的还需要实地核查;申请人的申请符合法定条件的,行政机关应当予以行政许可(第四十四条、第四十七条)。(2)特许事项,行政机关应当通过招标、拍卖等公平竞争的方式决定是否予以特许(第五十八条)。(3)认可事项,行政机关一般应当通过考试、考核方式决定是否予以认可(第六十二条、第六十四条)。(4)核准事项,行政机关一般要实地检测、验收(第六十七条)。(5)登记事项,行政机关一般对申请登记的材料只进行形式审查,申请人对申请材料的真实性负责(第七十条、第七十一条)。

六、关于监督和责任

在现实生活中,行政机关重许可、轻监管或者只许可、不监管的现象比较普遍;行政机关实施行政许可,往往只有权力、没有责任,缺乏公开、有效的监督制约机制。为了解决这个问题,草案就强化监督、严格责任作了明确规定。

关于对实施行政许可的监督,草案规定:(1)行政机关应当对被许可人是否依法从事行政许可事项的活动监督检查,监督检查情况要作详细记录,并接受公众查阅(第七十三条)。(2)为了便于行政机关履行监督责任,赋予行政机关抽样检查、检测、检验和实地检查的权力(第七十五条)。(3)为了提高监督力度,行政机关应当采取措施,通过举报、投诉渠道实施监督(第七十七条)。针对实践中存在的行政机关撤销行政许可的条件不清、责任不明、随意性较大等问题,草案按照既强化行政机关的监督职权、又保护老百姓合法权益的原则,借鉴国外通行做法,明确规定:监督检查中发现行政许可决定错误的,由行政机关依法予以撤销;撤销行政许可造成被许可人财产损失,如果是因行政机关过错造成的,行政机关应当依法予以赔偿;如果是因被许可人过错造成的,行政机关不但不予赔偿,而且被许可人基于行政许可取得的利益也不予保护(第八十二条、第八十三条)。

草案对违法设定或者实施行政许可的,对自然人、法人或者其他组织擅自从事应当经过行政许可的活动的,都规定了明确、具体的法律责任,主要是:行政机关对依法应当许可的不予许可,对不应当许可的给予许可,不依法履行监督责任或者监督不力的,直接负责的主管人员和其他直接责任人员要承担相应的法律责任,该行政处分的依法给予行政处分,该追究刑事责任的依法追究相应的刑事责任(第八十八条、第九十一条、第九十二条)。未经行政许可,擅自从事依法应当取得行政许可的活动的,由行政机关予以取缔,并依法给予处罚;触犯刑律的,依法追究刑事责任(第九十六条)。

此外,为了从源头上预防和治理腐败,草案还对行政许可收费作了规范,规定:行政机关实施行政许可原则上不得收费;按照各国通行做法要收取的费用,也应当由法律、行政法规规定,明确收费标准,并严格实行收支两条线(第八十五条、第八十六条)。

《中华人民共和国行政许可法(草案)》和以上说明是否妥当,请审议。

全国人大法律委员会关于《中华人民共和国行政许可法（草案）》修改情况的汇报

（2002 年 12 月 19 日）

全国人民代表大会常务委员会：

九届全国人大常委会第二十九次会议对《中华人民共和国行政许可法（草案）》进行了初步审议。会后，法律委员会和法制工作委员会联合召开座谈会，邀请中央有关部门、企事业单位和有关法学、教育研究机构的专家座谈，征求意见。法制工作委员会将草案印发中央各部门和各地方征求意见，在湖北、深圳分别召开了部分省、市的座谈会，并在上海进行了调查研究。11 月 24 日，姜春云副委员长赴福建就行政许可法（草案）进行了专题调研。法律委员会于 2002 年 12 月 13 日召开会议，根据常委会组成人员以及各方面的意见，对草案进行了审议。国务院法制办的负责同志列席了会议。12 月 18 日法律委员会再次进行了审议。法律委员会认为，为了规范行政许可的设定和实施，保护自然人、法人和其他组织的合法权益，维护公共利益和社会秩序，保障和监督行政机关有效实施行政管理，制定本法是必要的。同时，提出以下主要修改意见：

一、草案第二条规定："本法所称行政许可，是指行政机关根据自然人、法人或者其他组织提出的申请，经依法审查，准予其从事特定活动、认可其资格资质或者确立其特定主体资格、特定身份的行为。"

一些委员、地方和法学专家提出,行政许可是行政机关根据申请,经依法审查,准予申请人从事特定活动的行为。行政机关"认可其资格资质或者确立其特定主体资格、特定身份",已经包含在前一句的表述之中,可以不再重复规定。因此,法律委员会建议将这一条修改为:"本法所称行政许可,是指行政机关根据自然人、法人或者其他组织提出的申请,经依法审查,准予其从事特定活动的行为。"(草案二次审议稿第二条)

二、草案第二章规定了行政许可的范围。草案第十三条对可以设定行政许可的事项作了若干原则规定。有的委员和地方提出,草案第十三条的规定过于笼统,弹性太大,难以达到规范和缩小行政许可范围的目的。考虑到草案第十七条至第二十一条,对设定普通许可、特许、认可、核准和登记的事项分别作出了列举式的规定,因此,法律委员会建议删去草案第十三条的规定。

草案第十五条规定:"中国政府缔结或者参加的国际条约要求设立行政许可的事项,应当设定行政许可。"有的部门提出,对于我国政府缔结或者参加的国际条约,如何在国内适用与实施,需要根据有关情况具体研究,本法对此可以不作规定。因此,法律委员会建议删去草案第十五条的规定。

三、草案第二十二条第二款中规定:"本法规定可以设定行政许可的事项,尚未制定法律的,行政法规、国务院有普遍约束力的决定可以设定行政许可"。一些委员、地方和专家提出,设定行政许可是一种立法行为,"国务院有普遍约束力的决定"在制定程序和法律效力上与行政法规不同,不宜与行政法规并列。同时考虑到一些临时的、紧急的和尚未制定法律、行政法规的事项,国务院还需要以行政许可的方式进行管理,因此,法律委员会建议删去"国务院有普遍约束力的决定"可以设定行政许可的规定,同时增加一款,规定:"必要时,国务院可以用发布决定的形式设定行政许可。实施后,国务院应当及时将该行政许可事项提请全国人民代表大会或者其常务委员会制定法律或者自行制定行政法规。"(草案二次审议稿第二十条第

三款）

四、草案第二十四条第二款规定，尚未制定法律、行政法规的，“地方性法规、地方政府规章可以设定行政许可。”一些部门、地方和专家提出，现在行政许可过多过滥，主要原因之一是对规章的设定权缺乏约束。地方行政管理如果需要设定行政许可，可以通过地方性法规设定。因此，应当删去地方政府规章的设定权。也有一些地方认为，地方性法规制定周期较长，设定权集中于地方性法规，不利于保障行政管理的效率。因此，应当保留地方政府规章的行政许可设定权。考虑到省级人民政府规章和省会市、较大市人民政府规章有所不同，法律委员会建议规定，省、自治区、直辖市人民政府的规章可以设定行政许可。同时针对一些地方存在的地方保护主义等问题，有针对性地作出一些限制性规定：“本法规定可以设定行政许可的事项，尚未制定法律、行政法规的，地方性法规和省、自治区、直辖市人民政府的规章，可以在立法法规定的权限范围内设定行政许可；但是不得设定下列行政许可：（一）确立企业或者其他组织特定主体资格的登记及其前置许可；（二）限制其他地区的个人或者企业到本地区开展生产经营活动或者限制其他地区的产品进入本地市场的许可；（三）自然人、法人或者其他组织资格、资质的认可。”（草案二次审议稿第二十一条）

五、草案第三十条规定：“行政许可的设定机关应当每隔两年对其设定的有关经济事务的行政许可进行评价；对不需要继续保留的，应当及时予以废止。”有的委员、地方和专家认为这一规定非常必要，但如何启动、操作，不明确，并且两年进行一次，难以做到。因此，法律委员会建议将这一条修改为：“行政许可的设定机关应当定期对其设定的有关经济和社会事务的行政许可进行评价；对不需要继续保留的，应当及时予以废止。”“行政许可的实施机关，可以对已设定行政许可的实施情况及存在的必要性，适时进行评价，并将意见报告行政许可的设定机关。”“自然人、法人或者其他组织可以向行政许可的设定机关和实施机关，就行政许可的设定和实施提出意见和建议。”

(草案二次审议稿第二十六条)

六、草案第五章规定了行政许可的听证程序。一些地方和专家提出,为了使行政机关作出合理的行政许可决定,保护当事人的合法权益,除了当事人申请行政许可听证外,还应当规定对于一些特定事项,行政机关应当主动组织听证,因此,法律委员会建议增加一条规定:“有关资源、环境保护、城市征地建设等涉及社会公共利益的重大行政许可事项,行政机关应当向申请人或者利害关系人说明有关情况,并举行听证会。”(草案二次审议稿第四十六条)

这里还要汇报一下关于行政许可的分类及有关特别程序问题。草案第十六条规定行政许可分为普通许可、特许、认可、核准和登记。草案第十七条到第二十一条和草案第六章根据分类,相应规定了各类行政许可的设定范围以及相应的特别程序。上述规定,在征求意见过程中,各方面的意见比较集中,一些部门、地方和专家认为,这样分类存在较多问题:一是各类的名称和含义与现行法律和人们的通常理解不一致,执行中容易出现分歧;二是有些类别如核准、认可、登记,是否属于行政许可有不同意见,从发展来看,这些类别有些将来要转移给社会中介组织管理。现在将其定位于行政许可,限制了行政审批制度的改革空间;三是没有涵盖现行的行政许可事项,各类之间的界线也难以划清。有的同志建议分为二类:普通许可和特许,还有的建议将核准、认可、登记适当合并归类。也有一些同志提出,行政许可制度比较复杂,在本法中具体分类,困难很多,建议不作分类,只要符合草案第二条的规定,即行政机关根据申请人的申请,经依法审查,准予申请人从事特定活动的行为,即适用本法有关设定和实施行政许可的规定。具体的许可形式及其相应程序可以由单行法律、法规来规定。这是世界上多数国家通行的做法。法律委员会认为行政许可的分类是行政许可法立法的一个基础性问题,涉及整部法律的立法思路和体例,尚需进一步研究,因此,在二次审议稿中对行政许可法(草案)的分类和相应的特别程序暂未作修改,建议常委会进一步审议。

此外,还对草案作了一些文字修改。

草案二次审议稿已按照上述意见作了修改,法律委员会建议全国人大常委会再次审议。

草案二次审议稿和以上意见是否妥当,请审议。

全国人大法律委员会

2002 年 12 月 19 日

全国人大法律委员会关于《中华人民共和国行政许可法（草案二次审议稿）》修改情况的汇报

（2003 年 6 月 18 日）

全国人民代表大会常务委员会：

行政许可法（草案）是国务院于 2002 年 8 月提请全国人大常委会审议的。九届全国人大常委会第二十九次会议对草案进行了初步审议。会后，法制工作委员会将草案印发中央各部门、地方人大常委会、有关研究机构和法学专家征求意见。法律委员会和法制工作委员会还联合召开座谈会，邀请中央有关部门、企业事业单位和法学专家座谈征求意见。法律委员会于 2002 年 12 月 13 日召开会议，根据常委会组成人员和内务司法委员会的审议意见以及各方面的意见，对草案逐条进行了审议，对行政许可的含义和范围、行政许可的设定权和设定程序、行政许可实施程序以及行政许可的听证程序等问题，作了修改。九届全国人大常委会第三十一次会议对草案进行了二次审议。本届法律委员会于 2003 年 6 月 10 日召开会议，对草案二次审议稿逐条进行了审议。内务司法委员会和国务院法制办的负责同志列席了会议。6 月 18 日法律委员会再次进行了审议。现将主要修改意见汇报如下：

一、草案二次审议稿第二十二条第四款规定："法规、规章对颁发行政许可的条件所作出的具体规定，不得增设违反上位法的其他条件。"有的地方和部门提出，法规、规章对实施行政许可作出具体规定时,对同一许可事项除不得增设其他条件外,也不得增设行政许可事项。因此,法律委员会建议将这一款修改为:“法规、规章对实施行政许可作出的具体规定,除上位法有明确具体授权外,不得增设行政许可事项;对颁布行政许可的条件所作出的具体规定,不得增设违反上位法的其他条件。”(草案三次审议稿第二十一条第四款)

二、草案二次审议稿第十九条规定了不得设定行政许可的五种情形。有的地方和部门提出,这一条的规定对于如何处理现行法律、法规和规章在这五个方面已经设定的行政许可,不够明确。因此,法律委员会建议在草案二次审议稿第二十六条中增加这一内容,规定:“行政许可的设定机关应当定期对其设定的有关经济和社会事务的行政许可进行评价。由于经济和社会的发展,法律、法规和省、自治区、直辖市人民政府规章设定行政许可的事项,通过本法第十八条规定的方式能够解决的,应当及时予以修改或者废止”(草案三次审议稿第二十五条第一款)。同时,有些地方提出,为了改革行政审批制度,有些地方对某些不必要的行政许可已经主动停止执行,本法对此应当作出规定。因此,法律委员会建议增加一条,规定:省、自治区、直辖市人民政府可以根据本行政区域经济和社会发展情况,对行政法规设定的有关经济事务的行政许可事项,通过本法第十八条规定的方式能够解决的,报国务院批准后,在本行政区域内停止实施有关行政许可。(草案三次审议稿第二十六条)

三、草案二次审议稿第四十七规定了行政机关应当举行听证的情形。有的地方提出,这一条对于申请人或者利害关系人在提出听证申请后,行政机关应当在多长时间内举行听证未作规定,应当加以明确。因此,法律委员会在建议增加规定:行政机关应当在申请人或者利害关系人提出听证申请后的二十日内组织听证。(草案三次审议稿第五十三条)

四、草案二次审议稿第七章规定了对实施行政许可的监督检查。有的地方提出,这一章仅对被许可人从事行政许可事项进行监督检查是不够的,为了保证行政许可法的正确实施,还应当加强对行政机关实施行政许可行为的监督检查。因此，法律委员会建议在这一章中增加一条，规定："上级行政机关应当加强对下级行政机关实施行政许可的监督检查，及时纠正行政许可实施中的违法行为。"（草案三次审议稿第七十三条）

这里，还需要汇报一个问题，就是关于行政许可的分类和特别程序。国务院提请审议的行政许可法草案将行政许可分为普通许可、特许、认可、核准、登记五类，对适用各类行政许可的事项作了列举，并相应地规定了特许、认可、核准、登记四类行政许可的特别程序。在九届全国人大常委会审议和征求意见的过程中，在这个问题上有两方面的不同意见。九届全国人大法律委员会曾就这个问题向常委会作过汇报。在进一步修改时，仍有不同意见。

一种意见认为，草案对行政许可的分类存在一些问题：一是，各类行政许可的名称和含义同现行法律、法规的用语和人们的习惯称谓不一致，不仅对法律、法规要作出大量修改，执行中也容易出现分歧。比如，按照现行法律、法规的用语和人们的习惯称谓，特许类是指对申请人有特别严格限制的许可，如持枪许可、烟草专卖许可等，而草案将其列入普通许可类中，概念不够科学。二是，各类行政许可之间有交叉、界线难以划清，并且未能涵盖现行的行政许可事项，比如普通许可类的事项与核准类的事项就有重复，执行中难免会引起混乱。三是，有些类别如认可、核准、登记，是否属于行政许可，还值得研究。从发展看，这些类别将会转移给社会中介组织办理。现在将其定位于行政许可，会限制行政审批制度的改革空间。四是，从行政法理论看，普通许可和特许是审批的概念，认可、核准、登记是审批的形式，分类的标准不统一。因此，一些同志建议将行政许可只分为两类，即普通许可和特许，而将认可、核准、登记等事项交由社会中介组织办理。还有一些同志提出，行政许可制度比较复杂，在本法中对行政许可作出具体分类，困难很大，分类过多也不便于当事人办事，建议不作分类，而从完善行政许可设定权、行政许可实施程序上规范行政许可行为，达到减少行政审批的目的。具体事项的许可形式可由单行法律、法规规定。这也是多数国家通行的做法。

再一种意见认为：在本法中对行政许可进行分类并相应地规定不同的特别程序，是十分必要的，对于改革行政许可制度、规范行政许可行为、减少行政审批项目，以此推动政府职能转变，具有重要作用。一是，现行法律、法规中行政许可名目繁多，缺乏可以遵循的标准和规范，因而在设定行政许可时随意性很大，什么事项可以设定许可，什么事项只能设定什么样的许可，缺少客观标准。二是草案对行政许可的分类是按照不同行政许可的不同性质、功能和适用范围确定的，很重要的一个目的是相应地规定不同的特别程序，有的需要进行实质审查，有的只需进行形式审查，有的要经拍卖，有的要经考试，宜严则严，宜简则简。这样，便于规范、监督实施行政许可的行为，防止执法扰民，以方便当事人办事。三是，将行政许可划分为五类，既借鉴了国外的做法，又尽可能与现行的法律、法规相衔接。其中，普通许可、特许的分类确实与现行法律、法规的用语和人们的习惯称谓不同，需要通过宣传、实践使各方面逐渐适应和认同。四是，有些认可和核准的事项，随着经济发展、改革深化，今后势必由行业组织、中介机构办理，但这需要有一个过程。即使如此，最终也还总会有一些认可、核准事项只能由行政机关办理。

法律委员会认为，鉴于行政许可分类的问题比较复杂，尚有不同意见，还需要进一步研究。因此，这次对草案规定的行政许可分类和相应的特别程序暂未作修改，待进一步听取常委会组成人员和各有关方面的意见后，再作研究。

此外，还对草案二次审议稿作了一些文字修改。

草案三次审议稿已按上述意见作了修改，请本次常委会会议予以审议。

草案三次审议稿和以上汇报是否妥当，请审议。

全国人大法律委员会

2003 年 6 月 18 日

全国人大法律委员会关于《中华人民共和国行政许可法（草案）》审议结果的报告

全国人民代表大会常务委员会：

十届全国人大常委会第三次会议对行政许可法（草案三次审议稿）进行了审议。会后，根据常委会组成人员的审议意见，法律委员会、法制工作委员会就草案三次审议稿的主要问题，同国务院法制办进行了多次研究，并召开国务院有关部门、部分地方人大常委会和部分法律专家座谈会，进一步听取了意见。法律委员会于8月6日召开会议，根据常委会组成人员的审议意见和各方面的意见，对草案进行了审议。国务院法制办负责同志和全国人大内务司法委员会有关同志列席了会议。8月19日法律委员会再次进行了审议。法律委员会认为，行政许可法是一部很重要的法律，对于规范行政许可的设定和实施，保护公民、法人和其他组织的合法权益，维护公共利益和社会秩序，保障和监督行政机关有效实施行政管理，具有重要意义。制定行政许可法，有利于巩固几年来行政审批制度改革的成果，推动政府进一步转变职能，纠正不正之风，加强廉政建设，促进社会主义市场经济体制的完善。现在，出台这部法律的条件和时机已经基本成熟。草案经过常委会三次审议、修改，针对性、操作性比较强，基本可行；同时，提出以下主要修改意见：

一、草案三次审议稿第三条规定："行政许可的设定和实施，适用本法。""有关行政机关对其他机关或者机关内部人事、财务、外事等事项的审批、确认特定权利义务关系、特定事实的登记等，分别依照有关法律、法规的规定办理，不适用本法。”有些常务委员提出，这一条第二款没有列全不适用本法的行政许可事项，又没有把属于行政许可的事项区分出来，比如行政机关对其直属事业单位有关事项的审批是否属于本法的调整范围，应予明确。法律委员会经研究认为，规定不适用本法的事项，应当是那些同本法规定的行政许可事项难以严格区别，执行中宜按国家有关规定办理，不适用本法的事项。对于那些本来就不属于本法第二条规定的行政许可事项，本法可以不作规定，主要是：行政机关对其内部事务的审批；按照隶属关系由上级行政机关对下级行政机关有关事项的审批；行政机关为确认民事财产权利和民事关系的登记，与本法所称行政许可是有明显区别的。据此，法律委员会建议将第三条第二款修改为：“有关行政机关对其他机关或者对其直接管理的事业单位的人事、财务、外事等事项的审批，不适用本法。”（草案四次审议稿第三条第二款）

二、有些常委委员提出，公开、公平、公正是行政许可应当遵循的基本原则，草案三次审议稿分别在第五条第一款中规定“设定和实施行政许可，应当遵循公平、公正的原则”，在第六条中规定“实施行政许可，应当遵循公开的原则”，把完整的原则分散表述不如集中表述。据此，法律委员会建议将这两条合并为一条，修改为：“设定和实施行政许可，应当遵循公开、公平、公正的研究。”“有关行政许可的规定应当公布；未经公布的，不得作为实施行政许可的依据。行政许可的实施程序和结果应当公开。”“符合法定条件、标准的，申请人有依法取得行政许可的平等权利，行政机关不得予以歧视。”（草案四次审议稿第五次）

三、有些常委委员提出，草案对行政许可的设定和实施规定得比较明确，但对被许可人合法权益的保护规定得不够充分，应当加以补充。有些常委委员建议增加规定，行政机关违法实施行政许可，给当事人造成财产损失的，应当承担赔偿责任。据此，法律委员会建议充实这方面的内容，将草案三次审议稿第九条第一款修改为：“公民、法人或者其他组织依法取得的行政许可受法律保护,行政机关不得擅自改变已经生效的行政许可。”(草案四次审议稿第八条第一款)并相应地在“法律责任”一章中增加一条,规定:“行政机关违法实施行政许可,给申请人、利害关系人的合法权益造成损害的,应当依法给予赔偿。”(草案四次审议稿第七十六条)

四、有的常委委员提出,公民、法人或者其他组织依法取得的行政许可是否可以转让,本法应当作出明确规定。法律委员会经研究认为:依法取得行政许可,必须符合法定条件、标准。因此,被许可人取得的行政许可一般是不得转让的。只有特定事项依法取得的行政许可可以转让,但必须由法律、法规对这种转让作出明确规定,比如通过出让许可方式取得的土地使用权,有关法律规定被许可人可以依照法定条件和程序转让。如果对行政许可转让不加严格限制,会给倒买倒卖许可证件等违法犯罪行为提供可乘之机,造成经济、社会秩序混乱。据此,法律委员会建议在“总则”中增加一条,规定:“依法取得的行政许可,除法律、法规规定依照法定条件和程序可以转让的外,不得转让。”(草案四次审议稿第九条)

五、国务院提请审议的行政许可法草案,将行政许可分为普通许可、特许、认可、核准、登记五类,并相应地规定了实施特许、认可、核准、登记等行政许可的特别程序。九届常委会对草案进行二审时,对行政许可是否分类以及如何分类就有不同意见。本届常委会第三次会议对草案进行三审时,法律委员会就这个问题专门作了汇报。审议中,有些常委委员仍有不同意见:一是,认为认可、核准只是行政机关决定是否准予许可的手段和方式,不宜单独作为两类行政许可。随着政府职能转变,有些行政许可事项将会逐步移交行业组织或者中介机构办理,现在将其列入行政许可,不利于减少审批事项,不利于政府职能转变。二是,对各类行政许可的适用范围有不同意见,比如草案规定“特许”适用于有限自然资源的开发利用,有限公共资源的配置以及直接关系公共利益的垄断性企业的市场准入,一些委员则认为“特许”应当适用于直接涉及国家安全、公共安全和人身健康、生命财产安全需要实施严格管理的事项。对于如何修改，又有两种意见：一种意见建议简化分类，有的主张分为特许和普通许可两类，有的主张分为特许、普通许可和登记三类；另一种意见认为，行政许可非常复杂，对行政许可作出科学的分类，困难很大，而且种类越多，程序就越复杂，人们就越难以把握，建议不作分类。

对于这个问题，法律委员会、法制工作委员会会同国务院法制办对常委委员的审议意见进行了认真研究。法律委员会认为：草案将行政许可分为五类，重要目的之一是相应地规定不同的程序，规范、监督不同的行政许可的实施，防止执法的随意性，方便当事人办事，出发点是好的。但是，考虑到目前行政审批制度改革尚在进行之中，对行政许可的分类和各类行政许可的适用范围还有不同意见，目前科学分类的客观条件和主观条件都还不够成熟。因此，法律委员会建议着眼于规范行政许可、解决实际问题，对行政许可可以不作分类，将草案三次审议稿第十三条至第十七条合并为一条，按照各条所列行政许可事项的不同性质、功能和对经济、社会生活的不同影响加以概括，修改为："下列事项可以设定行政许可：（一）直接涉及国家安全、公共安全、经济宏观调控、生态环境保护以及直接关系人身健康、生命财产安全等特定活动，需要按照法定条件予以批准的事项；（二）有限自然资源的开发利用和有限公共资源的有效配置以及直接关系公共利益的特定行业的市场准入等需要赋予特定权利的事项；（三）提供公众服务并且直接关系公共利益的职业、行业，需要确定具备特殊信誉、特殊条件或者特殊技能等资格、资质的事项；（四）直接关系公共安全、人身健康、生命财产安全的重要设备、设施、产品、物品，需要按照技术标准、技术规范，通过检验、检测、检疫等方式进行审定的事项；（五）企业或者其他组织的设定等需要确定主体资格的事项；（六）法律、行政法规规定可以设定行政许可的其他事项"（草案四次审议稿第十二条）。同时，建议相应地对草案三次审议稿第六章"行政许可特别程序"适当简化，保留规范、约束行政许可实施行为的必要的特别程序，修改为"特别规定"一节，作为第四章"行政许可的

实施程序”的第六节。(草案四次审议稿第五十二条至第五十七条)

六、国务院提请审议的行政许可法草案,未赋予国务院部门规章设定行政许可的权力,但规定省级人民政府规章在法定权限范围内可以设定行政许可。本届常委会对草案进行三审时,有的常委委员建议增加国务院部门规章设定行政许可的权力;有些常委委员建议取消省级政府规章设定行政许可的权力,有的建议规定省级政府规章设定的行政许可应当是临时性的。

关于国务院部门规章的行政许可设定权问题,法律委员会经研究认为:国务院在进行行政审批制度改革中,决定取消国务院部门规章的行政许可设定权,是经过认真研究的,主要的考虑是各部门不宜自我授权,为本部门或者本系统设定和扩大权力。至于各部门已经发布的确需继续实施的行政许可,在本法施行后,可以由国务院制定行政法规予以确认。法律委员会建议这个问题按照国务院的意见处理。

关于省级政府规章的行政许可设定权问题,法律委员会经反复研究认为:由于我国的省级行政区划比较大,各省、自治区、直辖市的经济、社会发展很不平衡,省级政府在全面负责本行政区域内经济、社会管理工作中,当出现地方性的特殊问题时,需要立即采取行政许可措施进行管理,而法律、行政法规未作规定,又来不及或者不需要制定地方性法规,在这种情况下,法律赋予省级政府规章一定的行政许可设定权是必要的。省级政府规章设定的行政许可,又都是授权有关部门实施的,不存在自我授权问题,这一点同国务院部门规章有所不同。但是,根据有些常委委员的审议意见,对省级政府设定行政许可应有必要的限制,其设定的行政许可应当是临时性的。因此,法律委员会建议将草案三次审议稿第二十条修改为:“本法第十二条所列事项,尚未制定法律、行政法规的,地方性法规可以设定行政许可;尚未制定法律、行政法规和地方性法规的,因行政管理的需要,确需立即实施行政许可的,省、自治区、直辖市人民政府规章可以设定临时性的行政许可。临时性的行政许可实施满一年需要继续实施的,应当提请本级人民代表大会及其常务委员会制定地方性法规。”“地方性法规和省、自治区、直辖市人民政府规章，不得设定应当由国家统一确定的公民、法人或者其他组织的资格、资质的行政许可；不得设定企业或者其他组织的设立登记及其前置性行政许可。其设定的行政许可，不得限制其他地区的个人或者企业到本地区开展生产经营活动，不得限制其他地区的商品进入本地区市场。”（草案四次审议稿第十五条）

七、草案三次审议稿第三十条规定：“经国务院批准，省、自治区、直辖市人民政府根据精简、统一、效能的原则，可以决定一个行政机关行使有关行政机关的行政许可权；但是，实行垂直领导的行政机关行使的行政许可权除外。”有的常委委员提出，目前我国实行垂直领导的行政机关有两类，一类是中央以下垂直领导，另一类是省、自治区、直辖市以下垂直领导。这两类行政机关是不是都不能与其他行政机关相对集中行使行政许可权，值得研究，立法要为地方已经开展的综合执法试点留有空间。根据上述意见，法律委员会经研究认为：考虑到相对集中行使行政许可权需经国务院批准，可以在实际工作中具体掌握，本法可以不作排除性规定。因此，建议将这一条修改为：“经国务院批准，省、自治区、直辖市人民政府根据精简、统一、效能的原则，可以决定一个行政机关行使有关行政机关的行政许可权。”（草案四次审议稿第二十五条）

八、草案三次审议稿第三十一条第四项规定：“确立特定主体资格的登记需要先行办理有关行政许可事项的，经省、自治区、直辖市人民政府批准，可以先予登记，再办理其他行政许可事项。”有些常委委员和有的部门提出，现在有的地方为了降低市场准入门槛，缩短办理企业登记时间，试行行政许可告知承诺制，即先予以临时性登记，再办理法律、法规规定的前置审批手续。作为一种试验，地方可以进行探索，但在有关法律、法规未作修改前，由行政许可法对这个问题作出统一规定的条件尚不成熟。据此，法律委员会建议删去这一项规定。（草案四次审议稿第二十六条）

九、草案三次审议稿第五十二条规定，对有关自然资源、环境保护、城市建设等涉及公共利益的重大行政许可事项，行政机关应当举行听证会。第五十三条规定，对未采用招标、拍卖方式并且涉及申请人、利害关系人重大利益的行政许可事项，对直接关系社会公共利益的重大行政许可事项，以及法律、法规、规章规定应当听证的其他事项，行政机关在作出行政许可决定前，应当告知申请人、利害关系人有申请听证的权利，并依其申请组织听证。有的常委委员提出，从我国的实际情况考虑，行政机关主动组织听证的范围，应当限于法律、法规、规章规定的听证事项，以及涉及公共利益的重大事项；申请人、利害关系人有权要求行政机关组织听证的范围，限于申请人与利害关系人有重大利益冲突的事项，比较适宜。据此，法律委员会建议将这两条分别修改为："法律、法规、规章规定实施行政许可应当听证的事项，或者行政机关认为需要听证的其他涉及公共利益的重大行政许可事项，应当向社会公告，并举行听证。"（草案四次审议稿第四十六条）"行政许可直接涉及申请人与他人之间重大利益关系的，行政机关在作出行政许可决定前，应当告知申请人、利害关系人享有要求听证的权利；申请人、利害关系人在被告知听证权利之日起五日内提出听证申请的，行政机关应当在二十日内组织听证。"（草案四次审议稿第四十七条第一款）

十、有些常委委员提出，草案三次审议稿第九十三条仅对被许可人以欺骗、贿赂等手段骗取行政许可的行为规定了法律责任，这还不够。只要向行政机关故意隐瞒或者故意提供虚假材料，即使没有骗取行政许可，也应给予处罚。据此，法律委员会建议增加一条，规定："行政许可申请人隐瞒有关情况或者故意提供虚假材料申请行政许可的，行政机关不予受理或者不予行政许可，并给予警告；行政许可申请属于直接关系公共安全、人身健康、生命财产安全事项，情节严重的，申请人在一年内不得再次申请该行政许可。"（草案四次审议稿第七十八条）并将第九十三条修改为："被许可人以欺骗、贿赂等不正当手段取得行政许可的，行政机关除依法撤销该行政许可外，并依法给予行政处罚;取得的行政许可属于直接关系公共安全、人身健康、生命财产安全事项的,申请人在三年内不得再次申请该行政许可;构成犯罪的,依法追究刑事责任。”(草案四次审议稿第七十九条)

这里,需要汇报两个问题:

一是关于国务院可否以发布决定的方式设定行政许可的问题。国务院提请审议的行政许可法草案规定:“本法规定可以设定行政许可的事项,尚未制定法律的,行政法规、国务院有普遍约束力的决定可以设定行政许可。”九届常委会审议中,一些常委委员、地方和专家提出,“国务院有普遍约束力的决定”在制定程序和法律效力上同行政法规有所不同,不宜与行政法规并列。同时,也要考虑一些临时的、紧急的事项,在来不及或者不需要制定法律、行政法规的情况下,还需要国务院以行政许可的方式进行管理。据此,草案二次审议稿对上述规定作了修改,规定:“必要时,国务院可以用发布决定的方式设定行政许可。实施后,除临时性行政许可事项外,国务院应当及时将该行政许可事项提请全国人民代表大会及其常务委员会制定法律,或者自行制定行政法规。”这样修改,对国务院用决定的方式设定行政许可从两方面作了限制:一是国务院发布决定设定行政许可只有在“必要时”,即在确有需要的情况下,才采用这种方式;二是实施后,除临时性行政许可事项外,应当及时提请全国人大及其常委会制定法律,或者自行制定行政法规,本届常委会第三次会议对草案进行三审时,有的常委委员建议取消国务院采用决定的方式设定行政许可的规定。有的委员提出,对国务院采用决定的方式设定行政许可,需要规定一个期限,比如有效期一年。法律委员会经研究认为,行政许可涉及公民、法人和其他组织的权利,一般应由法律、法规作出规定。但是,从实际情况和实际需要考虑,在特殊情况下,需要由国务院规定采取紧急的或者临时的行政许可措施加以应对,来不及或者不需要立法,比如:我国加入世贸组织后,当某个国家在贸易方面对我国采取禁止、限制或其他歧视性措施时,我国有权按照对等原则采取相应措施,实施进口许可和配额管理等临时性行政许可;在改革开放过程中，在国有企业改革，促进就业与再就业、社会保障等方面有一些试点、试验的事项，先是用政策作指导，在局部地区、特定领域实施，积累经验，在制定法律、行政法规前，也需要采取行政许可的方式实施管理，防止出现混乱。基于以上考虑，法律委员会认为本法赋予国务院采用发布决定的方式设定行政许可的一定的权力，是必要的。

二是关于本法是否规定行政许可收费的问题。草案三次审议稿第八章规定了行政许可的收费。有的常委委员认为，收费问题应当由专门的行政收费法去解决，行政许可法可以不作规定。也有的常委委员提出，目前在实施行政许可中，乱收费的问题比较严重，在有关行政许可收费的法律没有出台前，行政许可法对行政许可直接有关的收费问题加以规范，有很强的现实针对性，是必要的。因此，法律委员会建议行政许可法保留这一章的规定。（草案四次审议稿第五章）

此外，根据常委组成人员的意见，还对草案三次审议稿作了一些文字修改。

草案四次审议稿已按上述意见作了修改，法律委员会建议本次常委会会议审议通过。

草案四次审议稿和以上报告是妥当，请审议。

全国人大法律委员会

2003 年 8 月 19 日

关于行政许可法(草案四次审议稿)修改意见的报告

(2003 年 8 月 25 日)

全国人大法律委员会主任委员　杨景宇

本次常委会会议于 2003 年 8 月 23 日上午对行政许可法(草案四次审议稿)分组进行了审议。大家认为,草案四次审议稿吸收了常委会组成人员的地方、部门、专家的意见,一些主要问题得到了较好的解决。草案经过四次审议,已经比较成熟,建议本次常委会会议通过;同时,也提出了一些修改意见。法律委员会于 8 月 24 日上午召开会议,内务司法委员会和国务院法制办的负责同志列席会议,逐条研究了常委会组成人员的审议意见,对草案四次审议稿提出以下修改建议:

一、有些常委会组成人员提出,行政机关或者专业技术组织在对直接关系公共安全、人身健康、生命财产安全的设备、设施、产品、物品进行检验、检测、检疫时,对涉及的国家秘密、商业秘密负有保密责任。法律委员会经研究认为,实施行政许可的各个环节,都应当保守国家秘密、商业秘密和个人隐私。这个问题最好在"总则"中集中作出规定,不必每个环节都作规定。据此,法律委员会建议将草案四次审议稿第五条第二款修改为:"有关行政许可的规定应当公布;未经公布的,不得作为实施行政许可的依据。行政许可的实施和结果应当公开,但是涉及国家秘密、商业秘密或者个人隐私的除外。”同时,建议删去草案四次审议稿第四十条、第四十八条中有关保守国家秘密、商业秘密和个人隐私的内容。

二、草案四次审议稿第十五条第二款规定,地方性法规和省、自治区、直辖市人民政府规章设定的行政许可“不得限制其他地区的个人或者企业到本地区开展生产经营活动,不得限制其他地区的商品进入本地区市场。”有的常委委员提出,地方设定的行政许可,也不能限制其他地区的个人或者企业到本地区提供服务。据此,法律委员会建议将上述规定修改为,地方性法规和省、自治区、直辖市人民政府规章设定的行政许可“不得限制其他地区的个人或者企业到本地区从事生产经营和提供服务,不得限制其他地区的商品进入本地区市场。”

三、草案四次审议稿第二十七条规定:“行政机关实施行政许可,不得向申请人提出购买制定商品、接受有偿服务、参加指定的商业保险等不正当要求。”“行政机关工作人员办理行政许可,不得与申请人进行私下接触,不得接受申请人的宴请、财务或者获取其他利益。”有的常委委员提出,这里所称“指定的商业保险”含义不清,有些商业保险属于法定的强制性保险,如机动车辆第三者责任险等,不能一概作为“不正当要求”。还有的常委委员提出,“私人接触”难以界定和操作,“不得接受申请人的宴请”属于公务人员纪律和职业道德问题,法律可以不作规定。据此,法律委员会建议将这一条修改为:“行政机关实施行政许可,不得向申请人提出购买制定商品、接受有偿服务等不正当要求。”“行政机关工作人员办理行政许可,不得索取或者收受申请人的财务,不得谋取其他利益。”

四、草案四次审议稿第三十七条中规定,“对情况复杂的或者重大的行政许可,行政机关的负责人应当集体讨论决定。”有些常委委员提出,什么是情况复杂的或者重大的行政许可,在实际工作中难以把握。行政机关实行行政首长负责制,哪些问题由主要领导或者分管领导决定,哪些问题由集体讨论决定,属于内部工作程序,本法可以不作规定。据此,法律委员会建议将这一条修改为:“行政机关对行政许可申请进行审查后,除当场作出行政许可决定的外,应当在法定期限内按照规定程序作出行政许可决定。”

五、草案四次审议稿第五十六条中规定,对企业和其他组织的设立申请“予以登记的,应当及时在本行政区域内发行的报纸上公布有关登记事项。”有的常委委员提出,草案第五条已经规定行政许可的实施和结果应当公开,其中就包括了登记指向的公开。至于公开的方式,实践中有的在本机关网站或者公报上公布,有的在报纸上公布,本法对公布的载体以不作规定为好。据此,法律委员会建议删去上述规定。

六、有的常委委员提出,对行政机关违法实施行政许可的行为,草案四次审议稿第七十二条和第七十四条规定对直接负责的主管人员和其他直接负责人员“依法给予行政处分”,第七十三条和第七十五条规定“依法给予降级或者撤职的行政处分”,后两条的规定能不能适应行政机关工作人员违法行为的不同情节,需要认真研究。据此,法律委员会建议将第七十三条和第七十五条中的“依法给予降级或者撤职的行政处分”修改为“依法给予行政处分”。

七、有的常委委员提出,草案四次审议稿第五十九条中规定任何机关或者个人不得以任何形式截留、挪用、私分或者变相私分实施行政许可所收取的费用,也应规定相应的法律责任。据此,法律委员会建议在草案四次审议稿第七十五条中增加一款,作为第二款:“截留、挪用、私分或者变相私分实施行政许可依法收取的费用的,予以追缴;对直接负责的主管人员和其他直接责任人员依法给予行政处分;构成犯罪的,依法追究刑事责任。”

八、草案四次审议稿第九条规定:“依法取得的行政许可,除法律、法规规定依照法定条件和程序可以转让的外,不得转让。”有的常委委员提出,对非法转让行政许可的行为应当规定相应的法律责任。据此,法律委员会建议将草案四次审议稿第八十条第一项补充修改为“涂改、倒卖、出租、出借行政许可证件,或者以其他形式非法转让行政许可的”,依法追究法律责任。

此外,根据常委会组成人员的意见,按照法律用语准确、规范和前后条文衔接一致的要求,还对草案四次审议稿作了一些文字修改。

草案建议表决稿已按上述意见作了修改,法律委员会建议本次常委会会议通过。

草案建议表决稿和以上报告是否妥当,请审议。

九届全国人大常委会第二十九次会议分组审议行政许可法(草案)的意见

8月28日上午,九届全国人大常委会第二十九次会议对行政许可法(草案)进行了审议。大家一致认为,制定行政许可法对推动政府职能的转变、行政管理体制的改革、行政机关工作作风和工作方法的改进、办事效率的提高,以及从源头上防止腐败、维护市场经济秩序,保护公民、法人和其他组织的合法权益,是非常必要的。这部法律应该抓紧修改,尽快通过。现将常委会组成人员的审议意见简报如下:

一、关于行政许可设定的范围和种类

草案第二章对行政许可设定范围和种类作出了规定。有的委员和同志提出,行政许可的设定范围应当体现政府机构职能精简的精神,大量的经济事务应当由市场配置,同时进一步发挥中介组织、行业协会的作用,能由中介组织、行业协会去做的就由它们去做;有的同志提出,本章规定得不够清楚,建议进一步明确。

草案第十三条对可以设定行政许可的事项作出了规定。草案第十四条对不得设定行政许可的事项作出了规定。有的委员提出,草案第十三条、第十四条规定得太原则,哪些应该审批,哪些不应该审批不清楚,建议作进一步研究;有的委员提出,草案第十三条、第十四条如何界定,自由度很大。建议对设立行政许可的范围、事项进一步具体化。因为一般性宽泛授权可能达不到规范和缩小行政许可范围的目的,相反还可能进一步扩大行政许可的范围;有的委员建议,在草案第十三条中增加一项规定"影响思想道德建设、影响社会治安和公共秩序的事项"。

草案第十六条规定,行政许可的种类包括:普通许可、特许、认可、核准、登记。有的委员建议,行政许可的种类只保留两项:普通许可和特许。草案第二十条规定的核准可以并入普通许可中去。关于通过国家统一考试获得执业资格,颁发执业证书,不一定列入行政许可之内。财政部为注册会计师颁证,司法部为律师颁证,卫生部为执业医师颁证,是以考试成绩为根据的,并非行政上的许可。

二、关于行政许可的设定权

草案第二十二条规定法律、行政法规可以设定行政许可。有的委员提出,草案的这一规定非常好,根据这一规定,部门规章无权设定行政许可。现在政府的部委、甚至部委下属的司局,把审批权看作自己工作的"抓手"和权力的象征,许多腐败现象也由此产生。行政审批改革进行了两年,取得了一定的成绩,但也碰到不少阻力。草案的这一规定,有利于上述问题的解决。

草案第二十二条第五项规定了"直接关系公共安全、人身健康、生命财产安全的重要设备、设施的设计、建造、安装和使用"。有的同志提出,水坝、高速公路等各类建设工程,与国民经济和人民生活密切相关,建议这里增加"建设工程"。

草案第二十二条第三款规定,尚未制定法律的,国务院有普遍约束力的决定可以设定行政许可事项。一些委员提出,国务院有普遍约束力的决定不是一个明确的概念,立法法也没有关于国务院有普遍约束力的决定的规定。鉴于行政法规制定的程序已经简化,国务院认为有必要设定行政许可时,可以通过依法制定行政法规予以设定。建议删去国务院有普遍约束力的决定可以设定行政许可的规定;有的同志提出"国务院有普遍约束力的决定"的法律地位不明确,草案将其与行政法规并列,是否合适,需要研究。

草案第二十四条第二款规定,尚未制定法律、行政法规、国务院具有普遍约束力的决定的,地方性法规、地方政府规章可以设定行政许可。一些委员提出,在现行的行政许可中由全国人大及其常委会、国务院、地方人大及其常委会设定事项的并不多,大量的事项是由国务院各部委以及地方行政机关设定的。草案取消了国务院各部门设定行政许可的权力,但省级和较大市的地方政府依然可以通过行政规章设定行政许可,行政审批过多、过滥的问题仍然得不到解决。因此,建议删去有关省级和较大市的政府可以通过行政规章设定行政许可的内容。如果省级和较大市政府认为确有必要设定行政许可,可以提请省级和较大市的权力机关,依法制定地方性法规予以设定。

草案第三十条规定:"行政许可的设定机关应当每隔两年对其设定的有关经济事务的行政许可进行评价;对不需要继续保留的,应当及时予以废止。"有的同志提出,这一条规定非常有必要,它与市场经济的发展息息相关。现在的问题是对于不需要继续保留,且应及时予以废止的行政许可,涉及法律、法规的修改,两年审查一次就废止,操作上较难。建议进一步研究出一个可行的操作机制。

三、关于许可的实施机关

草案第三十二条规定:"法律、法规授权的具有管理公共事务职能的组织在法定授权范围内以自己的名义实施行政许可。"有的委员提出,草案第二条明确规定行政许可的主体是行政机关,本条规定是否与第二条的规定相矛盾。

草案第三十四条规定:"经国务院批准,省、自治区、直辖市人民政府根据精简、统一、效能的原则,可以决定一个行政机关行使有关行政机关的行政许可权,但是实行垂直领导的行政机关和国家安全机关行使的行政许可权除外。"有的委员和同志提出,由一个行政机关行使有关行政机关的行政许可权,目的是减轻申请人的负担,出发点是好的。但由于每一个行政机关的职能各不相同,行政许可的内容必然彼此有别。因此一个行政机关,如果要行使其他行政机关的行政许可权,则必须增加机构和人员,并进行培训。这种做法不仅无助于减轻申请人的负担,而且与机构改革的要求也背道而驰。因此,建议删去此条规定。为了解决多头审批会给申请人带来的困难,可以考虑将各职能部门的行政许可业务集中一处,实行"一站式审批"、"窗口式办公"、"一条龙服务"等,既方便群众,又有利于防止腐败,办事效率也可以大大提高。全国不少地方审批改革的成功实践证明,这种做法是可行的。

草案第三十六条规定,对同一事项,依法应当由地方政府两个以上部门分别实施的行政许可,本级政府可以确定由一个部门受理行政许可申请并转告有关部门分别提出意见后统一办理,或者组织有关部门联合办理、集中办理。有的同志提出,联合办理目前只是一个过渡,联合办理以后,可能会方便一些,但没有从根本上解决问题,减少行政审批才是方向。

四、关于行政许可的程序

(一)行政许可的一般程序

草案第五章第三节规定了听证程序,第五十三条第二款规定:"行政机关应当充分考虑听证笔录,并自听证结束之日起 15 日内作出是否准予行政许可的决定。"有的委员提出,听证后笔录要认真对待,防止听证形式化,建议增加规定听证笔录应作为行政机关是否许可的依据。

(二)行政许可的特殊程序

草案第五十七条规定:"国务院实施审批的程序,适用有关法律、行政法规的规定。"有的委员和同志提出,这样规定容易产生歧义。依法规范行政机关的行政许可行为是制定行政许可法的一项宗旨。国务院既属于行政机关,其行政许可行为就应遵循行政许可法规定的有关程序。因此,建议删去此条。

草案第六章第三节对认可程序作出了规定。有的同志提出,本节所规定的认可主体是行政机关,但在取得认可证之前,还有统一考试、统一大纲、统一规则等,行政机关不能将这些都统包统揽。对资格、资质的认可,将来应该逐步过渡到由行业、社会组织自己以自律的方式来做,这是世界通行的一般规则。另外,草案对哪些行业需要进行资格考试没有规定。

五、关于监督检查

草案第十一条规定:"县级以上人民政府应当建立健全对行政机关设定和实施行政许可的监督制度,加强对行政许可的监督检查。"有的委员提出,本条规定得很好,但草案对监督制度应包括什么内容,监督有什么措施和程序,没有相应的规定。建议增加这方面的内容。

草案第七章对监督和检查作出了规定。有的委员提出,草案说明中讲到,当前行政机关在实施许可过程中有两个问题,第一个是只有权力没有责任,第二个是缺乏公开有效的监督制约机制。草案对第一个问题在法律责任里做了比较多的规定,但是监督机制在法律条文里看不出来。本章只规定了对被许可人的监督检查,没有规定如何监督检查行政机关。因此,建议增加这方面的内容。

有的同志提出,目前有的部门和地方以年检为名,变相地搞每年一次、半年一次的重新审批,有的年检甚至比登记还难,费用也高。因此,建议将监督与年检分开,并增加规定,法律、行政法规规定年检的才可以年检,如果没有规定,实施许可的行政机关不得年检。

六、关于收费

草案第八十六条规定,行政机关实施行政许可,依照法律、行政法规的规定可以收取费用的,应当按照法定的项目、标准收费。有的委员提出,行政许可不收费最好,如果要收费的话,收费标准得有一个部门来审定,不能完全由实施行政许可的行政机关自己决定。

七、其他

1. 有些委员和同志提出，草案写得过细，有些文字冗长拗口，不利于公众理解。建议草案要写得精简明确。

2. 有的委员建议将草案的名称改为“行政许可程序法”，多规定程序问题，少规定实体问题。

3. 草案第一条规定：“为了规范行政许可的设定和实施，保护自然人、法人和其他组织的合法权益，维护公共利益和社会秩序，保障和监督行政机关有效实施行政管理，根据宪法，制定本法。”有的委员建议修改为：“为了规范行政许可的设定和实施，保障和监督行政机关依法实施行政管理，保护公民、法人和其他组织的合法权益，维护公共利益和社会秩序，根据宪法，制定本法。”

4. 草案第三条第二款规定：“有关行政机关对其他机关或者机关内部人事、财务、外事等事项的审批以及经登记确认规定民事权利义务关系、特定事实，分别依照有关法律、法规的规定办理，不适用本法。”有的委员提出，“其他机关”不明所指；“机关内部”是指“有关机关”内部还是指“其他机关”内部不清楚。

5. 草案第五条规定，设定和实施行政许可，应当遵循公正、公平的原则。有的委员建议增加规定“公开”原则；有的委员建议增加规定“透明”原则；有的委员建议增加规定：“设定和实施行政许可应当遵循精简、统一、效能的原则。”

6. 草案第六条规定，行政许可的实施过程和结果应当公开。有的委员提出，草案中对如何增加行政许可的透明度缺乏制度化规定，建议对这方面再作进一步的研究。

7. 草案第四十九条对行政机关办理行政许可的时限作出了规定，行政机关办理行政许可的时限一般为30天，最多可达45天。有的委员和同志建议将时限缩短。

8. 有的同志提出，法律责任一章中追究法律责任的主体不明确。建议除了上级行政机关之外，增加规定监察机关。

9. 有的委员提出，草案虽然有行政赔偿的规定，但比较原则，建议在法律责任一章中对行政机关或其工作人员损害行政相对人利益的，除规定应由行政机关或上级机关责令改正，并给予有关人员行政处罚外，还应明确规定行政相对人有权诉诸法律，要求加害的行政机关予以赔偿。

九届全国人大常委会
第三十一次会议分组审议行政许可法
(草案二次审议稿)的意见

2002年12月25日,九届全国人大常委会第三十一次会议分组审议了行政许可法(草案二次审议稿),现将委员们的审议意见简报如下。

一、总体的看法

一些委员认为,行政许可法是一部非常重要的法律,是关于行政许可设定和实施的基本法,对促进国家经济的发展,减少官僚主义,遏制腐败都具有重要的意义。草案二次审议稿吸收了常委委员和各方面的意见和建议,思路清晰,修改得比较好。

有的同志提出,行政许可法的制定与实施要与政府职能转变和市场中介组织的建设联系起来。如果政府机构改革方案不明确、政府职能不转变,行政审批制度改革也不能到位。市场中介组织建设很重要。如果只要求政府放权,但市场中介组织不健全,则管理上会出现空白地带。

二、关于总则

1. 草案二次审议稿第二条规定:本法所称行政许可,是行政机关根据自然人、法人或者其他组织提出的申请,经依法审查,准予其从事特定活动的行为。

有的委员提出,"自然人"是私法领域的用语,行政许可法属于公民,不适用自然人。如其他国家对我国公民和组织有特殊规定的,实行对等原则,这已经形成惯例,建议公法中不要用"自然人",还是用"公民"为好。

有的委员提出,第二条对行政许可的定义与原草案有了很大的区别,删去了"认可其资格资质或者确立其特定主体资格、特定身份的行为。"行政许可大量的是针对公民从事的某种活动的许可,但有一些行政许可不是针对从事某种活动,而是给予资格、资质。比如会计师,要有会计师证,才可以开会计师事务所,从事会计活动。这些资格、资质如何取得,国外是通过行业协会自律解决,而中国不可能一下子做到,但是可以往这方面努力。第十六条规定了资格、资质属于许可,这就与第二条的规定有矛盾,建议进一步研究。

2. 有的委员认为,第六条规定,设定和实施行政许可"应当遵循公开的原则"写得很好,但如何公开?不遵循公开原则应当负什么责任规定得不明确。

3. 草案二次审议稿第七条规定,设定和实施行政许可,应当遵循便民的原则,减少环节、简化程序、提高效率。有的委员提出,依法行政要求行政机关严格遵守法定的行政程序,而"简化程序"的要求不符合依法行政的原则,建议对这一表述进一步研究。

三、关于行政许可的范围

1. 有的委员提出,草案二次审议稿第十四条至第十八条分别对可以设定普通许可、特许、核准、认可、登记的事项作出了规定,并列举了十三个可以设定许可的事项,这个范围很大,但仍没有列举完全,在实际中很难操作。为了便于理解,建议将这五条合并为一条,归纳为几个方面的事项,不列举具体事项。

2. 有的委员提出,意识形态管理工作涉及国家安全和社会制定,在准入制度和日常管理中,与一般产业相比有特殊性。建议在第十四条中增加意识形态管理的事项。

3. 有的委员建议在第十五条关于特许的事项中增加“具有重要地区特色的特殊自然资源的开发和利用”的规定。有的委员建议在第十四条、第十七条中增加“生态安全”的内容。

四、关于行政许可的分类

有的委员提出,行政许可的分类是本法的基础性问题,建议不要分得太细,认可、核准、登记没有什么本质的区别。都属于许可。另外,在实际工作中(包括有的法律中)有备案,实质上也是一种许可,对这种模棱两可的做法也应予以规范。否则就给增加行政许可留了一个可钻的空子。有的委员提出,行政许可分类要有利于推动行政审批制度的改革。对于资格、资质的认可,目前已有相当部分不是由行政机关审批,而是由中介组织、学术团体办理。建议不要将认可单独作为行政许可的一个种类列出来。如果一定要列,要体现过渡性,即体现认可应从政府行为逐步过渡到由中介组织、学术团体从事的工作。

五、关于行政许可的设定

1. 二次审议稿第二十条第三款规定,必要时,国务院可以用发布决定的方式设定行政许可。实施后,国务院应当及时将该行政许可事项提请全国人民代表大会或者其常务委员会制定法律,或者自行制定行政法规。一些委员提出,对于国务院在必要时以发布决定的方式设定的行政许可,应规定在两年或三年的期限内提请立法或制定行政法规。“及时”是指多长时间,应予明确。

2. 草案第二十一条规定了地方性法规和省级政府规章设定行政许可的权限。一些委员提出,在法律的层次上,地方政府规章与部门规章是同一层级,部门规章不能设定行政许可,而地方规章可以设定,法律上不平等,从减少行政审批的角度看,有设定权的地方越少越好。目前行政许可太多太滥,多是由于地方政府规章造成的,建议取消地方政府规章的行政许可设定权;地方如果确定需要,可以制定地方性法规。如在紧急情况下确有需要，可以开个小口子，由省级政府设定许可，但必须是临时性的，要在一定时间里提请人大常委会制定地方性法规。有的委员认为，给各省、自治区、直辖市政府规章设定权是必要的，但要加强监督，建议增加限制方面的规定。

3. 有的委员提出，草案二次审议稿第二十一条第二项规定的“限制其他地区的个人或者企业到本地区开展生产经营活动或者限制其他地区的产品进入本地市场的许可”，不属于本法可以设定行政许可的事项。地方对此不可设定，国家也不可设定。建议对此条进一步修改。有的委员提出，本条第三项关于地方性法规、地方政府规章不得设定“自然人、法人或者其他组织的资格、资质的认可”，限制太严，建议删去。

六、关于行政许可的实施机关

草案第三十条规定，经国务院批准，省、自治区、直辖市人民政府根据精简、统一、效能的原则，可以决定一个行政机关行使有关行政机关的行政许可权。一些委员建议删去此条。由于行政许可的功能各不相同，行政许可的内容也各不相同，全国几千个行政许可，加上省政府还可自己制定行政许可，都交给一个机关办，不现实，也无助于提高工作效率。行政许可是跟行政机关的职能密切相关的，如果该机关没有这个管理职能，如何实施许可？如果从方便申请人考虑，规定几个机关分别实施的行政许可交给相应的一个机关受理就可以了。一个机关行使其他机关行政许可权的做法是否可行，可以试点，但目前写入法内过于超前了。

七、关于行政许可的程序和监督检查

1. 有的委员提出，有了第五章一般程序的规定，没有必要再规定第六章的特殊程序，特殊程序中的内容由各单行法规定。

2. 有的委员提出，行政许可需要加强监督，但现在几乎所有的许可中都设立一个年检，有的甚至变成季检、月检、第七十条关于年检的规定应当再作考虑。搞年检要有两个条件,一是法律、行政法规有规定,二是涉及公共安全,否则不要搞年检。

3. 有的委员建议在第七章增加两个内容。一是“行政许可机关必须建立健全内部的监督制约机制”;二是必须接受行政监察机关的监督,以利于防治腐败,提高效率。

八、其他

1. 草案第八十五条对行政机关工作人员违法实施行政许可的行政处分作出了规定。有的提出,本条只规定了记大过、降级、撤职三种行政处分,公务员暂行条例中对国家工作人员的行政处分有六种,建议进一步研究。

2. 有的委员建议在附则中增加一条,对涉及国防建设的行政许可,应当执行国家有关保密的规定。

十届全国人大常委会第三次会议分组审议行政许可法（草案三次审议稿）的意见

2003年6月27日，十届全国人大常委会第三次会议分组审议了行政许可法（草案第三次审议稿），现将委员们的审议意见简报如下：

一、总的看法

一些委员认为，行政许可法规范行政许可的设定和实施，保护公民、法人或者其他组织的合法权益，是一部非常重要的法律。制定行政许可法，有利于巩固几年来行政审批制度改革的成果，有利于推动政府进一步转变职能，促进社会主义市场经济体制的完善，也有利于纠正不正之风，加强廉政建设。草案是在总结行政审批制度改革经验的基础上形成的，框架和内容基本可行。经过修改，内容更充实了一些，程序也比较清晰，操作性比较强。建议经过再次审议修改，尽快通过。

有的委员认为，制定行政许可法，对建立行为范围、运转协调、公正透明、廉洁高效的行政管理体制，具有十分重要的意义。但目前制定行政许可法的时机尚不成熟。理由是：(1)政府职能转变尚未到位，哪些事项需要设定行政许可，哪些事项不需要设定行政许可，一时还难以界定清楚。(2)现有一些法律、法规设定的行政许可不尽合理，需要清理。目前国务院和地方政府的清理工作正在进行之中。(3)社会中介机构尚不规范，像认可这类应当由中介组织承担的事项,在一定时间内,可能还需要行政机关来承担。(4)从立法实践看,很多重要的行政法都是先由国务院制定行政法规,再上升为法律的。因此,建议先由国务院制定行政法规;或者建议待政府职能转变大体告一阶段,实践一段时间后,再出台本法。

二、关于行政许可的调整范围

1. 草案三次审议稿第二条规定,本法所称行政许可,是指行政机关根据公民、法人或者其他组织提出的申请,经依法审查,准予其从事特定活动的行为。

有的委员认为,行政许可的内涵是什么,不清楚。现实中的审批不全都是各级政府的,也有党群口的,是不是行政许可?建议对什么是行政许可作进一步说明。

有的委员认为,行政许可是一个学理概念,实际上就是通常所讲的行政审批,实际工作中用行政审批比较多,建议在第二条中点出这个概念,规定本法所称行政许可,即行政审批。

2. 草案三次审议稿第三条第二款规定,有关行政机关对其他机关或者机关内部人事、财务、外事等事项的审批、确认特定民事权利义务关系、特定事实的登记等,分别依照有关法律、法规的规定办理,不适用本法。

有的委员认为,除了上述列举的情况外,还有一部分隶属国家机关的事业单位不宜适用行政许可程序,比如公办的学校,还有一部分科研机构和国有大中型企业,他们的人事、财务、外事等事项完全按照行政许可去办理,管理起来非常困难。建议属于上述情况的,不纳入到行政许可的调整范围之内。

有的委员认为,确认特定民事权利义务关系、特定事实的登记中,有的既有行政许可的内容,又有民事登记的内容,两种行为出现竞合,如车辆登记、船舶登记等,本款只解决了民事登记部分,没有解决行政许可部分,建议增加一款,对竞合后行政许可的适用问题作出规定。

三、关于行政许可的分类

草案三次审议稿第十二条规定:行政许可的种类(一)普通许可;(二)特许;(三)认可;(四)核准;(五)登记。

一些委员提出,草案对行政许可的分类存在一些问题:(1)草案的分类不科学,不合乎逻辑,普通许可和特许是相对应的,普通和特殊,一般和个别,这是对应的。实际上许可就两种,一种是普通的,一种是特别的。至于认可、核准、登记都是许可的形式、方法。(2)草案把许可分为五类,多了一些,细了一些,这五类在具体解释和程序里很多地方有交叉,出现了好多说法,像特定活动是指什么?特定事实的登记是指什么?还有特定的权益、特定信誉、特殊技能、特定产品、特定身份,这些都是指什么?在制定单行法时可能引起争论。(3)特许的概念与通常理解的特许不一样。涉及人身健康、生命安全的产品如食品、药品的许可应当归在特许类里,这样可以使它得到严格管理,保证人民的生命安全。

对于如何分类,有的委员建议行政许可分为两类,一个是普通许可,一个是特许,其余的应当交给市场中介组织去处理,如果把不是许可的内容规定为许可,将会倒退,会阻碍经济的发展。有的建议分为三类:一是特许、核准类,包括重大建设项目、城市规划、土地等资源利用、生态环境保护的许可等;还应包括与公民生命财产安全密切相关的,如食品卫生、交通安全、生产安全、药品和武器化学危险品的管理等许可;二是资格资质认可类,如注册会计师、律师等资格,考试通过了,就发给证书;三是登记类,具备前置条件,就可以登记。有的认为审核、认可和普通许可是一回事;登记是有条件的,符合条件予以登记,不符合条件的不予登记。因此,建议分为普通许可、特许和登记三类。

一些委员认为,制定行政许可法,首先要分清政府职能和社会职能,分清哪些是行政机关该管的事,哪些是要依靠社会中介组织,靠市场发挥作用的事。像资格资质类的认可,不能算行政许可,以后应当交给中介组织去搞，现在许多资格考试都变成了行政机关的部门利益，从国际经验看，资格考试一般都是由行业协会、学会、社团来运作。

有的委员认为，从法律实施效果上看，行政许可分类越多，程序越繁复，人们就越难以把握，现实中的行政许可种类形形色色，草案将行政许可分为五类，并没有穷尽各种类型，也难以避免不同类型之间的交叉。而且五类行政许可的名称、含义同现行法律用语和人们的习惯称谓不一致，容易给当事人办事和行政机关执法造成困难，给行政机关执行法律带来问题。在没有充分把握的情况下，对行政许可的分类和特别程序不作规定为好。

四、关于行政许可的设定权

1. 草案三次审议稿第十九条第三款规定，必要时，国务院可以用发布决定的方式设定行政许可。实施后，除临时性行政许可事项外，国务院应当及时提请全国人民代表大会或者其常务委员会制定法律，或者自行制定行政法规。

有的委员认为，国务院的决定不宜设定行政许可，建议删去这一规定，或者对国务院决定的有效期限作出明确规定。

2. 草案三次审议稿第二十条规定，省、自治区、直辖市人民政府的规章可以设定行政许可。

一些委员认为，地方政府规章不应当有设定权，理由是：(1)地方政府是法律、法规的实施机关，按照设定权和实施权分开的原则，地方政府不应当有设定权；(2)国务院各部门规章没有设定权，给地方政府规章设定权，会造成二者之间的不平衡；(3)规章设定的许可太多是造成目前行政许可过多过滥的主要原因，行政许可的设定权应相对集中；(4)政府决定行政许可实行的是首长负责制，在涉及公民权益保护问题上不如地方性法规强。如果地方需要设定行政许可，应当由地方人大来立法；(5)规章设定行政许可之后，一旦在执行中产生诉讼，法院在审理案件时，只是参照规章，司法上会产生难以确定的后果，给执法带来困难。因此，建议取消省级人民政府规章的设定权。有的委员建议，如果规定地方政府规章可以设定行政许可，也应是临时性的，必须在一定时间内提请地方人大制定地方性法规。

有的委员认为，各地有自己的情况，地方政府应该可以根据本地区的实际需要设定一些行政许可。建议保留省级人民政府规章的设定权。

3. 有的委员认为，地方政府规章有行政许可设定权，也应当给国务院部门规章一定的设定权。

4. 有的委员认为，现在我们的行政许可太多，重复设置是一个重要原因。对同一个事项，不同的部门都有管辖权，设定的依据、审核的条件、程序等都有一致性，完全可以合并。怎么样解决重复设置问题，草案里体现得还不充分，需要认真考虑。

五、关于行政许可的实施

1. 草案三次审议稿第三十条规定，经国务院批准，省、自治区、直辖市人民政府根据精简、统一、效能的原则，可以决定一个行政机关行使有关行政机关的行政许可权，但是，实行垂直领导的行政机关的行政许可权除外。

有的委员认为，目前我国实行垂直领导的行政机关有两类，一类是中央以下垂直领导的，一类是省以下垂直领导的，是否都不能相对集中行使行政许可权，值得考虑。立法要为地方已经开展的综合执法试点留有更多的空间。建议草案三次审议稿第三十条的规定原则上适用于省以下垂直领导的行政机关，但是中央垂直领导的行政机关可以除外。

有的委员认为，对于法律设定的行政许可，变更实施机关只能由法律规定，对于行政法规和地方性法规设定的行政许可，国务院才可以变更其实施机关。

2. 有的委员认为，现在很多审批，手续非常繁琐复杂，办一件事，要盖很多图章，每个图章就是一个审批关卡，有些审批是必要的，有些并非必要。建议行政许可立法在简化审批手续上下工夫。

3. 草案三次审议稿第八章规定了行政许可的收费问题。有的委员建议收费问题应当由将制定的有关行政收费的法律、法规去解决，不作为行政许可法的内容。建议删去这一章，或者只写一条，作原则规定。

4. 有的委员认为，草案三次审议稿第七章对被许可人的监督检查规定得比较完整，也比较全面，但对行政许可实施机关的内部监督机制规定得不够完善，可能会影响行政许可权的公正、公平行使。另外，草案只规定了行政许可实施机关的内部监督机制，建议增加建立外部监督机制的规定。

六、关于其他

1. 草案三次审议稿第五条第一款规定，设定和实施行政许可，应当遵循公正、公平的原则。

有的委员认为，立法应当体现人民的意志，发扬社会主义民主，保证人民通过多种渠道参与立法活动，草案第二十四条对人民参与立法的形式已作了规定。公正、公平和公开原则是本法的通用原则，应当放在一起表述。因此，建议将第六条中的公开原则挪到第五条中表述。

2. 草案三次审议稿第十一条规定，设定行政许可，应当体现经济和社会发展规律，有利于发挥公民、法人或者其他组织的积极性、主动性，维护公共利益和社会秩序，促进经济、社会和生态环境协调发展。有的委员建议把“体现”改为“遵循”。有的委员建议增加“有利于发挥市场机制与行业自律的作用”的内容。

3. 草案三次审议稿第六十三条第一款规定，对公民资格认可事项，行政机关应当举行全国统一考试，根据考试成绩和其他法定条件决定是否予以认可，但是，法律、行政法规另有规定的除外。

有的委员认为，这里应当明确的是公民的“职业资格考试”。资格考试是否都需要由全国统一进行，应当研究，有些有特色的考试是不是省级也可以搞，建议立法要留一点余地。

4. 有的委员认为，草案规定了行政许可的设定和实施，但对获得许可的相对人的许可权益如何保护的问题，没有规定。建议增加有关内容。

中央有关部门对行政许可法(草案)的意见

九届全国人大常委会第二十九次会议对行政许可法(草案)进行了初步审议,会后,法律委员会和法制工作委员会将草案印发中央有关部门征求意见。中央有关部门普遍认为,制定行政许可法,规范行政许可行为,对于推进政治体制改革,转变政府职能,建立高效、廉洁的政府,促进社会主义市场经济的发展,具有重要意义。赞成草案对行政许可从设定到实施进行全面规范,严格程序,强化监督和责任这一立法思路。草案整体结构合理,内容全面,比较成熟。具体意见简报如下:

一、关于行政许可的范围

草案第十三条、第十四条、第十五条规定了哪些事项可以设定行政许可,哪些事项不得设定行政许可。有的部门提出,草案的规定比较含混,缺乏可操作性,在执行中会引起争议。规范行政许可设定的关键在于程序规范,国外对哪种事项可以设定行政许可并没有规定统一的标准,完全由立法机关裁量决定。建议删去草案第十三条、第十四条、第十五条的规定,增加对设定行政许可的程序约束(农业部)。有的部门提出,草案第十三条的分类不够明确,建议进一步明确分类的标准,以避免遗漏。(国家计生委)有的单位提出,草案第十五条没有必要单独规定涉及国际条约设定行政许可的内容,建议合并。(国务院体改办)

有的部门提出，草案第十三条规定的行政许可的范围，似乎不包括国有企业改革中的有关审批，如对企业兼并破产工作计划审核、国有企业隶属关系的变更、国有企业利用外资进行资产重组等。这些审批是否纳入行政许可的范围，建议再作研究。（国家经贸委）

有的部门提出，政府制定或者调整价格是否属于行政许可需要研究。目前，价格主管部门制定或者调整的商品和服务价格中，有一部分是针对一类商品和服务价格的，具有普遍约束力，不需要申请人一一申请报政府核定，但也有一部分商品和服务价格每次调整都需要申请和审批。如电信资费，依然实行行政审批。（国家计委、信息产业部）

二、关于行政许可的种类

草案第十六条规定行政许可的种类分为："（一）普通许可；（二）特许；（三）认可；（四）核准；（五）登记。"有些部门提出，草案仅规定了五类行政许可，现行的法律、法规中还有审批、审核、审核同意、签署意见、备案等许可形式，这些许可形式与上述的五类许可是什么关系应当明确。有的概念虽然与草案用的词是一样的，但内涵不同，如在外汇管理中，对外资的流入和流出实行登记制度，显然与草案中的登记不一致；证券法规定公开发行证券要经证券监督管理机构"核准"或审批，其含义与草案中核准的内涵也不一致。这样的情况不少。建议草案充分考虑现有法律的规定，结合实际情况，处理好相关用语间的衔接。（证监会、保监会、国家工商总局、国家外汇管理局、国家林业局）

三、关于行政许可的设定权

1. 关于地方性法规的设定权。草案第二十四条第二款规定："对本法第二十二条第三款所列事项以外依法可以设定行政许可的事项，尚未制定法律、行政法规、国务院有普遍约束力的决定的，地方性法规、地方政府规章可以设定行政许可。"

有的单位提出，对尚未制定法律、行政法规、国务院有普遍约束力的决定的事项，如果地方人民政府认为有必要设定行政许可，可以提请有立法权的地方人大及常委会制定地方性法规，建议不赋予地方政府行政许可设定权。这样，不仅有利于巩固和加强地方人大作为地方国家权力机关的作用，也有利于进一步落实依法行政，实现依法治国（国务院发展研究中心）。有的部门提出，当前行政许可混乱的一个主要原因，在于地方设定的行政许可过多、过滥。行政许可的设定权应当主要集中在法律、行政法规和国务院有普遍约束力的决定范围内，地方不能有太多的设定权，建议删去地方政府规章的设定权，并将地方性法规的设定权限制在地方性事务的范围内。（公安部、国家工商总局）

2. 关于部门规章的设定权。草案第二十六条规定："国务院部门规章可以在法律、行政法规、国务院有普遍约束力的决定设定的行政许可事项范围内对实施该行政许可作出具体规定。"

有些部门建议给部门规章一定的行政许可设定权，其主要理由是：(1)在我国目前的法律体系中，部门规章与地方政府规章在效力上处于同一位阶，在设定行政许可方面应当处于平等的地位。部门规章作为我国法律体系的重要组成部分，其内容是公开。透明和规范的，并已成为各部门依法行使行政管理权的重要依据（司法部、交通部、教育部、证监会、国家气象局、国务院参事室）。(2)随着社会经济的不断发展，需要政府管理的事务越来越多，有些事项必须实行行政许可，但制定法律、行政法规需要一个较长的过程，应当允许各部门不断探索和调整自己的管理形式和方式，不必事事都要经过国务院讨论、决定（科技部、国家林业局）。(3)在有些行政管理领域，法制还不健全，大量的执法依据是中央和国务院的文件，包括中办、国办、中宣部的有关文件和部门规章。如果这些文件设定的行政许可都不能作为执法依据，一时间国家法律又不能出台，管理上就会出现空档，行政管理就会出现无法可依的局面。（国家广电总局、国防科工委）(4)我国已加入世贸组织，为了保护人民健康，维护国家利益，需要利用部门规章的形式及时采取一些有针对性的技术贸易措施，设定必要的行政许可，如果不分情况，区别对待，一律禁止部门规章设定行政许可，在今后的管理中有可能陷于被动。（卫生部）（5）赋予部门规章行政许可设定权，只要按照合法、合理、效率、责任、监督的原则，通过严格行政许可的设定条件，建立规范的行政许可程序和监督机制，就能保障和监督行政机关有效实施行政管理，实现政府职能的转变。（国家气象局）

3. 草案第二十四条和第二十六条分别规定地方性法规、地方政府规章和国务院部门规章可以依照法律、行政法规、国务院有普遍约束力的决定对实施行政许可作出具体规定。有的部门提出，有的法律、行政法规设定了行政许可，部门规章和地方性法规或地方政府规章又都作了具体规定，而立法法未对它们的效力等级作出规定，有时遇到规定不一致，实践中产生冲突，造成执法的混乱。对这一问题应当从立法根源上予以解决，建议规定法律、行政法规或国务院有普遍约束力的决定设定行政许可时，可应当尽量明确具体，地方和部门遵照执行。确实需要地方和部门作具体规定的，应当作出明确授权。（公安部）

4. 草案第三章规定国务院有普遍约束力的决定可以设定行政许可。有的部门提出，设定行政许可属于立法行为，应当符合《立法法》确立的立法体制和依法行政的要求。因此，建议明确"国务院有普遍约束力的决定"的含义，与《立法法》保持一致。（水利部、海关总署）

四、关于行政许可的实施机关

草案第三十三条规定："行政机关在其法定职权范围内，依照法律、法规或者规章的规定，可以委托其他行政机关实施行政许可。"有的部门提出，委托实施行政许可是方便群众和减少执法成本的一种行政方式，被委托方不应限于行政机关，其他组织也可以接受委托。如许可地方公安机关委托居委会等群众性组织办理暂住证，方便了群众。建议在"委托其他行政机关"后增加"或者其他组织"。（公

安部）

草案第三十五条规定："一个行政机关实施行政许可，应当确定一个内设机构统一受理行政许可申请、送达是否准予行政许可的决定，不得由多个内设机构对外。"有的部门提出，根据法律、法规授权，有的行政机关的内设机构也是独立的执法主体，能够以自己的名义作出行政决定，如公安交通管理部门和公安消防机构等。申请人想要取得驾驶证、车牌证或者消防许可证，可以直接向公安机关交通部门或者公安消防机构申请，无需向公安机关统一受理许可的办事机构申请。如果规定由一个机构统一受理，受理与办理分离，不仅造成程序烦琐，周转时间长，而且统一受理机构可能对有关许可的受理条件不熟悉，从而影响工作。建议对一个内设机构对外不作硬性规定，但对于同一事项，需要一个行政机关内两个以上机构分别审批的，该行政机关应当确立由最初受理的机构在征求其他机构意见后统一办理。（公安部）

五、关于自然人的资格考试

草案第六十三条第一款规定："自然人的资格考试公开举行，实行全国统一大纲、统一命题、统一考试规则。"

有的单位提出，在资格考试上是否都实行"三统一"需要研究，当前需要进行职业技能鉴定的工种有1000多个，能够在全国范围内做到"三统一"的只有少数。如果本法施行后立刻取消不符合本法规定的资格考试，很可能会对实际工作造成较大的影响（国务院机关事务管理局）。

六、关于行政许可的收费

草案第八十五条第一款规定："除法律、行政法规有明确规定的外，行政机关实施行政许可，不得收取任何费用。"第三款规定："行政机关实施行政许可所需经费应当列入本机关的预算，由本级财政予以保障，按照批准的预算予以核拨。"

有的部门提出,行政许可收费的内容在现行的法律、行政法规中有明确规定的很少,而有些行政许可需要的费用由财政负担也不合理。如有的卫生许可需要组织专家召开评审会,要派技术人员到现场检查检测、对产品进行抽检等等,这些都需要一定费用。建议删去本条,原则规定收费项目和标准应由财政、物价部门审核同意。(卫生部)

七、关于行政许可的监督和制约机制

国务院体改办提出,制定行政许可法,对于建立高效、廉洁的政府具有重大意义。因此,健全、完善行政许可的监督机制十分重要。但草案对行政许可的监督、制约仍未脱出原有的模式:一是上级机关监督下级行政机关;二是行政机关之间相互监督;三是群众和当事人的监督。在行政机关系统中,上下级行政机关有着千丝万缕的联系,上级监督下级,难以做到公正,实践证明,这种监督措施多流于形式;行政机关之间的相互监督由于缺乏法定的程序收效甚微;群众和当事人的监督往往采取将材料转到当地有关部门处理的方法,不仅对解决问题不利,而且使当事人经常受到当地有关部门的打击报复。建议在行政许可法中,明确负有监督责任的行政机关为监察机关,同时,法律责任一章中应当强化与司法程序的衔接。

八、关于行政许可的清理

草案第一百条规定,本法施行前制定的法规和规章有关行政许可的规定不符合本法规定的,应当自本法施行之日起停止执行,并在规定的期限内清理、修订完毕。有的部门提出,长期以来,在行政许可的设立、条件、程序、期限等方面,普遍不够规范、不够具体,因此,制定行政许可法,应当考虑我国行政许可制度目前的现状,给各部门留出必要的立、改、废的时间,以便对不符合行政许可法规定的法规、规章进行清理。一些部门规章设定的行政许可符合草案关于行政许可设定的实体要求,如果行政许可法一施行就停止执行,会对行政管理秩序和公共利益产生消极影响。建议允许法规和规章设定的行政许可在行政许可法施行后一段时间内依然有效，但在此期间内加紧清理、修订。（广电总局、农业部）

九、关于其他

1. 草案第六十六条第二款规定："直接关系人身健康、生命财产安全的特定产品、物品应当符合公布的卫生标准，生产、经营该产品、物品的自然人、法人或者其他组织应当依法申请行政机关进行检验、检疫。"有的部门提出，对于实施国家强制性标准的产品及物品的检验，是否属于行政许可的范围，值得研究。（卫生部）

2. 草案第八十二条第三款规定行政机关可以在一年内撤销违法的行政许可。有的部门提出，违法取得的行政许可一经发现，应当立即撤销。如果允许其存在一年，可能会给社会、集体或者他人造成更大的损害。建议删去草案第八十二条第三款，或者将行政机关撤销行政许可的期限缩短为自知道撤销情形之日起 30 日或者 60 日。（交通部、国家知识产权局）

3. 有的部门提出，违法实施的行政许可可能会对特定的第三人直接造成损害，如果国家不承担责任，显然无法体现"权责统一"的原则，也不利于督促许可机关认真履行职责。因此，建议在法律责任中增加一条："行政机关及其工作人员违法实施的行政许可直接导致第三人的合法权益受损的，国家依法承担赔偿责任。但被许可人对于损害的发生有故意或者重大过失的，由被许可人承担赔偿责任。"（农业部）

4. 有的部门建议在草案第七章增加年度检验注册的相关规定，以统一规范年检注册工作。（司法部）

各地对行政许可法(草案)的意见

九届全国人大常委会第二十九次会议对行政许可法(草案)进行初步审议后,法制工作委员会将草案印发各地征求意见。各地普遍认为,对行政许可的设定和实施予以规范,对促进行政机关依法行政、实现依法治国方略,对保护公民、法人和其他组织的合法权益,都具有非常积极的推动作用和十分重要的现实意义,希望修改后尽快通过。同时,提出了一些意见和建议,现简报如下:

一、关于总则

草案第二条规定:“本法所称行政许可,是指行政机关根据自然人、法人或者其他组织提出的申请,经依法审查,准予其从事特定活动、认可其资格资质或者确立其特定主体资格、特定身份的行为。”有的地方提出:1. 从行政法理论上来看,“行政许可”既涉及对“人”的事项,也包括对“物”的事项,而此条只涉及对“人”的行政许可事项;2. 这一条中的“准予”只包含作出行政许可的意思,但草案对行政许可和行政不许可都有规定;3. 在市场经济条件下,“资格资质”认可完全可以由行业协会承担,而不必由行政机关作出,建议作出相应修改。(上海)有些地方提出,此条将行政许可的主体限定为“行政机关”,而草案第三十二条规定:“法律、法规授权的具有管理公共事务职能的组织在法定授权范围内以自己的名义实施行政许可”,两者规定不一致,建议作出修改。(北京、江苏、广东、广州)有的地方建议增加“特定权利”的内容。(江西)

草案第十一条规定："县级以上人民政府应当建立健全对行政机关设定和实施行政许可的监督制度，加强对行政许可的监督检查。"有的地方提出，这样规定容易产生县级以上行政机关均可以设定行政许可的误解，建议将"设定"删去。（宁波、厦门）

二、关于行政许可的范围和种类

有的地方提出，草案不宜对行政许可的范围作原则规定。目前行政许可过多、过滥，管理即审批，审批即收费，其改革的方向应当是尽量运用市场机制解决问题，减少行政许可而不是相反，因此，具体规定行政许可范围比原则规定更为有利。（海南）有的地方提出，行政许可的实质是"须经行政审批机关同意"，与目前正在进行的行政审批制度改革所涉及的"行政审批"是一致的。草案中纳入调整范围的行政许可事项很少，大量审批事项没有规范，不利于行政审批制度改革的深入进行。建议适当扩大行政许可的范围。（广东）

草案第十三条对可以设定行政许可的事项作出了规定。有的地方提出，此条规定过于笼统，范围宽泛，不够明确，不能解决许可过滥的问题。（北京、湖南、云南）有的地方建议，用列举的方式表述可以设定行政许可的事项。（内蒙古）有的地方建议，在第一款第一项中增加"文化安全"的内容。（广东）

草案第十四条对不得设定行政许可的事项作出了规定。有的地方提出，此条规定过于原则，不便操作，对于已有行政许可的清理工作指导性不强。（北京、江西、云南）有的地方建议将第五项中的"强制性标准"改为"技术法规"，以便与国际惯例接轨。（江西）有的地方建议增加一项"属于国家所有的有限自然资源的开发利用"。（厦门）

有的地方提出，草案第十六条至第二十一条从被许可事项涉及的领域对行政许可进行了分类，但对各类行政许可在法律上的区别、在行政管理上的作用以及被许可人的权利义务有何不同并没有明确区分，没有体现出分类的意义。建议进一步明确。（厦门）

草案第十五条规定:“中国政府缔结或者参加的国际条约要求设立行政许可的事项,应当设定行政许可。”有的地方建议增加规定:“中国政府缔结或者参加的国际条约要求不得设立行政许可的事项,不得设定行政许可。”(广州)

草案第十六条规定,行政许可的种类包括:普通许可、特许、认可、核准、登记。有的地方提出,此条对于行政许可种类的划分不科学。按照有关行政法学理论,行政许可可以分为三大类:第一类是附允许的禁止,即在普遍禁止的条件下给予符合条件的主体以许可,比如法人成立,相当于此条规定的普通许可;第二类是附禁止的允许,即在普遍允许的前提下,设定一定的标准和条件,对符合条件的当事人予以许可,比如驾驶执照的取得,此条规定的认可、核准和登记都可归入此类;第三类是特许。建议,参考理论研究成果,结合实际需要,对行政许可的分类进行慎重研究。(北京)有的地方建议,将行政许可分为核准式许可(又可称为登记式许可)和审核式许可(即特别许可)。(上海)有的地方提出,登记有审批登记、民事登记、备案登记。并非所有的登记都具有行政许可的性质,笼统规定为登记容易引起误解。(北京)有的地方建议,在每一种许可类别后,将一些常见的行政许可列举出来。如普遍许可包括生育证、环境影响评价等。(河南)

草案第二十条对可以设定核准的事项作出了规定。有的地方提出了两种不同意见:一是认为此条与草案第十四条第五项“通过制定和实施强制性标准能够解决的”的规定相矛盾,建议删去;二是认为技术标准、经济技术规范与强制性标准有区别,有许多不需要通过实施强制性标准的事项仍应由行政部门进行核准,建议保留此条。(江西)

三、关于行政许可的设定权

草案第三章对行政许可的设定权作出了规定。有的地方提出,草案对行政许可的设定权向中央集中,中央与地方的分权没有体现出来。因此,建议草案突破"大中央、小地方"的思路,给予地方相对多一些的设定权,这样便于实施。为保证行政许可设定权不被滥用,可以明确地方的行政许可设定权主要由省级人大及其常委会行使,省级政府在省级人大及其常委会划定的范围和原则内对部分事项设定行政许可。(北京)

草案第二十二条第二款规定,行政法规、国务院有普遍约束力的决定可以设定行政许可。有的地方提出,在立法法中,自治条例和单行条例与地方性法规具有同等的法律效力。建议草案增加有关自治条例和单行条例可以设定行政许可的规定。(北京)一些地方提出,立法法中没有对有普遍约束力的决定的效力作出规定。因此,赋予国务院有普遍约束力的决定以行政许可设定权缺乏法律依据,与现有法律体系不协调。建议删去这一规定。(北京、上海、天津、河南、湖南、福建、云南、哈尔滨、厦门、宁波、汕头)

草案第二十四条规定,地方性法规、地方政府规章可以设定行政许可。有的地方建议,删去这一规定。如地方确有特殊情况需要设定行政许可的,可以由省级人大常委会制定地方性法规加以规定(湖南)。有些地方建议,删去有关地方政府规章可以设定行政许可的规定。因为 WTO 规则中有"中央政府保障法律的统一实施"的要求,而目前我国地方政府行政许可设定权未能得到有效控制、监督,导致行政许可过多、过滥。且需要许可的一般都不会是紧急事项,如政府遇到紧急事项时,可以采用行政措施,这比行政许可更为有效。(福建、哈尔滨、济南、西安)有的地方提出,地方政府规章设定行政许可可以限定在省一级。(青海)

草案第二十七条规定:"除法律、行政法规、国务院有普遍约束力的决定、地方性法规、地方政府规章外,国务院部门规章以及依法不享有规章制定权的地方人民政府和其他机关制定的规范性文件一律不得设定行政许可。"有的地方提出,此条遗漏了有规章制定权的地方人民政府制定的规范性文件,不得设定行政许可的情形。建议作出补充规定。(江西)

四、关于行政许可的实施机关

草案第三十二条规定:“法律、法规授权的具有管理公共事务职能的组织在法定授权范围以内以自己的名义实施行政许可。”有的地方建议,在“法律、法规”后增加“规章”。因为行政诉讼法的司法解释中已经有这方面的规定。(广东)

草案第三十三条第一款规定:“行政机关在其法定职权范围内,依照法律、法规或者规章的规定,可以委托其他行政机关实施行政许可。”有的地方提出了两种不同意见:一是建议删去这一规定,认为行政机关不宜委托其他行政机关实施行政许可;二是建议保留这一规定,认为这一规定适合现行行政管理体制。(江西)有的地方提出,行政处罚法规定、行政机关可以依法委托其他组织实施行政处罚,行政许可是否也可以采取这种形式,值得研究。(北京)

草案第三十四条规定,经国务院批准,省级人民政府可以决定一个行政机关行使有关行政机关的行政许可权,但是实行垂直领导的行政机关和国家安全机关行使的行政许可权除外。有的地方提出,“经国务院批准”在实践中操作性不强,因为机构改革后,地方政府行政管理部门的设定与国务院不完全一一对应。(上海)有的地方提出,批准权限于国务院不利于发挥地方政府的积极性,建议修改为国务院和省级政府都有批准权。(黑龙江)有的地方提出,这一规定的出发点是好的,给行政管理相对人以便利,但目前理论界和实践部门对由一个行政机关行使有关行政机关的职权导致的法律责任的承担,认识不一致,申请人应向谁申请复议、提出行政诉讼应以谁为被告等问题,需要进一步明确。(湖南)有的地方提出,这一规定不符合职权法定原则,也不利于理顺行政管理体制,建议修改。(江西)有的地方建议,在“国家安全机关”后加“公安机关”。(北京)

草案第三十五条规定:“一个行政机关实施行政许可,应当确定一个内设机构统一受理行政许可申请、送达是否准予行政许可的决定,不得由多个内设机构对外。”有的地方提出,这一规定在实际工作中有一定的难度，因为每项行政许可都有自己的专业特点，每个机构许可的数量也有很大差别，没有多少共性。因此，建议删去这一规定。（广东、厦门）有的地方建议研究后进一步修改。（北京）有的地方建议增加由上下两级部门分别审批时如何集中办理的规定。（济南）

草案第三十六条对应当由地方人民政府两个以上部门分别实施的行政许可的统一办理、联合办理、集中办理等方式作出了规定。有的地方提出，统一办理、联合办理、集中办理实践中难以操作。（湖南）有的地方提出，“联合办理”在实践中效果不理想，不如“并联审批”、“告知承诺”等方式实用，建议将“联合办理”修改为“并联审批”和“告知承诺”。（上海）

五、关于行政许可的一般程序

有的地方提出，我国政府在《关于中国入世工作组的报告》中对有关行政许可制度作出了承诺，其中第三百零八条第（g）项规定：“如果一项申请被终止或拒绝，则立刻将终止或拒绝的理由书面通知申请人，使其有可能自行决定，针对终止或拒绝理由提出新的申请。”根据这一规定，行政机关当场作出不准予行政许可的决定的，应当书面通知申请人，并告知理由。（浙江）

草案第三十九条规定，申请人可以通过数据电文的方式提出行政许可申请。有的地方提出，以电子数据交换和电子邮件的形式提出行政许可申请，在具体操作程序上有待完善，如果发生争议，存在举证困难的问题，建议在条件成熟时再作此规定。（河南）

草案第五十二条规定了可以举行听证的情形。有的地方建议明确听证的适用范围。规定凡涉及公共财政支出的许可事项，都要举行听证；或者由行政机关自主决定是否进行听证。（上海）有的地方提出，组织听证的费用比较高，考虑到行政成本问题，建议规定对一些特殊情况可以免除听证。（湖南）有的地方建议，行政机关进行听证时，应当听取相关行业协会的意见。（上海）

草案第五十三条第二款规定，行政机关应当充分考虑听证笔录。

有的地方提出“充分考虑”一词仅是主观态度,非硬性规定。听证情况应该是行政机关是否作出行政许可的唯一依据,即司法听证上的“案卷排他性”原则,建议根据这一原则作出修改。(上海)有的地方提出,此款规定不能有效避免听证后作出行政许可决定的随意性,操作性也比较差。建议修改为:“行政机关作出行政许可决定,未采纳听证过程中提出的重要意见的,应当说明理由”。(哈尔滨)

六、关于行政许可的特别程序

草案第五十七条规定,国务院实施审批的程序,适用有关法律、行政法规的规定。有的地方提出,国务院实施审批的程序,也应当适用本法的规定,如果允许其适用有关行政法规的规定,就是允许国务院在本法规定之外,另搞一套行政许可的实施程序,这不符合法制统一的原则。(湖南)

草案第六十一条规定,申请人认为行政机关作出特许决定损害其合法权益的,可以申请行政复议或者提起行政诉讼,并列举了三种情况。有的地方提出,这一规定较行政复议法和行政诉讼法严格,不利于保护行政相对人的权利,建议删去。(厦门)

七、关于收费

草案第八十五条第一款规定,除法律、行政法规有明确规定的外,行政机关实施行政许可,不得收取任何费用。有的地方提出,收费标准涉及面广、变化较大,若都由法律、行政法规来规定,很难操作。(江西)

草案第八十六条对行政许可费用的收缴作出了规定。有的地方建议在此条后增加收缴分离的规定。如规定:“行政机关实施行政许可,依照法律、行政法规的规定可以收取费用的,应当通过银行收取。”(福建)有的地方建议,删去这一规定。(黑龙江)

有的地方提出,根据《中国入世工作组的报告》第三百零八条第(d)项关于“所收取的任何费用(通过拍卖或投标确认的费用除外)

将与办理申请的行政成本相仿"的规定,建议草案增加规定:"有关行政机关依法制定实施行政许可的收费标准,应当保证所收取的费用低于办理申请的行政成本,但采用招标、拍卖方式确定费用的行政许可除外。"(浙江)

八、其他

有的地方建议明确被许可人违法从事行政许可事项的活动时,撤销行政许可的条件、权限和程序。(宁波)

草案第七十五条规定:"行政机关可以对被许可人生产、经营的产品依法进行抽样检查、检测、检验,对其生产经营场所依法进行实地检查。"有的地方建议对行政机关进行抽样检查、检测、检验的行为作出必要的限制和规范。(黑龙江)

草案第九章对法律责任作出了规定。有的地方建议增加规定被许可人取得行政许可后不按规定实施行政许可,应承担的法律责任。(广东)有的地方提出,本章对行政机关工作人员规定了三种行政处分:记大过、降级和撤职。但公务员暂行条例中规定了六种行政处分:警告、记过、记大过、降级、撤职、开除。建议根据公务员暂行条例的规定作出修改。(北京、广东)

有关专家对行政许可法(草案)的意见

九届全国人大常委会第二十九次会议对《中华人民共和国行政许可法(草案)》进行了初次审议。9月12日,全国人大法律委员会、法工委联合召开座谈会,邀请部分行政法学专家以及宪法学、民法学和经济学专家座谈,征求对行政许可法(草案)的意见。会上,大家对草案予以充分肯定,认为行政许可法规范行政许可行为,保障和监督行政机关有效实施行政管理,涉及市场经济中的法治原则和法治精神,关系到政府职能的转变和行政管理体制改革,应处理好市场经济的自由竞争和政府管制力度的关系。这个法也关系到老百姓的切身利益,意义重大,草案比较成熟,在制度创新方面也很有特色。同时也有专家提出,从草案的内容看,许可领域的行政主导模式没有改变,强调行政权力较多,责任较淡(中国政法大学薛刚凌、北京大学陈端洪)。大家还提出具体修改意见,现简报如下:

一、关于行政许可的适用范围

草案第三条第二款规定:"有关行政机关对其他机关或者机关内部人事、财务、外事等事项的审批以及经登记确认特定民事权利义务关系、特定事实,分别依照有关法律、法规的规定办理。"

有的专家提出,行政许可法中的登记与民法中的登记关系密切,民事活动中许多事项需要登记,如法人登记、不动产登记、知识产权登记,婚姻家庭登记等等。草案第三条第二款的规定比较模糊。民事活动中的登记哪些应由行政许可法规定，哪些不应由行政许可法规定，什么是特定的民事权利义务关系，什么是不特定的民事权利义务关系，不清楚。这么表达容易引起误解。另外法人登记本身有行政法规作了规定，与行政许可法是什么关系，没有交代。（中国政法大学马怀德）建议将民事权利的登记纳入行政许可法，不然行政机关可能规避法律。（薛刚凌、中国政法大学张树义）

二、关于行政许可的设定范围

草案第十三条、第十四条、第十五条规定了行政许可的设定范围。其中第十三条第一项规定直接关系国家安全、经济安全、公共利益以及人身健康、生命财产安全的事项可以设定行政许可。有的专家提出，这样规定内容太广，国家安全涉及的面很宽，除国家安全、经济安全外，还有金融安全、网络安全、公共安全、财产安全，信息安全等，各个概念之间的关系应该怎样理解？一些事项是否设许可，更多地要从经济成本上分析，只要其利益大于弊端，就可以设定，不必强求一律地禁止设定许可。建议删去第十三条。（社科院法学所周汉华）有的专家提出，立法应当规定可以设定行政许可的范围，不必规定不得设定的范围，建议删去第十四条。（北京大学姜明安）有的专家提出，草案第十三条规定了三项可以设定行政许可的事项，但第十七条到第二十一条规定了十四项可以设定行政许可的事项，前后不一致，建议删去第十七条至第二十一条，把有关内容充实到第十三条，再加一项法律规定可以设定的其他事项，作为兜底规定。（国家行政学院应松年）

有的专家提出，对行政许可的积极作用要充分认识，行政许可是刚柔并济的手段，行政许可的副作用一是限制竞争，二是导致腐败，但这不是许可制度本身的原因，原因是没有程序，制度不完善。而它的积极作用要远远大于负面作用，关键是程序要细化，标准要明确可行，建议扩大行政许可的设定范围。（中国人民大学杨建顺）

三、行政许可的种类

草案第十六条规定："行政许可的种类：（一）普通许可；（二）特许；（三）认可；（四）核准；（五）登记。"

有的专家提出，行政许可的分类是行政许可法立法的基础，是一个非常重要的问题，草案的分类是理论上的分类，实际中的许可有的很难归类（马怀德）。草案的分类将冲击现有行政法学理论，有值得商榷的地方：其一是认可的问题，行政法理论上把认可作为事后程序与许可相区分，认可和许可的区别在于认可是对已存在的客观事实作事后追认，而许可是在事前予以准许后才能从事的活动，认可在理论上是与许可相对立的，草案这样分类，是否意味着对传统行政法学理论的否定？可以考虑事前和事后的程序分开，或者将认可与核准合并，专门作规定。其二，这种分类的标准到底是什么？核准是把对象作为分类标准，特许是将数量作为分类标准，有的还几种标准并用。这种分类方法可能出现不能穷尽的弊端。（浙江大学胡建淼、苏州大学杨海坤）有的专家提出，普通许可和特许的划分不大清楚，很多特许事项不一定用招标、拍卖等市场化的方式，而要用"选美"的方式，给条件最优的对象发许可，因此，不宜规定特许事项一律招标拍卖，是否采用市场化的方式应由单行法规定。（周汉华、杨海坤）有的专家建议将许可的种类按照行政管制的力度分为三类：第一类审批，行政机关有自由裁量权；第二类核准，行政机关的自由裁量权小，几乎没有；第三类是登记备案，行政机关没有自由裁量权。三类许可形式，政府管制的强度不一样。（张树义、中国政法大学朱维究）

四、行政许可的设定权

1. 草案第二十二条第二款规定："本法规定可以设定行政许可的事项，尚未制定法律的，行政法规、国务院有普遍约束力的决定可以设定行政许可。"

有的专家提出，这里出现的"国务院具有普遍约束力的决定"在立法法中没有作规定，它与法律、行政法规、地方性法规是什么关系不清楚，实践中难以操作。这种写法，其实是在给国务院开口子。如果确实需要赋予国务院有普遍约束力的决定设定行政许可的权力，可以单写一条，规定在紧急情况下，由国务院总理批准等条件，还要限定时间，是临时性的行政许可，实施不能超过一年，如果超过一年，就要制定行政法规。（应松年、杨海坤）有的专家提出，国务院有普遍约束力的决定与行政法规并列，与立法法规定的法的渊源不一致，现在行政法规与非行政法规已划分清楚，如果需要，国务院可以制定行政法规，没有必要再授予国务院的决定有设定权。（姜明安）地方人大和地方政府除法规和规章外，也有其他规范性文件，是不是也可以设定行政许可？建议删去国务院具有普遍约束力的决定可以设定行政许可的规定。（胡建淼）

有的专家提出，行政许可不是坏东西，给国务院有普遍约束力的决定开一个口子有必要，但要体现程序和标准。（杨建顺）

2. 草案第二十四条第一款规定："对本法第二十二条第三款所列事项以外依法可以设定行政许可的事项，尚未制定法律、行政法规、国务院有普遍约束力的决定的，地方性法规、地方政府规章可以设定行政许可。"

有的专家提出，草案规定部门规章没有设定权，而地方政府规章有设定权，不平衡。地方政府规章的设定权要收回。（杨海坤、姜明安）

有的专家提出，应当给地方更多的设定权，部委的权力可以小一些，在中国这样一个大国，什么都由中央管很难管好，往往是一统就死，一放就乱。国外是搞地方自治，地方自主权的扩大是趋势。（杨建顺）有的专家提出，立法不能离开中国的国体和政体，我们是单一制的国家，立法权主要集中在中央，行政许可的设定权要以立法法和国家机构组织法为基础（朱维究），地方分权应当强调地方人大的权力，因此可以删去地方政府规章设定权的规定。（北京大学湛中乐）

3. 草案第二十四条第一款规定："地方性法规、地方政府规章可以在法律、行政法规、国务院有普遍约束力的决定设定的行政许可事项范围内对实施该行政许可作出具体规定；对同一事项，法律、行政法规、国务院有普遍约束力的决定已有规定但没有规定行政许可的，地方性法规、地方政府规章不得设定行政许可。”有的专家提出，法律、法规能够明确规定的要尽量明确。在我国，地方的事情中央都可以管，草案上述规定的后果将导致重复性立法，如全国人大常委会立一个法，国务院要制定相应的行政法规，地方人大也要制定相应的地方性法规，地方政府还要制定相应的规章，往往是条件越来越多，越来越严，对此应有所限制。（马怀德）在设定权上，中央、地方，行业组织应有所划分，行业组织不能设定许可，但可制定标准。（薛刚凌）

五、关于设定行政许可的程序

草案第二十九条规定：“起草法律草案、法规草案和地方政府规章草案，设定行政许可的，应当广泛听取意见，并对设定该行政许可的必要性、对经济和社会可能产生的影响、听取意见的范围及其采纳情况等向制定机关说明。”

有的专家提出，草案对实施许可的程序规定得较多，但对设定许可的程序规定得不够，不利于防止滥设许可，即使规定了许可设定的范围，在没有有效制约时，政府还是可以任意设定许可，在规定审批程序时加进自己的利益。因此，在设定许可前要有听证机制，防止其任意性。（中国改革基金会樊纲）仅仅规定向制定机关说明，程序太弱，要加强。（朱维究）建议对涉及面广的、重大的事项设定许可，应当召开听证会。（姜明安、张树义、杨海坤）

有的专家提出，虽然立法法对中央与地方、权力机关与政府的立法权限作了划分，但在行政许可的设定权上，总是反复讨论，立法法的规定似乎起不到多大的作用。实质上哪个机关设定许可并不重要，重要的是建立一种机制，能够对设定行政许可更多地从经济合理性上把关。应当有一个机构对是否设定行政许可进行可行性和必要性审查，机构设在国务院或设在人大都可以。不然对设定权的限制

只是形式,起不到控制行政许可的作用。(周汉华)

六、关于其他

1. 草案第二条规定:“本法所称行政许可,是指行政机关根据自然人、法人或者其他组织提出的申请,经依法审查,准予其从事特定活动、认可其资格资质或者确立其特定主体资格、特定身份的行为。”有些专家提出,第二条的定义与第十六条的分类关系密切,但第二条行政许可的概念中没有包含特许和核准的内容。(朱维究、马怀德)另外,资格与资质的关系要讲清楚,如果都是指对符合条件的主体的确认,就可以统一起来。主体资格和特定身份的关系也不清楚,到派出所上户口是确立特定主体资格还是特定身份?(马怀德)

2. 草案使用了自然人概念。有的专家认为,公法上不使用自然人概念,行政许可法中有些权利外国人不能享有。如第八十七条规定的权利,只限于公民,外国人没有,建议用公民概念。(陈端洪、中国人民大学韩大元)有的认为条文中概念的使用应当有针对性,是申请人就是申请人,不能统称为自然人。(姜明安)

3. 草案第三章规定了行政许可的设定权。有的专家提出,本章的一半内容是讲“规定权”,章的名称应当与内容一致,建议改为“行政许可的设定权和规定权”。(中国政法大学高家伟)有的建议把设定权和规定权明确化。(朱维究)

4. 草案第七章规定了监督检查。有的专家提出,现在行政机关搞检查太多,不仅搞年检,而且还想搞月检,立法对此要作限制,只有法律、法规中规定有检查的,才能检查。法律没有规定年检的,不能搞年检。(应松年)

中国加入世贸组织法律文件中关于行政许可的规定

加入世贸组织，即意味着我国接受世贸组织规则，并受其约束。世贸组织有关协定明确要求，行政许可程序应当公开、透明和简化，行政许可的实施也应当以公平、公正、透明和可预测的方式实施，不能对贸易构成不必要的限制。

中国加入工作组报告书（第 308 段）特别对我国服务市场开放中的行政许可制度提出了明确要求，我国政府对此作出的承诺主要包括以下几个方面的内容：

一是，许可程序、条件以及有关政府主管机关对许可申请进行审查与作出决定的期限应当在实施前公布；

二是，申请人不经单独邀请即可提出行政许可申请；

三是，行政许可中的有关收费应当与处理行政许可申请所需的行政费用相当，除非该费用是通过拍卖或者招投标等竞争性方式确定的；

四是，政府主管机关收到行政许可申请后，应当告知当事人其申请材料是否完备，如申请材料不完备，应当明确告知当事人需要补正的内容，并给予其补正的机会；

五是，政府主管机关应当对所有行政许可申请及时作出审查决定；

六是，如行政许可申请未获批准，政府主管机关应当立即书面告知申请人未予批准的原因，申请人有权自行决定是否重新提出申请；

七是，准予行政许可后，政府主管机关应当立即书面通知当事人；

八是，如果专业人员需要通过考试才能获得某种许可，那么此种考试的举行应当有合理的时间间隔。

此外，我国在加入议定书第8条有关进出口许可程序中承诺，将公布下列内容：

一是，所有负责授权或者审批进出口的机构的名单；

二是，进出口许可或者其他形式审批的程序、标准或者条件；

三是，实行招投标管理的产品的清单；

四是，禁止或者限制进出口的货物或者技术的清单及其日后的任何变动情况。

国外有关行政许可的概念

在美国,行政许可主要有四种:一是,允许(permit),即对具备了某种客观技能和水平的人从事某种活动的一种许可,如汽车驾照;二是,资格证明(certification),即对具有相应教育经历或者专业资格的人从事特定职业的一种能力证明;三是,特许(franchise),是对有限资源进行配置的一种方式,如出租车业的经营许可;四是,执照(license),是对经营关系公众健康、社会福利事业的一种许可,如餐馆经营执照。

在德国,行政法学家们常将行政许可行为与其他一般行政行为联系起来进行讨论,认为行政许可行为既可以是命令性行政行为,也可以是组织性行政行为,又可以是宣告性行政行为。当行政许可行为由命令或者某种强制性行为构成时,可被视为命令性行政行为,如行政计划;当行政许可行为涉及确认、改变或者消灭某种具体法律关系时,可被视为组织性行政行为,如涉及人的出生、委任某种职位等;当行政许可行为宣告一个人在法律上所具有的重要地位、身份时,可被视为宣告性行政行为,如宣告给予某人奖学金的行为。实践中,许多行政许可行为兼具命令性、组织性和宣告性。

在英国,行政许可渊源于英王的特许权,后来随着英王行政权力的逐步缩小,特许权不断减少,但政府在行政管理中却广泛地借鉴了这种管理方式。由此,行政许可被当作是对被限制、禁止或者非法的事情的一种允许。

在日本,行政许可是指行政机关对法律规定的一般禁止的行为在特定的场合、对特定的人解除其禁止的一种行政行为，如药店、当铺的营业许可。与此相联系的还有特许和认可，特许是对国民设定其原本不拥有的权利或者权利能力的行政行为，如电气、铁路等企业的经营许可；认可是指行政机关补充第三者的合同行为、共同行为等法律行为，使其完成法律上的效力的行政行为，如农地权利转移的许可。

在韩国，行政许可是指在特定条件下解除一般禁止，使当事人恢复从事某种行为的自由状态的一种行政行为。

德国行政许可的概念和分类

在德国,法律往往对从事影响公共利益或者可能造成重大危害的社会经济活动设置行政许可。

一、关于行政许可的概念

在德国,从形式上将行政许可界定为行政机关对当事人提出的申请予以同意或者拒绝的各种行为。由于这种形式上的概念往往不能准确说明行政许可对申请人有关权利影响的性质和程度,因此,德国学者对行政许可进行了分类研究。

二、关于行政许可的分类

在德国,根据行政许可对申请人权利影响的性质和程度,行政许可分为普通许可、例外准许、特许和备案。

1. 普通行政许可,是指行政机关解除法律对公民行使权利的一种暂时性禁止的行为,目的是对公民行使权利可能对公共利益造成的不利影响进行预防性控制。德国法上典型的许可,有工商管理法上的营业许可、公害防治法上的设施许可、建筑法上的建设施工许可等。

2. 例外准许,又叫豁免,是行政机关对法律本质上禁止的行为,在特殊的个别情况下,根据当事人的申请对此种禁止予以解除的行为。例外准许所解除的禁止,在本质上具有强烈的反社会性,申请人对禁止的事项不享有当然的权利,获得这种例外准许,就等于获得了新的权利或者扩大了原有权利的范围,这是它与普通许可的主要区别。在普通许可,申请人对被禁止的事项本来享有自由的权利,禁止事项本身对社会没有危害性,只是在一定条件下可能对社会产生不利影响。

3. 特许,是指行政机关授予申请人从事本该由国家承担的某种公益事业的一种主体资格,如建设医院、经营铁路等。

4. 备案,是指当事人在行使权利前必须向行政机关履行告知和必要的程序法上义务的一种方式,其目的是使行政机关了解公民拟从事的可能影响公共利益的活动,以便必要时采取防范措施。

日本行政许认可制度简介

一、日本行政许认可制度的基本情况

在日本,国家和地方公共团体(相当于我国的地方政府)为了实现一定的政策目的,防止企业和公民自由活动可能给社会和公民生活带来损害,或者是可能妨碍经济、产业的健康发展而对企业和公民的行动和自由进行一定的干预和介入,规定哪些行为可以作为,哪些不可以作为,或者规定哪些行为或活动需要得到政府的许可、批准后可以作为,以此保证公共安全、公共利益、消费者利益以及经济的健康发展。这就是所谓的“公共规制”。国家和地方公共团体对企业和公民的活动进行的规制,主要是通过行政机关的行政活动实现的,也就是通过具体的行政行为实现的。可以说行政行为是实现公共规制的主要手段和方法。这些手段和方法在法律上的用语主要有:命令、禁止、许可、免许、认可、特许等。

日本没有专门的许可法,但是现行的法律和政令(相当于我国的行政法规)中规定了许多的许可、认可等。根据日本总务厅发表的《1999 年规制缓和白皮书》的统计,截至 1998 年 3 月,中央所管的许认可等约有 11117 项,其中法律规定的约有 8120 项,占 73%。政令规定的约有 409 项,占 3.7%。府省令、规则(相当于我国的部门规章)规定的约有 2200 项,占 19.8%。其他的约有 388 项,约占 3.5%。这些规定使用的用语主要有:许可、认可、免许、特许、承认、认定、确认、免除、决定、证明、认证、解除、公认、检定、试验、检认、指定、登录、呈报、提出、申告、报告、交付等。

按照规制的强弱可以将上述许认可等分为三类：一是指一般禁止，特定条件下解除的行为以及设定特定权利的行为。这类行政许可最为严厉，约有4366项，占行政许可总数的39.3%。主要有许可(1123项)、认可(1702项)、免许(103项)、承认(1134项)、指定(277项)、承诺(27项)等。二是对特定的事实和行为进行审查，判定是否符合规定的标准，并向社会证明的行为。这类行政许认可约有1416项，占许认可总数的12.7%。主要有认定(555项)、确认(122项)、证明(125项)、认证(13项)、考试(117项)、检查(241项)、登录(191项)、审查(21项)等。三是将一定的事实通知行政机关，行政机关原则上只是确认通知书记载的事项，不进行审查。这类规制最弱，约有4880项，占总数的43.9%。主要有申请(3560项)、提出(585项)、交付(89项)、申告(83项)、报告(563项)等。其他的约有455项，占总数的4.1%。

政府部门管理的事务中，许认可等数量比较多的领域是通商产业、交通运输、卫生、福利、农林水产、建设、金融等。

二、许可、认可等用语的含义

关于许可、认可、特许、确认等用语的含义，在日本实体法上未作具体、明确的区别，有时还混用。但是，在学理上，行政法学者对其作了区分，认为它们是性质不同的行政行为(实际上，实体法在使用这些用语时，基本上也是按照学理上的分类)。

1. 许可。许可是一种命令行为，是将一般禁止的行为(不作为义务)，在特定的情况下解除，恢复按照法律规定从事一定行为的自由的行为。许可的关键是恢复从事一定行为的自由。比如营业许可、建筑许可等。许可不是新设权利，仅仅是解除了某种不作为的义务。

许可一般情况下需要当事人申请而作出。对于应当得到许可而未经许可作为的，可以采取行政强制措施，给予行政处罚。

2. 特许。是一种设权行为，是指根据申请人的申请，为其设定权力能力、行为能力、特定的权利或者一定的法律关系的行为。矿业特许、占用道路特许、公务员的任命等。

特许作为一种设权行为,能够产生对抗第三人的法律效力。通常,特许要以当事人的申请为前提,没有当事人的申请,不能给予特许。

3. 认可。是一种补充行为,是指为了补充他人的法律行为,使其具有法律效力的行为。有些法律行为,需要得到国家或者地方公共团体的认可,方能有效。比如,设立公共合作组织、农地权利转让、公益法人的设立、法人的合并以及部分业务的转让、特许企业的运费、收费等。

认可是一定法律行为发生效力的要件,没有得到认可的行为原则上是无效的。对应当得到认可而未得到认可的行为,并不直接否定其法律效力,只是该行为不具有完全的效力,不存在必然受到行政处罚的问题。

4. 确认。是指对特定的事实和法律关系存有疑问或者争议时,以行政机关的地位和权威确认其是否存在或者真伪的行为。比如,对建筑物违法性的确认、对当选人的确认等。

确认行为只是对既存的事实或者法律关系,以公权力的权威进行确定,不形成新的法律效果。经过公权力确认的事实或者法律关系不能随意变更。

5. 登录。是指在行政机关记载一定的法律事实或者法律关系的行为。登录可以起到向社会证明这些法律事实或者法律关系是否存在的作用。所以,绝大多数的登录在法律、政令上具有特定的效力。

在日本,登录分为强制登录和自愿登录。前者是指法律规定从事某一事业或者行为必须进行的登录,比如,从事贷款业、投资顾问业等,未登录的不得从事。在这一点上,登录和许可有相似之处。但是,原则上行政机关对登录的事项没有自由裁量的权力,登录或者不予登录的标准和条件法律和政令有明确规定。除上述的强制登录外,还有一种任意登录制,即经营或者从事某一事业,是否进行登录完全取决于当事人的自愿,如向运输大臣登录的旅行社可以称“某某登录旅行社”。这种登录有利于提高企业的信誉,扩大影响。

6. 呈报(报告)。是指从事某一事业时,在事前或者事后向行政机关报告的行为。需要呈报的主要是那些不需要通过许可制进行规制,但又需要对其进行一定监督的事项。需要呈报而未呈报的,不得营业。在这一点上和许可制相似,但是,行政机关对当事人的呈报只是受理,知晓,而不进行审查,也不能拒绝受理。这一点不同于许可制。

7. 免除。是指在特定的情况下,解除作为、给付或者忍受的义务的行为。比如,免税等。

三、设定行政许认可应遵循的几个原则

1. 公开、公正的原则

法律、政令在规定行政许认可等时,应当明确许认可的标准。虽然许认可的标准因法律、政令规制的领域不同而不同,但是,应当尽可能地做到客观、具体、公正,是否符合标准一目了然,以避免随意性。这不仅可以防止行政机关在是否给予许认可时滥用权力,也能够方便公民和企业。行政许认可的标准越具体,越有利于保护公民的权利和自由。

2. 原则性和灵活性相结合的原则

行政权要根据或者依据法律来行使,受议会制定的法律约束。根据这一原则,法律不应当给予行政机关广泛的自由裁量权。但是,另一方面,为了能够适应不断发展的经济、社会要求,需要行政机关采取迅速、有效的措施,因此法律不得不在一定程度上承认行政机关的裁量权。基于上述原理,法律在规定许认可等制度时,既要符合法治主义的原则,又要避免带来行政的僵化。

3. 效益原则

许认可制度,一方面为确保和增进公共利益而发挥重要作用,另一方面,如果许认可的设定和运用不适当的话,不仅毫无用处,而且会给公民和社会带来不必要的麻烦和负担,会导致行政的复杂化,机构和人员增加,甚至会带来腐败。因此,设定许认可时,要分析该许

认可可能起到的积极作用和效果以及可能给公民和社会带来的直接、间接的负担和付出的代价。行政许认可要控制在必要、合理和最小的限度内。

4. 方便、高效的原则

行政许认可的程序、手续要简化、透明。许认可的审批和运用要快捷，审批权要下放，尽可能地就近审批，以方便公民。行政机关未在法定时间里，按照法定标准和条件对当事人的许认可申请作出决定的，当事人可以向行政机关申请复议，也可以向法院提起诉讼。

5. 及时清理的原则

许认可是根据社会经济发展的需要而设立的，同时也应随着社会经济形势的变化而不断清理、简化。对那些随着社会发展和技术进步而失去价值和实效的许认可，要及时撤废。对可以放宽许认可条件的要及时转为比较缓和的规制。

四、行政许认可的变更、继承和取消

1. 行政许认可的变更

当事人获得的从事某一事业的许认可，要按照许可的场所、业务范围等从事许可的事业。如果得到许可的事项发生变化，当事人应当向批准机关申请变更或者报告。

2. 行政许可的继承

一般地说，许认可主要有两种：一种是主要针对主体条件的所谓对人的许可，比如，机动车驾驶执照的许可。这种许可具有专属性质，他人不能继承。另一种是重点放在事业设施等物的要件上的所谓对物的许可，比如，对从事仓库业的许可。这种许可主要是针对物的设施、设备等条件，他人继承也不会有什么问题。

3. 行政许认可的取消

获得许认可的从业者有违反法律、政令的行为或者失去了从事许认可事项的资格、能力时，应当取消其获得的许认可。日本法律和政令一般都规定了许认可取消的条件、情况和程序。

取消许认可,等于取消了公民的权利和自由,因此,应当严格遵循法定的条件和程序,应当给予当事人发表意见的机会,必要时还应当举行听证会。

五、行政许认可制度改革的情况

(一)行政许认可制度改革的提出

行政许认可的目的是国家根据经济和社会发展的要求,通过对公民和企业的活动进行介入和干预,防止自由放任给社会和公民带来不利影响。但是,随着经济的发展和社会的变化,一些行政许认可失去实际意义,成为阻碍资源有效分配和经济发展的障碍,削弱了经济和社会的活力。有些许认可已经违背设立的初衷,还成为一部分既得利益阶层的保护伞,成为一些行政机关和部门生存的依据,形成高成本、高物价的经济结构,加重国民负担。因此,随着社会、经济的发展和科学技术的进步,应当对那些已经失去必要性、合理性的许认可进行改革。

20 世纪 80 年代,日本进行了有名的三大改革即公务员制度改革、社会保障制度改革、三大国有公司民营化改革。同时,为了增强民间的活力,1985 年 10 月国会通过了规制缓和一揽子法,着手对行政许认可等进行清理。

进入 90 年代,日本为了振兴经济,增强企业活力和对高成本的经济结构进行根本改革,于 1995 年 3 月制定了《推进规制缓和五年计划》,规定了涉及住宅土地、信息通信、流通、运输、能源、金融、证券、保险等十几个领域以及 1091 项规制缓和事项和措施。此后,日本政府每年都根据新的需要对计划进行修改、补充。比如,1997 年修改计划时,新增了 890 个规制缓和的事项,1999 年修改计划时,规定了 917 项规制缓和事项,其中 248 项为新增的。

(二)行政许认可改革的原则

1. 尽量减少为经济目的设立的许认可,将为社会目的而设立的许认可控制在必要和最小的限度内。对随着社会经济形势变化和技术不断进步而失去实际意义的许认可，应当予以废止；对竞争性产业领域为调整供需而设立的“从业许可”、“设备许可”、“价格许可”等，应当进行改革、撤废。

2. 由事前许可型行政向事后监督型行政转变；由免许制（颁发执照制）向许可、认可制过渡，由许认可制向备案登记制过渡，由事前备案登记制向事后备案登记制过渡。

3. 许认可的内容和审查标准应当明确、具体，能够量化的尽可能量化，减少裁量的因素。许认可的标准还应当注意和国际接轨，保持协调。简化审批程序，缩短审批时间。

4. 改进许认可的审批方法，充分发挥民间机构的作用。比如，为了确保产品和设备的质量和安全性而进行的认证、检查、检定等，在强化企业自主检查、自我约束机制的同时，对确需政府检查的，在具体实施时也要充分发挥民间检查机构的作用。

5. 改革资格制度。很多资格制度会对公民的择业自由产生很大的影响。要按照有利于调动人的积极性，发挥人的能力的原则，对各种资格（特别是业务垄断性资格）、资格条件、业务范围等资格制度，进行清理，取消不必要的资格。同时，对新设的资格要严格审查、把关。

日本通过改革行政许认可制度，取得了很大成效。根据日本经济企划厅 2000 年 1 月的统计，规制缓和带来消费和投资增加，从 1990 年到 1997 年，年平均约有 8.2 兆亿日元。因价格降低而给消费者带来的好处约有 6.6 兆亿日元。

行政许认可改革在给人们带来一系列好处的同时，也给人们和社会提出了一些新的挑战。比如，改革后，对从业者和经营者自我责任意识要求高了，他们要对自己的行为负责。同时，政府要加强事后监督的力度；放宽许认可的条件后，出现的纠纷可能会增加，对司法机关和公平交易委员会提出了更多的挑战；一些过去受保护的行业，可能会出现更多的破产和失业；与安全、健康、环保有关的许认可放松后，也会带来一些不利的影响等等。因此，在推进行政许认可改革时，应当充分认识到可能带来的问题。

美国的行政许可事项

美国行政许可涉及的事项可以分为两类：一类是经济事务方面的许可事项，为了保护消费者利益和市场竞争秩序而对市场机制无法解决的自然垄断（如基础公用事业）、过度竞争（如交通行业）、供给不足的产品与服务设立许可；一类是社会管理方面的许可，为了防止市场机制的消极影响而对有不良外部性影响的产品和行为（如不安全的产品、环境污染）、信息不对称的行业（如金融、食品）、稀缺物资（如某些资源）以及公共物品的配置进行管制而实施许可。具体而言，美国的行政许可事项主要涉及以下几个方面：

一、企业管理方面的登记与许可

在美国，成立企业一般申报即可，只有当企业行为影响市场机制的充分发挥时，法律才会设立批准、许可、执照等制度。

1. 独资企业可以登记，也可以不登记。企业经登记取得进入市场的主体资格后，再由各个有关行业主管部门依法决定其是否达到可以从事某种特定行业的要求，如环保、卫生、烟草专卖等要求。

2. 普通合伙企业不需要经过政府批准。某些专门职业，如律师、医师等以合伙形式执业，则需要向有关主管部门申请开业执照。

3. 设立公司一般不需要政府批准。向州政府备案后，即可获得公司设立证书、营业执照。

设立股份有限公司、发行股票、有限责任公司与股份有限公司相互转化、公司合并、公司减少股本等需要报州政府备案。大企业的合并,需要经过联邦贸易委员会、司法部反垄断局的批准。

二、市场准入许可

在美国,政府对一些行业和职业实行许可管理。

1. 进入自然垄断行业的许可

19 世纪 80 年代到 20 世纪初,政府对铁路、电力、电话、煤气等行业实施管制(包括进入许可和价格管制)。

2. 进入结构竞争行业的许可

20 世纪 30 年代至 40 年代大危机后,政府对广播电视业、电信业、公路货运业、海运业、航空业实施管制。70 年代美国放松并取消了一些政府管制项目,如航线认可、铁路运价管制等。

地方出租汽车业的市场进入,由各州决定。有些地方发证(如纽约市),有些地方不发证(如华盛顿市),还有一些地方出租车业、公用事业、有线电视经营权实行特许制。

汽车货运、州际运输业由州际商业委员会发给执照。有些地方还设立运费管理局对运费实施管制。

3. 特定职业的从业许可

需要专业技能并涉及社会公众的专门职业,如资产评估师、会计师、律师、精算师、海关报关代理人等,需要申请执业许可。房地产经纪人、汽车司机、酒店业主、理发师等执业要获得州管理机关颁发的证照。

4. 特定行业的营业许可

证券业。1933 年美国证券法规定,公司在发行证券前需要向有关管理机构注册登记(当时为贸易委员会,后为联邦证券交易委员会)。证券交易所、投资公司、互助基金、证券商、投资顾问以及其他证券市场专业人士需要向联邦证券交易委员会注册。1934 年证券交易法规定,在场外市场交易的证券,如果发行公司资产额在 100 万美元以上、股东 500 人以上,需要向联邦证券交易委员会注册登记。

烟酒业。联邦烟酒枪支管理局对生产、销售、进口烟、酒实施管制。如进口或者销售烧酒、葡萄酒或者啤酒,必须获得许可。市镇有关行政机关负责发放酒店经营许可证。

涉及公共安全和卫生的行业。如枪支制造和销售的许可、航空运输方面的安全许可、原子能发电的安全许可,数量较多的是卫生方面的许可。按照联邦《食品药品化妆品法》的规定,对食品是否达到规定的卫生条件,实行许可证管理;药品制造、调配、加工企业的所有者、经营者必须要向联邦药品管理局登记注册,药品生产企业每年必须重新办理登记手续;新药上市必须申请许可证,未经批准不得将新药投入州际贸易;对进口药品实行分类审批。医疗器械的制造商或者最初使用者以及医疗器械配件制造者,必须向卫生部医疗器械局登记。

三、进出口管理许可

(一)外资进入管制

外资出入美国比较自由,但不是完全没有限制。

1. 通讯。根据 1934 年修订的联邦通讯法,只有美国公民才有权申请经营无线电广播及电视行业的许可证。外国公司在电报企业或者卫星通讯公司中所占股权超过 20% 的,联邦通讯委员会不予批准。

2. 交通运输。根据互惠制,美国民航委员会对在外国注册的飞机给予从事美国国内航空运输事业的特别许可。

海关总署负责发放沿海航运的特许证,但外国船舶经营美国沿海及内河运输受到严格限制。

3. 银行业。外国银行在美国建立分支机构,或者取得对美国国内银行的控制权,需要经过批准。

(二)商品进出口管制

美国对进口商品实行不同的配额,突出的是农产品和纺织品,以及来自社会主义国家、美国认为是不友好的国家或者敌对国家的商品。

出口管制政策遵循以下原则:国家安全管制原则、对外政策管制原则、短缺物资管制原则、国别原则。出口许可证分三种：一般许可证，单项有效许可证和特殊许可证。一般许可证实际上是一种例外程序，只要符合一般许可证的条件（一般出口许可有22种情况，每一种有特定的含义、范围和条件），出口商就可以出口，而单项有效许可证和特殊许可证则要求逐项申请、逐项批准。

四、资源、能源和环境保护许可

1. 资源方面的许可

联邦自然资源保护委员会负责颁发资源开采许可证。取得矿业权，需要向州政府提出申请。内政部土地管理局负责国有土地油气勘探开发的发证和租地工作。两家以上公司申请的，出价高者与土地管理局签订租地协议，不另外颁发许可证；但从事钻井的，需要办理单井许可证。各州负责其所属土地的油气勘探开采的竞租和发证工作。

2. 能源方面的许可

20世纪50年代后，由于能源危机，美国对能源（天然气的井方价格、汽油价格、输油管道）实施管制。联邦电力委员会负责颁发通航河流水力发电事业的许可证。原子能委员会负责发放原子能利用设施和生产设施的许可证。

3. 环境保护许可

政府对向江河湖泊、大气排污，实行许可证管理。处理、贮存有害废弃物的所有人或者操作人必须持有许可证；公司建造堆放废弃物的垃圾场，需由市议会批准。联邦环保局负责环境影响说明书的审批。

五、移民和出入境管理许可

美国的签证包括移民签证和非移民签证。移民签证按亲属移民、技术移民、职业移民、投资移民、独立移民以及劳工移民等分类颁发。居住在美国的外国人符合条件的，可以获得相应的外籍永久居留登记证、归化入籍许可证、外籍人士劳工(工作)许可证。前往美国旅游、留学、同美国人结婚的,需要申请相应的非移民签证。

政府对口岸入境实行入境签证许可和口岸入境查验许可双重许可制。